Writer and Criticism

작가와 비평

VOL
13
2011 상반기

작가와 비평 2011년 상반기
통권 제13호

특집 》 이 시대의 작가란 누구/무엇인가?

통권 제13호(2011년 상반기)

발행일 2011년 06월 30일

편집동인 최강민 고봉준 이경수 정은경 김정남 이선우

전자우편 writercritic@chol.com **홈페이지** user.chollian.net/~writercritic

발행처 작가와비평 **발행인** 양정섭 **전자우편** wekorea@paran.com

　　　　주소 경기도 광명시 소하동 1272번지 우림필유 101-212

공급처 (주)글로벌콘텐츠출판그룹 **주소** 서울특별시 강동구 길동 349-6 정일빌딩 401호

　　　　전화 02-488-3280 **팩스** 02-488-3281 **홈페이지** www.gcbook.co.kr

값 12,000원 **ISSN** 2005-3754 13

이 작가를 주목한다 　》손아람

쟁점 비평

이번 호 특집은 〈이 시대의 작가란 무엇인가〉이다. 새삼 이 시대 '작가'의 존재론에 대해 묻는 이유는 각론의 필자들의 펼쳐놓은 이야기 속에 들어있다. 정의진의 〈작가라는 현대적 역설〉은 최근 이슈가 되었던 시나리오 작가 최고은의 죽음에서 출발하여 '작가의 사회적 위상'에 대해 논의하고 있는 글이다. 그는 작가, 곧 예술가가 국가나 후원자의 재정적 도움에 의지해서 살아가던 봉건 시대가 마감된 뒤, 자유와 생존적 위기를 동시에 끌어안은 작가의 운명, 즉 근대 '사회 비판의 담지자'로서의 작가와 근대 자본주의 출판 시스템에 종속된 작가의 존재를 역사적 맥락에서 추적하고 그 역설의 현장을 진이정에서 살피고 있다. 그에 의하면, 진이정, 또는 최고은 등은 반사회적 사회성의 담지자로서의 작가와 그로 인한 물질적 불편의 자발적 감수자로서의 작가를 보여주는 사례이지만, 진이정의 경우, "작가란 자신의 글쓰기를 통해 매순간 새롭게 태어나고 재규정되는 역사적 주체라는 현대적 정의"에 근접해 있는 작가이다. 즉, 정의진이 이 글을 통해 탐색하고 있는 우리 시대 작가의 사회적 위상이란, 결국 현재 봉착한 역설적 상황을 보여주면서 그 '화두'를 다시 문제삼고 갱신해가는 '문제적 존재'라는 것이다.

〈세계를 쓰는 자, 세계를 읽는 자〉에서 조효원이 강조하고 있는 것은, 일상적 삶의 내부에 있는 '인격'으로서의 작가가 아니라 글쓰기의 장소에 머물면서 삶의 외부에, 비인간의 상태에 들어가는 작가이다. "진정으로 작가의 상태를 통과한 사람은 자신의 모든 삶을 죽음의 관점에서 영위해야" 한다고 언급하고 글쓰기 외부의 추위와 배고픔을 세계의 외부에 있는 작가 운명의 필연성으로 논의하고 있는 이 글은 일견 낭만적 작가론에 기대고 있는 듯한데, 보르헤스의 말을 빌어 '잠재적 유다'로서의 독자와 작가를 요청하고 있는 대목에 이르면 세속을 철저하게 거절하고자 하는 논자의 비판적 문학론을 만나게 된다.

임태훈의 〈신체와 제로〉는 소셜 네트워크을 비롯 각종 기기의 프로그램에 점령당한 인간의 감각과 사유를 해방하는 존재로서의 작가를 강조하고 있는 글이다. 그는 프로그래밍화된 기계에 종속되고 획일화되어가는 인간의 삶을 '신체'라는 자율적 생동성에 기반해 되돌리는 새로운 실천을 작가들에게 요청한다. 김대성의 〈생존의 비용, 글쓰기의 비용: 우리 시대의 '작가'에 관하여〉는 경험, 생활과 절연한 우리 시대의 글쓰기가 갖고 있는 빈곤에 대해 '비평가'라는 (비)문학적 존재에 대한 물음과 함께 개진하고 있는 글이다.

박영희의 〈나는 왜 르포를 쓰는가〉는 작가의 실체험에 바탕한 육성이 돋보이는 글로, 르포를 통해 우리 시대 '문학', 나아가 우리 사회의 현재를 보여주고 있는 글이다. 박영희의 육성은 위의 논자들이 문제삼은 반사회적 사회성으로서의 작가, 자발적 가난을 감수한 작가라는 위상이 어떻게 실제 작가에게 '실재'하고 있는지를 증언한다. 전업작가로서의 지독한 가난, 그리고 르포 작가로의 행로와 그 체험기는 바로 기본적 생계를 영위할 수도 없는 우리 시대

작가의 초상이면서, 문단이라는 '문학장'의 자폐성, 그리고 매스컴의 뉴스와 현장, 르포 등 각종 프로그램이 기반하고 있는 당파성과 이데올로기의 현장을 생생하게 보여준다.

소설가 노희준, 권여선의 글은 '작가란 무엇인가'라는 질문에 있는 점잖음, 그 품위의 거리를 가차없이 없애버리는 글이다. 현 문학 시스템 전반, 특히 비평가와 작가와의 관계를 묻고 있는 노희준의 글은 냉정한 비판적 시각은 물론 '지도없이 모험하는' 작가의 건강에 대한 자신감까지 지니고 있는 글이고, 권여선의 글은 한 편의 소설로도 손색 없을만큼 '작가'에 대한 리얼리티의 형상화가 뛰어난, 그렇기 때문에 더욱 슬픈 우리 시대 작가의 초상을 보여준다.

'이 시대의 작가론' 특집에서 보여주는 저 다양한 각론에서 알 수 있듯 우리 시대의 작가는 여러 가지 기로 위에 서 있다. 통시적으로는 패트론으로부터의 독립과 문학의 자율성, 출판 자본에의 새로운 종속이라는 기로에, 공시적으로는 매체 변화에 따른 기존 문학적 관습의 해체와 새로운 글쓰기의 가능성, 그리고 날로 진화하는 자본주의적 전체주의 메커니즘과의 인간 해방의 기획의 불가능성 등등. 과거 우리가 가졌던 '문학'에 대한 높은 위상에 비춰 본다면, 이제 '나는 작가다'라고 외칠 수 있는 지점은 모호한 듯하다. 빼어난 문장도, 자발적 가난도, 등단 시스템도, 사회적 비판의식도 작가 존재 증명의 발화지점이 아니라면? 즉, 우리는 현재 해체되고 새롭게 진화하고 있는 '작가'와 '문학'의 현장을 목도하고 있는 셈이다.

『작가와 비평』 13호에서 주목한 작가는 손아람이다. 손아람은 내성화되고 피로해진 한국문학에 투박한 '진정성'과 '열정'을 앞세워 새로운 활기를 불어넣고 있는 젊은 작가이다. 노대원의 손아람론은 두 편의 소설분석을 통해 사회의식 측면에서, 또 문학적 측면

13호를 발간하며

7

에서 이 작가가 '도전'하고 있는 문제적 지점을 정치하게 살피고 있다. 이 문제적 작가의 문학적 패기 "소설은 무모하게 저돌적이고, 믿을 수 없도록 순진하고, 가망이 보이지 않게 고집스러운 한 인간이 삶 전체로 세상을 들이받아 만들어낸 것"에 숨겨진 오만과 불안의 줄타기, 그리고 집필과정을 자서와 대담에서 만나는 일은 반가운 일이다.

'쟁점비평'으로 두 개의 글을 싣는다. 세계문학론과 '국가주의'에 대한 논의인데, 고봉준은 프랑코 모레티, 파스칼 카사노바, 댐로쉬 등의 세계문학론을 소개하고 〈창작과 비평〉의 세계문학론에 함의된 근대성을 비판적으로 읽어낸다. 서용순의 〈국가의 욕망과 존재의 재앙:존재의 같음을 열기 위한 시론〉은 일본의 지진사태와 교과서 문제에서 출발해 이 시대 가장 강력한 권력을 행사하고 있는 국가주의를 비판하고 여기에 희생된 개별 존재들과 타자에 대한 책임감을 회복할 것을 주장한다.

하승우의 〈아날로그 인간의 키보드워리어 논쟁 감상기〉는 박가분과 한윤형의 논쟁에 대한 논평과 이들의 저서에 대한 논평이다. 이들 진보논객에 대한 하승우의 읽기는 우리 시대 사회담론의 현장과 그 문제점을 짚어내는 동시에, 인문학의 위기에도 불구하고 오히려 과잉된 '말'들이 난무하는 공허함을 지적하고 있다.

'이 시대의 작가론' 특집을 묶어내면서 '작가와 비평'의 존재론을 생각한다. 앞에서 언급한 각론들이 보여주는 그 다양한 스펙트럼만큼이나 우리 문학의 현재는 어지럽고, 비전 또한 모호하기 그지없다. 겉으로는 그지없이 평온한 나날이고 그 평온에 깃든 김빠진 일상만큼이나 지루한 반복들이 다시 반복되는 시간, 그러나 여전히 거리는 시끄럽고 문단 또한 활기차다. 이 가짜 평온과 활기를 내파해갈 문장들을 '작가와 비평'은 품고 있는가, 아니 그것을 생

각하는 작가들과 비평가, 독자들은 있는가. 다시 '우리'를 심문해야
할 시간이다.

—편집 동인 최강민, 이경수, 고봉준, 이선우, 김정남을 대신해서

정은경 쓰다

작가라는 현대적 역설

: 최고은과 진이정을 기억하며

정의진

최고은, 작가의 현대적 위상에 대한 사회적 알레고리

올해 초 감독이자 시나리오 작가이기도 한 최고은이 서른둘의 나이로 사망했다. 문학적 의미의 작가를 논하는 자리에서 영화인을 상기하는 일이 다소 격에 맞지 않아 보이지만, 그녀 또한 시나리오 '작가', 즉 언어를 자신의 관점과 감수성으로 재구성하는 일을 하던 사람이었다. 그러나 최고은 작가를 상기하는 더 큰 이유는, 그녀의 죽음을 둘러싼 일련의 정황이, 작가라는 단어의 현대적인 의미가 내포하고 있는 수세기에 걸친 역사성을 장르를 뛰어넘어 함축하는 일종의 알레고리처럼 다가왔기 때문이다.

그녀의 유작인 단편영화 〈격정 소나타〉(2006)를 필자 또한 인터넷을 통해 보았다. 과장으로나마 '저주받은 걸작'이라는 식의 평가를 내릴 만한 작품은 아니었다. 그러나 그녀가 섬세한 감수성과 동시에 자기 작품의 완성도를 놓고 스스로 쉽게 타협하지 않는 성격을 가진, 어떤 현대적 예술가의 전형에 속하는 사람이었으리라는 느낌 하나는 분명하게 왔다. 섬세한 뉘앙스의 명암대비로 구성된 〈격정 소나타〉의 개별 시퀀스들, 각각의 시퀀스들 사이의 다양한 정서적 흐름과 충돌을 숙고한 정제된 편집은 분명히 이 감독의 가능성을 증명하고 있었다. 피아노 콘테스트에서 실패와 좌절을 경험한 한 여고생이 다시 콘테스트에 참여하면서, 콘테스트 대기자들의 긴장, 혼란, 경쟁, 침묵 속에서 결국 음악 하나에만 몰두한다는 주제는, 예술을 국가와 사회제도의 종속변수가 아니라 그 자체로 삶의 새로운 한 형식으로 정립시키려는, 낭만주의 이래 근대적 예술가의 이상을 반복하는 장면으로 읽을 수도 있을 것이다. 발언의 맥락이 거세된 상태라 함부로 인용하기가 주저되지만, 인터넷 사이트에 떠 있는 〈격정 소나타〉의 짧은 연출의도에는, "누군가 그랬습니다. 공부가 안 돼서 우울할 땐 공부를 하면 된다고"라고 적혀 있었다. 일견 오만해 보이는 이 연출의 변이 20대 중반의 고집스런 나르시시즘으로 읽힌다한들, 그 나이는 동시에 '영화가 안 돼서 우울하면 영화를 하면 된다'는 각오 없이는 감독이나 작가로 살기 쉽지 않으리라는 것을 예감하는 나이이기도 하다.

　실제로 그 후 그녀는 제작사와 계약이 성사된 시나리오들이, 영화계 은어를 빌리자면 '엎어지는' 일을 여러 번 경험하였다고 한다. 그 엎어진 시나리오들이 그녀의 한국예술종합학교(이하 한예종) 시절의 단편영화처럼 '순도' 높은 예술적 지향을 간직하고 있는지, 흥행가능성을 저울질하는 제작사의 요구를 미리 고려한 여러 타협책과 우회로를 포함하고 있는지는 필자로서도 알 수 없다. 후자의 확률이 현실적으로 높았으리라고 지레짐작할 수도 있을 것이다. 그러나 '개나 소나 영화한답시고 떠들면서 정말 쓸 만한 시나리오 작가 한 사람 발견하기 힘든 것이 한국 영화계의 현실'이라는 식의 이야기가 글로도 술자리에서도 회자되는 상황을 고려할 때, 여러 번 계약을 성사시킨 그녀의 재능과 노력은 분명히 평균치 이상이었을 것이다. 그러니, 좋은 시나리오 작가의 절대적 부족함을 우려하는 그 술자리의 탄식이나 염려는, 그 말을 누가 했느냐에 따라서 매우 몰염치한 발언일 수도 있다. 양식을 가진 제작사들도 있는 반면, '예술가는 원래 자기가 좋아서 가난조차도 감수하는 사람들이니까'라는 난해한 계산법으로 그러한 착취를 정당화하는 투자자나 제작자도 심심찮게 존재하는 것이 현실이기 때문이다. 여러 번 계약을 성사시킨 작가가 턱없는 가난에 시달리는 상황에서, 재능을 터무니없이 착취하고서 재능이 부족하다는 말을 하기는 힘들 것이다.

예술가가 국가나 후원자의 재정적 도움에 의지해서 살아가던 봉건적 관행이 근대 자본주의 시대에 이르러 마감된 후, 작가는 항상 생존의 위기를 감수하는 직업일 수밖에 없었다. 그러나 동시에, 누구의 직접적인 재정적 지원도 쉬 기대할 수 없는 상황을 감수하면서도 자신만의 세계를 개진해나가기로 한 이상, 그 반대급부로 '저작권' 및 여타의 보수체계가 확립되었다. 어느 시대 어느 나라에서나 예술가는 일반적으로 가난하다고 두루뭉수리로 넘어가려는 것은, 나라와 시대별로 그 가난에 무시 못할 정도의 차이가 존재한다는 사실을 전략적으로 외면하는 태도일 뿐이다. 영화의 첫 단추를, 영화의 기본 틀을 제공하는 시나리오 작가가 경비절감의 대상이라는 사실을, 다른 시대 다른 사회도 아닌 자본주의 사회, 그것도 이미 수세기를 진화한 현대 자본주의 사회에서 대체 누구더러 이해하라는 말인가? 그럼에도 불구하고 매년 세계에서 가장 많은 편수의 단편영화와 독립영화가 제작되는 나라들 가운데 한 나라에서 살고 있으니, 한국의 많은 최고은들에게 경의를 표할 뿐이다. 그들이 이미 여러해 전부터 최고권위의 각종 세계영화제에서 매년 여러 편의 수상작을 내고 있기에 더더욱 그렇다.

최고은 작가의 사망을 둘러싸고 인터넷에 뜬 기사와 글들을 검색하면서, 작가의 사회적 위상을 둘러싼 서구의 길디 긴 역사적 변전에 대한 지식이 있는 사람이라면, 다소 착잡한 상념에 사로잡힐 수밖에 없을 것이다. 우선 인터넷 이야기를 먼저 하자면, 최고은 작가에 대한 많은 추도의 글들보다 필자의 머리를 부산하게 만든 글들은, 제법 영악스럽고 쿨한 포즈로, 안 됐지만 작가 스스로 자초한 것 아니냐는 반응들이었다. 물론 뉘앙스들은 달랐다. 누군가는 먹고산다는 그 힘든 일을 부차적으로 여기고 산 작가를 '규탄'하였고, 누군가의 글에는 실제로 안타까움 또한 배어 있었다. 또 다른 누군가는 다소 경솔하고 어설프게 아예 최고은을 사례 삼아 작가가 생존하는 '합리적인 경영 컨설팅'을 제시하기도 하였다. 우연한 성공의 시기가 지나면 곧장 기억에서 멀어질 운 좋은 사람들을 논외로 한다면, 성공한 작가들 중 다수는 각자의 관점과 방식으로 시대의 흐름을 읽는 능력을 가지고 있다. 그렇다고는 해도, 아예 경영 마인드나 재테크 마인드를 설파하는 책의 저자가 아닌 다음에야, 그들 가운데 처음부터 '합리적인 경영마인드', 즉 '잔머리'를 굴린 사람은 그리 많지 않아 보인다. 세월과 역사의 변전이 상당수의 작가들에게 문학과 사회의 관계에 대한 역설적인 포즈와 긴장을 강제한다 하더라도, 그건 종종 그들 자신도 예견 못했거나 바라지 않았던 일인 경우가 많다. 그 무르익은 작가적 '모호함'을 해독하는 재미는 물론 쏠쏠하다. 어쨌든 그 아마추어 선무당 경영 컨설턴트보다는 최고은이 인간과 세상에 대해 더 겸손한 사람이라는 확신은, 그 어려운 조건에서도 밝게 웃으며 청중들과 대화하는 생전의

15

최고은 작가 모습을 동영상으로 보면서 확신할 수 있었다.

　그러나 그 글들이 필자를 불편하게 만들면서도, 다른 한편으로 필자를 '작가라는 직업의 사회적 위상의 역사성'이라는 제법 거창한 주제를 놓고 상념에 젖게 만들었다는 사실에는 변함이 없다. 즉 필자는 그 네티즌들의 글들이 아예 근거 없거나 황당한 것이라고 전혀 생각하지 않는다. 오히려 상당수의 사람들에게 그 글들은 지극히 자연스럽고 정상적인 '사회성'의 표현으로 받아들여질 것이다. 문제는 작가의 사회성과 일반적인 사회성 사이에 항상 일정한 긴장관계가, 그것도 사회를 긴 안목으로 이해하기 위해서 꼭 필요한 긴장관계가 존재한다는 사실일 것이다. 현대 자본주의 사회에서 문학과 예술을 '소비'하는 독자와 관객들 중 상당수가 자본주의적 실용성과 다르거나 심지어 대립하는 가치들을 '구매'한다는 사실은, 문학예술의 사회적 필요성이 내포하는 역설을 대중적으로 증명한다. 심지어 대기업의 이미지마케팅 광고조차도 자기기업의 자본주의적 이윤논리를 부각시키기보다는 그 기업의 문화적 지향성을 부각시키는 경우가 많다. 왜 그러겠는가? 이윤논리와 충돌하는 인간적이고 문화적인 가치들을 '선제적으로 관리'하는 것이 아니라면…… 필자는 이를 단순히 기업의 자기합리화를 위한 위선적 통제방식이라고 폄하할 생각은 없다. 장기적으로 기업의 사회적 가치경영을 위한 초석이, 기업이윤의 사회적 환원 및 문화예술에 대한 지원활동을 통해 놓일 수도 있으므로.

　어쨌든 한 가지 분명한 사실은, 작가의 근대적인 사회적 위상이 '비판적 사회성', 즉 지금과는 다른 사회를 상상하는 사회성을 통해서 확립되었다는 사실이다. 근대 자본주의와 민주주의의 발전 과정에서 봉건적인 신분제적 예속관계에서 벗어난 자율적인 '개인', 정치사회적으로 규정하자면 '시민'의 탄생에 결정적인 기여를 한 사람들은 포괄적인 의미의 작가들이었다. 서구와 상당한 시간차가 존재하지만, 다수의 '신소설'을 통해서 확인할 수 있듯이, 한국에서도 근대 계몽기 작가들의 사회적 위상은 상당 부분 대중을 '근대적으로 계몽'하고자 하는 노력을 통해 확립되었다. 작가들은 근대의 교사였다.

문학적 사회경제성의 현대적 역설

별도의 후원을 필요로 하지 않고 인세로 살아갈 수 있는 일군의 작가들이 독자층의 확대와 더불어 형성되면서, 작가와 독자들은 근대 자본주의와 민주주의의 역사적 형성이라는 소용돌이를 함께 통과하였다. 더 많은 자유와 민주주의를 지향하는 작가와 독자들이 늘어날수록, 더 많은 질서와 전통존중을 지향하는 작가와 독자들도 함께 늘어나는 경향을 동반하면서, 오랜 세월에 걸쳐 공화주의, 민주주의, 자본주의는 지배적인 현실사회의 이념이자 운영원리로 자리 잡았다. 널리 알려져 있다시피 근대사회에서 작가가 독립적인 '직업'으로 '제도화'될 수 있었던 결정적인 물적 조건은 인쇄술의 발명이었으며, 이를 바탕으로 인쇄소와 출판사 및 신문 산업이 발전할 수 있었다. 만약 동일한 내용을 대량으로 복제할 수 있는 인쇄술이 발명되지 않았더라면, 그리고 이것이 봉건적인 농노관계와는 다른 도시 자영업의 형태를 거쳐 산업으로 발전하지 않았더라면, 출판시장과 언론시장의 발전은 그만큼 늦어졌을 것이며, 근대적 작가의 새로운 사회적 위상이라는 문제 또한 더욱 늦게 제기될 수밖에 없었을 것이다.

결국 근대적 작가의 새로운 사회적 위상은 이중적인 역사적 과정을 통해 확립되었다. 사회에 대한 작가의 비판적 자율성과, 이를 촉진한 물질적 조건인 근대적 자본주의 출판시스템 사이에는 분명히 역사적 긴장관계가 존재한다. 상상력과 표현의 절대적 자유를 주장하는 근대적 작가들이 이를 통해 사회적 신뢰와 독자층을 확보해나갔다면, 이에 대한 물질적 보상을 저작권이라는 사적소유권에 기초한 자본주의 경제시스템을 통해 보장받았다는 점은, 장기적으로는 언제든지 작가의 창조적 지향성과 시장의 이윤논리 사이에서 충돌이 발생할 수 있다는 것을 의미한다. 부유함과는 거리가 먼 최고은 작가가, 진이정과 같이 아깝게 요절한 좋은 시인이, 다른 모든 사람들처럼 물질적인 사정에서 자유로울 수 없었다 하더라도, 우선적으로 부를 위하여 창조적 예술 활동을 수행해 나간 것은 아니기 때문이다. 물질적으로 큰 어려움은 없었을 소위 메이저 신문사의 기자였던 또 한 명의 아까운 요절시인 기형도의 시와 가난했던 진이정 시인의 시 사이에는 물질적 차이를 뛰어넘는 시적 친연성이, '시인 공화국' 시민의 본질적 정체성이 고스란히 간직되어 있기 때문이다.

최고은 작가의 사망과 관련해, 이를 보도한 기자들의 의도나 선의가 무엇이었든 간에, 언론에 보도된 부정확하고 피상적이며 선정적이기까지 한 내용에 기초해 그녀를 경제적 무능력자 정도로 매도하거나 반대로 무조건적으로 애도하는 것에 대해, 한예종 강의에서 최고은을 직접 가르치기도 한 작가 김영하는 분노감을 표시하였다. 그녀가 어떤 품성과 재능을 가진 사람이었는지, 그녀가 어떻게 학비를 벌었는지를 모른다면 제발 입이나 닫아달라는 부탁과 함께…… 언론보도에 기초한 네티즌들의 반응은 그렇다고 치고, 김영하 작가의 분노를 일차적으로 촉발한 언론보도의 피상성에는 진보보수가 없었다. 역시 김영하의 말을 빌리면, 최고은 작가 사망소식을 가장 먼저 보도한 언론은 한국의 대표적인 진보 일간지였다고 한다.

오늘날 한국사회에서 유행하는 용어를 빌려서 이야기하자면, 작가는 원하든 원하지 않든 항상 '문화'산업과 문화'산업'의 경계 사이에 서 있었고 지금도 그러하다. 그리고 문학이 위기라고 다수가 말할 때, 그 위기를 자양분 삼아 문학과 예술의 새로운 물꼬를 터 나간 창조의 과정이 곧 근현대문학예술사라는 점은 재론하기도 새삼스럽다. 그 새삼스러운 사실을 현재적으로 재발견하는 일이 생각만큼 쉽지 않다고 하더라도, 그것이 근현대문학예술사의 요체라는 사실은 변하지 않는다. 문학의 진정한 죽음은 경제적 수익성의 하락을 통해 확인된 것이 아니라, 결정적으로 작가들 자신에 의해서 확인되었다. 이와 관련한 무수한 사례가 있겠지만, 프랑스 현대문학전공인 필자의 편의대로 19세기에서 20세기 전반기까지의 대표적인 프랑스 시인들을 예로 들면 다음과 같다.

프랑스 낭만주의의 절정기를 개척한 빅토르 위고의 그로테스크 미학은, 과거의 절대적 진선미에 기초한 봉건적인 제도적 미학이 역사적으로 종료되고 있음을 알리는 신호였다. 그는 금전적으로도 어마어마한 성공을 거두었다. 19세기 낭만주의의 점진적인 쇠태기에, 위고의 후배 보들레르는 그 위기를 자신의 근대적 산문시 형식으로 돌파하였다. 그는 최소한 가난하지 않을 수는 있었는데, 씀씀이가 헤펐다. 랭보는 삶과 예술의 절대적 자유와 엄정한 현실 사이의 역설을 극단까지 밀어붙이면서, 이후의 문학사와 사상사 및 문명사 전반이 화두로 삼게 될 '근본적 타자성'의 문제를 제기하였다. 그가 스무 살에 시를 접고 이후 전적으로 경제활동에 매진한 것은 그 자체로 하나의 역설적인 화두가 될 수 있다. 시형식의 차원에서 볼 때 랭보보다 훨씬 급진적인 실험을 수행한 말라르메의 경우 평범한 영어 교사였다. 20세기 전반기의 초현실주의자들은 '자동기술법'을 통해 시적 현대성의 문제를 새롭게 설정하였다. 초현실주의자들에 이르러서, 적어도 프랑스문학사나 유럽문학사의 경우, '가난한 비운의 천재' 신화는 점점 과거의 일이 되어간다. 초현실주의자들의 '전위성'을 자신의 교양수준을 과시하려는 '불순한' 의도로 함께 즐기는, 그래서 앙드레 브르통이 경계심을 표명하기까지 했던 문화적 부르주아 고객들이 늘어났기 때문이다. 그들 가운데는 현대예술의 비판적인 창조성을 통해 시대의 근본적인 변화를 감지하는 진정한 '문화엘리트'도 있었다. 초현실주의자들은 선배세대가 희생적으로 개척한 현대적 예술의 창조적 사회성, 즉 '반사회적 사회성'이라는 예술의 역설적 가치가 더 널리 인정되는 역사적 상황과 함께 상당한 물질적 혜택 또한 누릴 수 있었던 최초의 세대에 속한다. 비록 예술이 돈이 되는 상황, 혹은 돈 되는 예술이라는 문제가 이들 사이의 불화와 결별의 한 빌미를 제공하기는 했지만. 어쨌든 앞에서 열거한 작가들의 공통점은, 특정한 문학적 경향의 제도적 고착화나 사회적 소멸조짐을 문학의 당대적 재구성의 기회로 삼았다는 점이다. 그리고 '문화산업'은 이들을 매개로 현재까지 엄청난 돈을 벌어들이고 유통시켰다. 소설로도 큰돈을 번 위고를 제외하면, 필자는 지금 의도적으로 돈벌이와 무관해 보이는 시인들만을 열거하였다. 소설가들을 놓고 이야기하자면 금액상으로는 훨씬 커지겠지만, 소설이라는 근대적 문학 장르 또한 '비문학'적인 것으로 간주되던 온갖 사회적 일상사들을 문학 안으로 '비판적'으로 흡수하면서, 즉 기존 문학의 제도적 경계와 사회적 통념의 제도적 경계를 동시에 무너뜨리면서 형성되었다는 것은 주지의 사실이다.

　오늘날 국제적으로는 유네스코로 대변되는 교육문화기구가 존재하며, 상당수의 문명화된 국가들이 문화부를 별도의 국가기관으로 제도화한 역사적 과정은 문학과 예술의 비판적 창조성을 제도화하는 과정이기도 하였다. 그것이 문학예술이라는 사회적으로 '불온한' 영역을 효과적으로 순치하고 통제하려는 의도에서 출발한 것이라는 근거 있는 비판적 지적도 있으나, 문화적으로 보다 성숙한 국가들일수록 단기적인 정권의 이해관계를 떠나 문학과 예술의 창조성과 비판성을 폭넓게 인정하는 태도, 즉 '지원하되 개입하지 않는다'는 기본노선을 유지하는 것 또한 사실이다. 당장에는 비실용적으로 보이는 문학과 예술의 불편한 문제제기들이, 장기적으로는 한 사회의 가치관과 사회적 결속력이 위기에 처할 때 구원자 역할을 한 경험들이 역사적으로 축적되었기 때문이다. 물론 소위 문화적 선진국의 경우에도 정치적 이념에 따른 문화정책의 편차가 존재하나, 이런 나라의 정치가 및 문화행정가들 중 다수는 장기적으로 볼 때 문화의 예술적 창조성과 비판적 사회성을 보장하는 것이 산업적으로도 훨씬 이익이라는 점을 역사적 경험을 통해 잘 이해하고 있다. 나아가 문화부 산하의 행정 관료가 특정 작가나 예술가에 대한 전문가로서 저술활동을 병행하는 경우도, 예를 들어 프랑스의 경우에는 그리 어색한 풍경이 아니다.

한국의 경우 특히 김대중 정부 이래 문화산업의 효율적인 경제적 재편이 정책우선순위를 차지해 왔다. 한국의 문화시장이 지속적으로 국제적인 개방을 강요당하는 상황이었으니 그 필연성을 인정한다고 해도, 문화의 즉자적인 산업화정책이 지나친 우위를 점했었다는 비판에 필자는 동의한다. 문화예술 영역만큼 즉각적인 경제적 수익성의 문제에 근시안적으로 집착하는 태도가 장기적인 산업의 관점에서 독이 되는 영역은 없다. 그러나 동시에 아쉬운 대로나마 한국 또한 예술의 창조성과 비판성을 꾸준히 제도적으로 수용해나가고 있었던 것이 사실이다. 그런데 최근 몇 년간 한국의 문화정책은, 영진위원장 연속 사퇴와 해임 등을 통해 확인할 수 있듯이 이미 많은 문제를 야기하고 있다. 시나리오 작가 최고은의 직접적 사인은 아사가 아니라 갑상선기능항진증과 이로 인한 합병증 때문이라고 한다. 그러나 그녀의 '사회적 사인'은 별개의 문제임에 분명하다.

그런데 무수한 사건사고 가운데 최고은 작가의 사망소식이 포털 사이트 검색순위 1위에 오른 사실 자체는 분명히 특기할 만하다. 이를 작가의 사회적 위상이 위기에 처한 한국적 상황, 그러나 위기만은 아닌 상황에 대한 복합적 징후로 읽는다면 혹시 과장된 해석일까? 티브이 드라마가 인용한 시집들이 여전히 베스트셀러가 되고, 대형서점의 종합베스트셀러 목록에 자기개발서 대신 소설과 인문사회과학 서적들이 대거 복귀하고, 사진을 취미로 삼는 사람들이 날로 증가하고, 여러 미술전시회가 '대박'을 터뜨려서 전시회 마지막 날에는 심지어 암표상까지 출현하는 상황이 도래했는데, 한국의 한 재능 있는 시나리오 작가는 어처구니없이 생을 마감하는 일종의 '사회적 부조화' 상태에 대한 대중적 문제제기가 최고은 작가 사망소식을 핫이슈로 만든 건 아닐까? 이분법적으로 가르기가 쉽지는 않지만, 대중문화뿐만이 아니라 소위 순수예술에 대해서도 한국인들은 분명히 지갑을 열고 향유하고 있으며, 정부와 지자체 및 기업 등은 이미 오래전부터 이 영역에 개입하고 있다. 그러나 소위 문화산업이라는 포괄적인 이름하에 돌고 도는 돈 가운데, 문화의 직접적인 생산자들에게 여전히 제 몫이 돌아가고 있지 않은 현실에 대한 대중적 문제의식이 이미 형성되었다고 필자는 판단한다.

한국문학사와 시인 진이정을 상기하며

상대적으로 늦었던 근대화와 식민지배라는 역사적 고통에도 불구하고, 한국 근현대문학사는 한국의 근현대사만큼이나 역동적이었다. 새로운 한국적 문학 언어를 창조해나가는 과정과, 서구 근현대문학사를 단기간에 흡수해나가는 과정이 분리불가능하게 얽혀 있는 것이 아마도 한국 근현대문학사일 것이다. 한국의 근현대문학사는 낭만주의, 상징주의, 초현실주의, 사실주의, 자연주의 등 19~20세기 전반기 서구 문학사의 주요사조들이 단기간에 한꺼번에 수용되면서 진행된 역사이기도 하다. 이와 관련해 한국문학사를 서구문학사의 각종사조들과 '비교'하면서 이해하는 것은, 한국 근현대문학사의 소위 '내재적 전통'에 과도하게 집착하는 것만큼이나 단편적인 이해일 것이다. 서구는 우리에게 근대의 동의어인 동시에 절대적인 미지의 영역이었다. 그 모든 것을 한꺼번에 수용하면서, 그러나 매순간 한국적 현실과의 충돌을 동반하면서, 한국문학사는 내외부의 경계를 이분법적으로 정리하는 것이 불가능한 양상으로 전개되었고, 아마도 그 자체가 곧 한국문학의 특수성이자 보편성일 것이다.

이를 한국 작가의 사회적 위상이라는 문제와 연관지어본다면, 아무리 급진적이고 혁신적인 창조를 수행한 경우에도 안정적인 과거의 사회문화적 전통과 생산적으로 충돌할 수 있었던 서구의 작가들에 비해, 근대 이후 한국의 작가들은 과거와 현재와 미래가 한꺼번에 얽혀서 돌아가는 상황을 오랫동안 감내해 왔다. 예를 들어 1960년대에 김수영과 같은 탁월한 시인이 명료하게 의식하고 있었듯이, 갈수록 유행하는 미국문화와 잔존하는 일본어, 부정되고 억압되었다가 다시 돌아오는 소위 순수 한국어 사이에서, '아름다운 우리말'이라는 문제는 그 실체를 복고적으로 복원하는 문제가 아니라 당대적이고 역사적인 '열린 문제'였다. 따라서 작가의 사회적 위상 또한, 다소 임의적인 단순화가 허용된다면, 한국말의 새로운 전통을 확립하는 사람, 한국 문화의 근현대화를 촉진하는 사람, 한국의 억압적인 사회현실을 비판하는 민주화의 전위, 한국사회의 문학 예술적 자율성을 창조하는 사람 등으로 거의 동시에 다차원적으로 제기되었다. 이는 이미 일제식민지시대부터 그러하였는데, 조선의 전통적 순수서정을 탐구하는 작가, 애국적 계몽주의자, 경향문학과 카프, 구인회와 같은 모더니스트들은 동시에 존재하면서 논쟁하고 교류하였다. 그리고 탁월한 작가들의 경우 이 모든 문제들을 복합적으로 수용하면서, 자신 안의 내적인 문화적 충돌을 곧 창조의 동력으로 삼았다.

그 과정에서 이상의 경우처럼 작가의 요절이 신화화되거나 사회적 반향을 불러일으킨 경우는 한국문학사에서도 드물지 않다. 해방 이후만을 상기해보자면, 김수영 시인이나 신동엽 시인이 더 오래 살았더라면 어떤 시를 썼을까, 김남주 시인의 때 이른 죽음은 육체의 병에서 비롯된 것일까 변화하는 시대를 견디는 마음의 고통에서 비롯된 것일까 등의 질문이 문득문득 머릿속을 차지했던 독자들이 적지 않을 것이다. 1989년 기형도 시인의 요절은 작가 지망생들에게 일종의 기형도 신드롬을 낳았다. 대중적 전위주의를 표방하며 당대 한국시의 새로운 출구를 모색하던 '21세기 전망' 동인으로 1993년에 서른넷의 나이에 요절한 진이정 시인의 경우, 그가 세상을 뜨고 나서 첫 시집이자 유고시집 『거꾸로 선 꿈을 위하여』가 세계사에서 출간되었다. 1980년대 소위 '시의 시대'가 저무는 기운이 뚜렷하던 1990년대의 상황에서, 필자는 '21세기 전망' 동인들의 시가 재미있고 시대적으로도 유의미하다고 느끼던 문학도였다.

'대중'과 '전위'라는 얼핏 조합이 쉽지 않아 보이는 용어를 동인들의 모토로 삼아, 이들은 한국시의 새로운 활로를 모색하였다.

진이정은 격렬했던 1980년대의 시대적 기억을 가슴에 새기면서도 1980년대적 엄숙주의를 탈피하여, 변화한 1990년대의 시대적 상황을 과감한 자기고백과 빛나는 역설적 화법으로, 자신의 구체적 육체와 일상에 밀착하여 정면으로 껴안고자 하였다. 이제 문학에 대한 경험이 좀 더 쌓여서 그의 시집을 다시 들춰보면, 그는 요절해서 아까운 것만이 아니라 그의 요절이 아까운 좋은 시인이었다. '거꾸로 선 꿈을 위하여'라는 시집 제목이 암시하듯이, 그의 동명의 연작시들은 가시적으로는 엄청난 변화의 속도에 휩쓸려 있으면서도 점점 정형화되어 가던 한국사회의 감수성에 숨통을 틔우려는 당대의 전위적 시도였다. 과거의 다양한 문학적 시도들이 변화한 시대와 더불어 재조정을 강제 당하던 시기에, 진이정은 과감하게 미래 쪽으로 자신의 시를 투사하였다.

> 나는 꿈을 밀수하러 부둣가를 서성 거린다
> 낡은 비유만이 내게 허용되어 있어라 ; 바람 없는 바다의 돛배처럼
> 바다도 없이, 바다도 없이, 나는 항해 한다
> 아버지, 알고 보니 제가 주었나이다, 나의 십자가는 정전되었다.
> 심심산골의 푸른 구름을 부러워하지 않으리
> 망망한 저 바다의 물, 나는 그 맛을 아네
> 그 맛의 이름은 적멸이다 ; 나는 적멸로 궁궐을 짓고
> 아예 들어앉는다
> (…중략…)
> 그럼 나는 뭐니? 나는 아귀의 마음을 이해해
> 배가 고파

한강이 푸른 사파이어 같다는 자는
이 거대한 배고픔을 이해 못해
나는 하도 급해 불을 마셨다 ; 다행히 비유적으로 뜨거웠다
나도 네게 비유로만 말하리라
(…중략…)
너무 팔아먹을 것이 없었으므로
거꾸로 선 꿈의 세상에서, 가끔 나는 바로 선다
깜빡 꿈이란 걸 잊은 채 말이다
허나 고런 때래야,
겨우 시가 되는 것이다

— 「거꾸로 선 꿈을 위하여·1」 부분

이 연작시를 쓰던 무렵의 진이정이 많이 아프지 않았다면, 그의 시적 항해의지는 그의 절망을 좀 더 강하게 제어했을까? 그러나 절망에도 불구하고 그의 이 시는 날렵하고 경쾌하게 그 절망을 변주한다. 죽음을 마주하며 아예 "적멸로 궁궐을 짓고", 진이정은 육체의 소멸과정을 통해 삶의 의미를 탐구한다. 알고 보니 자신이 목숨으로 삶의 가치를 지불하는 일종의 "주"가 되어 버렸는데 이미 "십자가는 정전" 되어버린 상황에서, 시적 주체는 다시 의미의 '미지'를 향한 항해에 나선다. 언어적으로도, 시적 주체는 현재 그에게 "낡은 비유만이" 허용되어 있다는 것을 통감하고 있다. 그렇게 꽉 막힌 새로운 시적 의미의 탐구 장소는, 진이정 시집 전체의 문맥을 고려하면 1990년대 한국의 대도시 한복판이다. 그는 "바다도 없이" 항해한다. 그건 "심심산골의 푸른 구름을 부러워하지 않으리"라는 진이정의 선택이다. 그는 일말의 선험적 희망이나 환상도 모두 버리고, 전적으로 새롭게 시와 삶의 의미를 찾아 나선다.

랭보의 시를 원문으로 읽은 경험이 있는 필자와 같은 불문학도에게, 여러 사람들의 노력에도 불구하고 찬찬히 음미할 수 있을 수준까지 잘 번역된 한국어 랭보 시집이 여전히 아쉬운 한국의 상황에서, 진이정의 이런 시는 놀랍다. 새로운 구원, 즉 새로운 사회역사적 전망이 부재하는 현실을 역설적으로 뒤집으면서 '미지'를 향해 시적 항해를 시작하는 랭보 시의 근본 모티브가, 진이정의 이 시에서 한국적으로 재창조된다. 그는 랭보처럼 "아귀"같이, "하도 급해 불을" 마시듯 새로운 시적 가치를 갈구하지만, '시의 시대'가 불과 몇 년 만에 '시의 위기의 시대'로 뒤바뀌는 1990년대의 상황에서, 랭보보다 훨씬 냉정하다. 그에게는 랭보가 탔던 시의 '취한 배Le Bateau ivre'가 없고, 그래서 그는 자신이 마신 시적 의미의 불이 "다행히 비유적으로 뜨거웠다"고 진술하면서, 행여 자신의 시에 종교적 순교 같은 무거운 의미가 개입되는 것을 제어한다.

그래서 진이정이, 너무 아깝다. "거꾸로 선 꿈"이라는 의미론적인 역설의 방법론을 역동적이고 경쾌한 시적 리듬으로 구현하며 1990년대 한국시의 한 비상구를 열어나가던 그가, 실제 자신의 죽음을 마주하고서도 끝까지 순교자의 신화를 경계할 줄 아는 진정한 시인이었기에, 정말로 그가 너무 아깝다. "너무 팔아먹을 것이 없었으므로/거꾸로 선 꿈의 세상에서" 가끔 바로 서면서, 그런 시적 바로서기가 "깜빡 꿈"으로 쉽게 치부되는 당대 한국사회의 문화적 현실을 직시하면서, "허나 고런 때래야/겨우 시가 되는" 시를 쓰면서, 그는 당대의 작가적 위상을 새로 썼다. 그는 자신의 시를 세상에 팔고 싶었다고 고백했으되, 그가 팔고 싶었던 시가 팔리는 시인지를 미리 계산하지 않았다. 개인적인 추억, 그리움, 욕망, 반성 등에서부터 한국사의 모순과 갈등, 당대 한국사회의 변화가 생산해내는 복합적이고 상호충돌적인 풍경들까지, 그리고 그 와중에서도 의미 있

27

고 구체적으로 실현가능한 행복한 삶의 한 형식에 대한 모색에 이르기까지, 진이정은 모든 것을 복합적으로 끌어안고 그 사이에 길을 내고자 하였다. 그는 구체적 개인인 동시에 한 사회이고 우주인, 글자 그대로 시인이었다. 이를 다루는 그의 언어는, 부드럽고 순결한 서정은 서정대로, 초현실주의자들의 자동기술법까지도 연상시키는 행들 사이의 풍요로운 의미론적 충돌의 연쇄는 연쇄대로, 과작이었으되 시 한편 한편을 새로운 모색으로 단단하게 응집하고 있는 언어였다. 그의 시적 미래가 어떤 것이었을지는 이제 아무도 모르지만, 랭보가 역사적 무한으로 설정하고 개척한 시적 미지의 바다와 대지를 말라르메가 동반하고 초현실주의자들이 이어간 것이 프랑스 현대시사의 한 단면이라면, 1990년대 한국문학의 위기 상황에서 진이정과 같은 시인은 더 없이 소중했다.

　프랑스 시인들은 그렇다고 치고, 예술의 소위 전위적인 실험적 시도를 받쳐주는 대중적 기반이 여전히 취약한 한국사회에서, 진이정의 경우는 지나치게 무모해 보인다고? 한국의 모든 시인이 진이정 같지 않고 그럴 필요도 없다는 것은 분명하다. 그러나 무모하기로 따지면 90프로 이상 망한 한국의 벤처기업들이 덜 무모했을까? 하루아침에 알거지가 될 위험을 무릅쓰고 집을 담보로 대출받아 주식투자하는 상당수의 한국인들이 진이정보다 덜 무모할까? 벤처기업이 무모한건 '기업가 정신'이고 개미투자자가 무모한건 '합리적인 재테크 마인드'의 소산이란 말인가? 시적으로 운명을 걸었다는 것, 그것도 일확천금에 눈이 멀어 합리적 판단력을 상실할 지경에 이르는 상당수 주식·펀드 투자자들과는 정반대로, 새로운 시를 향한 창조적 열정을 성실한 문학공부와 언어적 수련으로 지탱했던 진이정의 시도가, 왜 상당수 한국인들에게는 여전히 벤처기업가의 모험정신과는 정반대의 것으로 이해될까? 당장 눈앞에 뚜렷한 물질적 이익으로 돌아오지 않는 보다 근본적이고 장기적인 새로운 가치를 지향한다는 점에서, 탁월한 시인들은 '어쩌면 벤처기업가보다 몇 배는 더 큰 용기를, 은행의 투자자본 대출금이 아니라 자신의 내부에서 길어 올렸으리라'는 상상력이 이들에게는 영원히 무망한 것일까? 그래서, 지극히 적은 숫자일지언정, 어떤 기업가들은 얼핏 자신과는 정반대의 길을 걸어간 탁월한 예술가를 '정말로' 존경하고 사랑해서 그들의 작업에 거액을 지불하기도 한다는 사실이 누군가에게는 끝까지 황당하고 난해한 사태일까? 시인과 예술가들의 창조적이고 비판적인 작업을 지불할 가치가 있는 것으로 생각하는 사람들의 존재여부가 그 사회의 문화적 성숙도를 측정하는 한 요소라는 사실을 이들에게 이해시키느니, 벽이 문이라고 생각하는 것이 차라리 속편한 일일까?

시인이여,
토씨 하나
찾아 천지를 돈다

시인이 먹는 밥, 비웃지 마라

병이 나으면
시인도 사라지리라

— 「시인」 전문

진이정의 이 시를 읽고, 다른 구절들보다 "시인이 먹는 밥, 비웃지 마라"라는 대목에서 유독 측은지심을 느끼는 사람은, 선한 사람이지만 여전히 시는 이해 못하는 사람이다. 그는 어쩌면 "토씨 하나/

찾아 천지를 돈다"는 시인의 말을 무의식적으로 '허장성세'에 더 가깝다고 여기고 있는지도 모른다. 그러나 비록 비유일지언정, 적어도 진이정 같은 좋은 시인에게서 그 말은 "시인이 먹는 밥, 비웃지 마라"라는 말만큼이나 사실이다. 토씨 하나 찾아 왜 천지를 도는가? 그는 아픈 몸으로 죽음을 앞에 놓고, "병이 나으면" 시인도 "사라지리라"고 썼다. 그는 자신의 병을 세상의 아픔과 일치시키려고, 그리고 한국문학의 위기와 일치시키려고 하였다. 그런데, 그 병이 나으면 시인이 사라진다니? 현대적인 시적 주체는 곧 세상의 혼돈을, 문학의 위기를 동력으로 작가의 사회적 위상을 항상 새롭게 설정하는 자이니, 세상의 아픔도 문학의 위기도 없는 꿈같은 세상에서야 당연히 시인도 필요 없을 것이다. 그러나 우리는 영원히 감정과 생각과 욕망을 가진 인간으로 살아갈 터이니, 시인 자신과 사회의 환부를 일말의 선험적 관념도 제도적 통념도 경계하며 받아 안는 현대적 시 쓰기는 소멸자체가 불가능하다는 것이 이 시의 전언일 것이다. 다른 무엇보다 진이정의 이 시적 역설을 소중하게 받아주는 사람은, 시인이 먹는 밥을 비웃는 사회에 동의하지 않을 것이다. 만약 시가 정말로 소멸한다면, 그것은 사회자체의 소멸과 동의어라는 것을 그는 이해할 것이다.

작가의 죽음과 문학적 주체

진이정의 시와 삶은 한국사회가 여전히 비극적인 사회적 추문의 형식으로 환기시키는 작가의 사회적 위상이라는 문제에 대한 알레고리이다. 작가의 궁극적인 사회적 위상은 직접적인 물질적 위상이 아니되, 작가의 사회적 역할이 사회 전체의 더 깊은 소통과 새로운 가능성을 위하여 필수적이라면, 이들이 다소간의 물질적 불편을 자발적으로 감수하는 결단의 의미를 아전인수 격으로 경제적 무능력 정도로 폄하하거나, 심지어 이를 부당하게 착취하는 행위들이 빨리 중단될수록 사회 전체를 위해서 이득일 것이다. 진이정을 추억하는 보다 문학적인 이유는, 그가 작가로서의 자기 정체성을 자신의 글쓰기 자체와 일치시키려는 시도를 한계상황에서도, 그것도 탁월하게 수행한 작가이기 때문이다. 작가란 자신의 글쓰기를 통해 매순간 새롭게 태어나고 재규정되는 역사적 주체라는 작가의 현대적 정의에 진이정은 최대한 근접해 있었다.

진이정이 '저자의 죽음'이라는 화두를 둘러싸고 롤랑 바르트, 미셸 푸코 등을 필두로 벌어진 1960년대 프랑스 문학계와 인문사회과학계의 논쟁들을 알고 있었는지 필자는 모른다. 작가가 봉건시대처럼 일종의 '공무원'으로서 국가와 사회의 표준적인 이념을 구현하는 자도, 아니면 후원자의 요구를 충족시키는 작품을 주문 생산하는 '장인'도 더 이상 아니라면, 즉 그런 의미의 저자가 이미 오래전에 사망했다면, 과연 작가의 사회적 정체성과 문학적 언어활동의 현대적 특수성은 어떻게 재규정될 수 있는가가 그들의 이론적 화두였다. 그런데 진이정이 그러한 프랑스의 현대적인 이론적 논쟁들을 알았든 몰랐든, 그의 시 창작 과정 전체가 바로 그 문제를 실천적이고 예술적으로 밀고나가고 있었다는 점에는 의문의 여지가 없어 보인다.

이미 20세기 초반에 작가의 정체성을 작품 안의 전기적인 지표들과 연결 지어 설명하는 태도들에 분명한 비판적 태도를 취한 프루스트의 『생트-뵈브에 반대하여』를 진이정이 알고 있었는지도 필자는 모른다. 만약 진이정이라는 작가의 사회적 위상을 그의 전기적인 사실들과 연결 지어서, 그의 작품을 그의 표면적인 개인사와 연결 지어서 설명한다면, 그는 자신이 자조적으로 가감 없이 스스로를 희화화한대로 '백수'일지 모른다. 그런데 혹시, 프루스트와 같이 물려받은 재산이 있는 백수 작가는 우아하고, 진이정 같이 그 정도의 재산이 없었던 경우는 덜 우아하다는 굳건한 편견을 가진 사람들이 한국사회에서 여전히 다수인가? 만약 그렇다면 우선은 죽은 프루스트가 무덤에서 황당해할 것이다. 🈯

정의진
2002년 『세계의문학』에 김수영 론으로 등단. 2007년 파리 8대학에서 피에르 클로소프스키의 소설 및 예술이론에 대한 논문으로 박사학위를 취득. 현재 상명대 천안캠퍼스 프랑스어문학과 전임으로 재직중. 프랑스 현대 작가들의 예술적 모더니티 및 예술적 인식론에 대한 다수의 논문 발표. 한국문학, 문예이론, 영화나 문화에 대한 몇 편의 평론이 있음. ejjung213@hanmail.net

세계원 쓰는 자, 세계를 읽는 자

: 작가란 무엇인가?

조효원

굶주리는 작가

노르웨이의 작가 크누트 함순Knut Hamsun의 『굶주림』(1890)에는 배고픔을 견디다 못해 돌조각을 입에 넣고 먹으려는 미친 작가가 등장한다. "나는 조그마한 돌 하나를 발견하고 먼지를 털어 이것을 입 속에 넣었다. 혓바닥 위에 무엇이고 놓고 싶어서였다. 그리고는 나는 꼼짝도 하지 않고 앉아서 눈 하나 움직이지 않았다. 사람들이 왔다 갔다 하였다. 마차 가는 소리, 말발굽 소리, 사람들 이야기 소리가 공기를 가득 채웠다."[1] 이처럼 기막히고 어이없는 장면이 또 있을까? 글쓰는 자의 안과 밖이 이보다 더 극명하게 대비된 순간이 또 있을까? 글쓰는 자의 몸은 텅 비어 있고, 그의 몸 밖은 대도

---

[1] 크누트 함순, 김남석 옮김, 『굶주림』, 범우사, 2006, 112쪽.

시의 소음들—마차 소리, 말발굽 소리, 사람들 소리—로 가득 차 있다. 오로지 말 없는 자연의 사물, 그것도 생명으로부터 가장 멀고 또한 시간과 역사로부터 더없이 낯선 물질인 돌만이 옹색하게 한 구석—입 속—을 차지하고 있을 뿐이다. 함순의 『굶주림』은 말 그대로 처음부터 끝까지 굶주림에 관한 얘기로 가득 차 있는 작품이다. 그리고 우리는 이 작품에서 극단적이리만치 생생한 자연사를 목격하게 된다. 돌조각을 입에 넣고 오물거리며 바쁜 대도시의 거리를 방황하는 작가의 모습. 이것은 말하자면 바로크적 폐허의 풍경이며, 구제할 수 없는 상태에 빠진 우울가의 모습이다. 그러나 경악스럽게도 이 우울의 광기는 돌조각을 먹는 데서 멈추지 않고 더 나아간다. 제 살을 뜯어먹는 것이다!

"이 손가락을 씹어 먹는다면?"
그리고는 조금도 생각해 보지 않고, 눈을 감고 이빨에 힘을 주었다.
나는 깜짝 놀라 일어났다. 드디어 정신이 든 것이다. 손가락에서 피가 주루룩 흘러 나왔다. 나는 떨어지는 핏방울을 몇 번이고 핥아 먹었다. 아프지도 않았고, 상처도 대수롭지 않았다. 그러다가 갑자기 정신이 들어 머리를 흔들고, 창가에 서서 상처에 감을 만한 천을 찾았다.
이러는 동안 눈물이 핑 돌았다. 나는 소리 없이 혼자 울었다. 이 메마른, 물어뜯긴 손가락이 가엾게만 보였다. 하나님 아버지시여, 어째 이다지도 심하십니까![2]

무섭도록 슬픈 이 장면에 이르면, 독자의 감각은 완전히 혼란에 빠지고 만다. 왜냐하면 이 '작가'는 구걸을 통해서 먹거리를 얻거나

2) 위의 책, 135~136쪽.

아니면 글쓰기 외의 다른 방법으로 돈을 벌려는 노력을 단 한 차례도 보여주지 않기 때문이다.[3] 그의 생각은 오로지 글쓰기만을 향해 있다. 가령 다음과 같은 장면을 보라. "이리하여 몇 분이란 시간은 아주 멋지게 지나갔다. 나의 머릿속에서 한 구절 한 구절 고스란히 나타나는 것을 쉴 새 없이 써나갔다. 한 장 한 장 원고지가 메워져 갔다. 신이 나서 그대로 돌진하고 너무도 수월히 술술 풀려 나가는데 나도 모르는 사이에 콧노래를 불렀다. 내가 이러는 동안 나는 그저 나 자신의 흐뭇한 콧노래 소리만을 들었을 뿐이었다."[4] 지금 이렇게 글을 쓰는 작가의 상태는 돌을 삼키던 때와 조금도 다르지 않다. 극도의 굶주림으로 인해 제정신이 아닌 것이다. 그럼에도 그는 '한 구절 한 구절'에 경이로운 집중력을 발휘하고 있다. 도대체 이 사람은 어떤 생각을 가진 것일까? 대관절 글쓰기가 무엇이건대 그토록 배고프고 괴로운 상황에서도 오직 그것만을 생각할 수 있는 것일까? 심지어 콧노래를 부르기까지 하다니, 어떻게 그럴 수가 있을까? 이것은 거의 신비에 가까운 수수께끼이다.

도대체 이 굶주리는 '작가'는 무엇을 위해 쓰는 것일까? 그의 고백을 들어보자.

"사실 나는 가난에 쪼들린 탓으로 어떤 성질을 약간 예민하게 내버려 내 성미를 꽤 까다롭게 만들고 말았지요. 사실이지 까다롭습니다. 그렇지만 그것은 또 그런대로 유리한 점도 없지 않아서 어떤 경우는

---

[3] 실제로 '구걸'을 전혀 하지 않는 것은 아니다. 놀랍게도 그는 '개뼈다귀'를 구걸한다. "'저어, 미안하지만 개 주려고 그러는데 뼈다귀 하나만 주십쇼!' 이렇게 말했다. '뼈다귀 하나면 족합니다. 살이 안 붙어 있어도 좋아요. 무엇이고 아가리에 물려주고 싶어서요.'"(위의 책, 166쪽) 이렇게 말하지만 실제로 뼈다귀를 '아가리'에 무는 것은 그 자신이다.

[4] 위의 책, 220쪽.

그것이 도움이 되어주니까요. 가난한 인텔리는 돈 많은 인텔리보다도 훨씬 세밀한 관찰자란 말이지요. 가난한 사람은 한 발 한 발 떼는데도 주위를 살피고, 남들이 하는 말에 회의를 품고 듣거든요. 한 발 한 발 이 나의 머리와 마음속의 문제와 과제를 준단 말이오. 그는 귀가 밝고 감각이 예민하고, 경험이 풍부한 인간이고 그의 영혼은 낙인이 찍혀 있 지요……"[5]

분명한 대답이 주어졌다. 즉 가난한 자로 태어난 그의 영혼은 '한 발 한 발' 걷는 걸음에 의해 세계를 세밀하게 관찰하라는 과제를 부여받은 자이기 때문이다. 이 과제는 그의 영혼에 찍힌 낙인으로 가시화되어 있다. 그런데 이것은 '그는 무엇을 위해 쓰는가?'라는 물음보다 '그는 어째서 쓰지 않을 수 없는가?'라는 물음에 대한 답이라고 할 수 있다. 그리고 우리는 이 대답에 근거해서 우리의 본래 물음, 즉 '무엇을 위해 쓰는가?'라는 물음에 대한 답도 생각해 볼 수 있다. 아마도 가능한 유일한 대답은 이것일 터이다. 자기 자신을 위해서.

작가는 무엇을 읽는가?

생애 말년—무려 26년 동안!—을 오롯이 은둔 작가로 살다가 세상을 등진 독일의 저명한 철학자 한스 블루멘베르크Hans Blumenberg는 「누가 누구를 위해 쓰는가?」라는 글에서 다음과 같이 말하고 있다.

5) 위의 책, 186쪽.

"모든 글쓰는 자는 모든 사람을 위해 쓰고 싶어 하기 마련이다. 그렇지만 많은 사람들, 모든 사람들을 위해 무언가를 하고 싶다는 것은 상투어일 뿐이다. 사람들은 언젠가 확실히 알게 될 것이다. 무릇 사람은 자기 자신을 위해서만 무언가를 하려 할 따름이며, 그저 부수적인 효과를 통해서만 [다른] 많은 사람들을 위해 무언가를 줄 수 있다는 사실을. 인간이 인류를 위해 기여할 수 있는 것은 아무것도 없다. [아니] 적어도 [지금까지는] 없었다."[6)

영혼의 낙인에 대해서 말하고 있지는 않지만, 블루멘베르크는 함순의 결론과 정확히 동일한 지점에 당도한다. 오해하지 말아야 할 것은, 블루멘베르크가 사람은 오직 자기 자신만을 위한다고 말했을 때 이기주의를 의미한 것이 아니라는 점이다. 오히려 그의 통찰의 시선은 인간의 근본적인 한계를 향해 있다고 보아야 한다. 즉 인간은 자기 외에 다른 누구도 도울 수 없다는 사실, 심지어 자기 자신을 구제하는 것조차도 지극히 어려운 일이라는 사실을 그는 말하고 있는 것이다. 이런 맥락에서 글쓰기는 가장 징후적인 장소가 된다. 왜냐하면 글쓰기야말로 타인과 세계에 대한 개인의 근본적인 무력함이 가장 극명하게 드러나는 지점인 동시에 자기 정체성의 애매성을 처절하리만치 깨닫게 되는 텅 빈 무대이기 때문이다. 글쓰기는 실로 너무도 위험한 직업/작업이다. 한 단어 혹은 한 글자를 쓰는 데에도 세계를 망각할 만큼의 고통을 겪지 않을 수 없기 때문이다. 굶주린 작가의 말을 다시 한 번 떠올려 보라. "한 발 한 발 떼는데도 주위를 살피고, 남들이 하는 말에 회의를 품고 들거든요." 이러한 생각을 더 철저히 파고들어 보면, 우리는 다음과

---

6) Hans Blumenberg, *Ein mögliches Selbstverständnis*, Stuttgart, Reclam, 1996, S. 83.

같은 끔찍한 결론에 도달하게 된다. 즉 글쓰는 자는 원리상 비인간의 상태unmenschliche Lage에 들어가지 않으면 안 된다는 사실. 손가락을 씹어먹던 바로 그 작가가 보여주는 글쓰기의 양태를 보면 이 점이 분명히 드러난다. "나는 온종일 앉아서 논문을 썼다. 그런 때는, 나는 손을 수건으로 쌌다. 단순히 나의 숨결이 손에 닿는 것이 참을 수 없다는 이유에서였다."[7] 인간의 궁극적 표징인 '숨결', 그것도 자기 자신의 '숨결'을 참을 수 없다는 사실은 글쓰는 자의 비인간성—어쩌면 초인간성이라고 불러야 할지도 모르지만—을 드러내주는 최상의 기호이다. 즉 글쓰는 손은 인간의 영역을 벗어나 있는 것이다. 돌이켜 보면, 배고픔을 이기기 위해 입안에 돌을 집어넣는 것부터가 이미 작가의 비인간성을 말해주는 충분한 증거였다. 그러니까 굶주린 작가가 삼킨 돌은 사실 자연 속의 사물이 아니라 '시간의 가시뼈'였던 것이다! "그는 시간의 가시뼈를 잘못 삼켰다.//실은 존재하지도 않는 시간의 뼈를/그러나 시인은 삼켰고/그리고 잘못 삼켰다."[8]

작가의 피동적 배타성, 시간과 자연 밖으로 내몰린 이 슬픈 영혼의 낙인을 묘사하기 위해 시인 최승자는 「악순환」이라는 시를 지었다.

> 근본적으로 세계는 나에게 공포였다.
> 나는 독 안에 든 쥐였고,
> 독 안에 든 쥐라고 생각하는 쥐였고,
> 그래서 그 공포가 나를 잡아먹기 전에
> 지레 질려 먼저 앙앙대고 위협하는 쥐였다.

---

7) 크누트 함순, 앞의 책, 124쪽.

8) 최승자, 「시인」 부분, 『즐거운 일기』, 문학과지성사, 2001(1984), 88쪽.

어쩌면 그 때문에 세계가 나를

잡아먹지 않을지도 모른다는 기대에서……

오 한 쥐의 꼬리를 문 쥐의 꼬리를 문 쥐의 꼬리를

문 쥐의 꼬리를 문 쥐의 꼬리를 문 쥐의 꼬리를……9)

주의하라. 꼬리를 문 뱀이 아니라 꼬리를 문 쥐다. 제 꼬리를 문 뱀은 세계(라는 신비)의 표상으로 읽힐 법하고, 또 흔히 그렇게 읽혀왔다. 다시 말해 꼬리를 문 뱀은 완결성의 표상은 될지언정 배타성의 표상이 될 수는 없는 것이다. 아니, 사실은 그렇게 될 필요가 없다. 이미 그 자체로 자족할 수 있는 권능을 가졌으니 말이다. 그런데 엉뚱하게도, 제 꼬리를 문 쥐라니? 이것은 작가를 가리키는 것일 텐데, 그렇다면 이 쥐-작가를 가둔 '독'이란 무엇일까? 그것은 세계일까? 알 수 없다. 그러나 만약 그것이 세계라면, 그 세계는 아마도 그가 읽거나 쓰는 텍스트로 이루어진 세계, 텍스트-세계/세계-텍스트일 것이다. 그런데 혹시 이 '독'은, 뱀이 그렇게 하듯, 제 꼬리를 문 작가 자신의 몸이 만들어낸 것은 아닐까? 그럴지도 모른다. 그러나 그렇다 해도 그것 역시 자신이 읽거나 쓴 텍스트로 이루어졌을 것임에 틀림없다. 그렇다. 우리는 여기서 너무나 진부한 까닭에 아무도 차마 입 밖에 내지 못하는 명제에 당도했다. 작가는 세계라는 텍스트를 읽는다. 그런데 바로 그 세계-텍스트 안에 작가 자신이 거주하고 있는 것이다(우리는 결코 이 신비를 이해하지 못할 것이다). 제 꼬리를 물고 있는 자신의 모습을 보면서. 혹은 제 손가락을 씹어 먹고 제 피를 빨아먹으며 신을 저주하면서.

조효원 · 세계원 쓰는 자, 세계를 읽는 자

---

9) 「악순환」 전문, 위의 책, 86쪽.

세계의 이름 없음

아무리 많은 글을 쓰더라도, 아무리 열심히 공부를 하고 쓰더라도, 죽을 때까지 작가는 알아내지 못한다. 자기가 쓰고 읽는 것이 자기 자신인지 아니면 세계인지에 대해서. 자신이 살고 있는 사회에 대해서, 더 나아가 자신과 다른 사람들의 삶에 대해서, 결국에는 이 세계에 대해서 쓴다는 것은 작가의 직업/작업에 흔히 붙여지는 명분이다. 그러나 진정한 작가는 이러한 명분이 거짓이라는 사실을 안다. 작가는 자신이 쓰는 것이 무엇인지 모른다. 결코 알 수 없다. 왜냐하면 그는 결코 독자에게 가 닿을 수 없기 때문이다. 물론 그는 스스로 직접 독자가 될 수는 있다. 그러나 그럴 때 그가 읽는 것은 오로지 다른 사람의 텍스트, 다른 세계-텍스트일 뿐이다. 그는 결코 자기 자신의 독자가 될 수는 없다. 여기서 우리는 보르헤스의 정직한 발언을 참조해 볼 필요가 있다. "제가 글을 쓸 때, 저는 독자를 생각하지 않고(왜냐하면 독자는 가상의 인물이기 때문입니다), 저 자신을 생각하지 않습니다(아마도 저 또한 가상의 인물일 것입니다). 저는 제가 전달하려고 하는 것을 생각하고, 그것을 망치지 않으려고 최선을 다합니다."[10] 글쓰는 자는 독자도 자기 자신도 생각할 수 없다. 그것은 불가능한 일이다. 그도 그럴 것이, 글쓰는 순간 그는 이미 인간이 아니(어야 하)기 때문이다. 글쓰는 자로서 그의 존재는 모든 인간적인 연관성을 벗어나게 된다. 혹시 이것을 초월이라고 부를 수 있을까? 그럴지도 모른다. 그러나 그렇다고 해도 이 초월은 한없이 아래로 떨어지는 초월, 추락으로서의 초월일 것이다(이것은 철학자 김진석의 탁월한 개념인 '포월'과는 다르다). 이것은

---

10) 호르헤 루이스 보르헤스, 박거용 옮김, 『보르헤스, 문학을 말하다』, 르네상스, 2000, 154쪽.

심각한 곤경이다. 그러니까 작가란 근본적으로 곤경에 처한 자인
셈이다. 이 어쩔 수 없는 곤경을 솔직하게 고백한 시를 읽어보자.

어두운 너의 내부를 들여다본다.
등 돌리고 홀로 서 있는 너,
슬픔의 똥, 똥의 밥이다.
(너의 두 손은 뭉그러져 있었다.)

내가 꿈에서도 결코 구원하지 못할 너.
나는 다만 행간에서 행간으로
너를 곁눈질로 읽으면서
행간에서 행간으로
너를 체념하거나 너를 초월하면서……

허무의 사제인 나는 오늘밤도
너를 위한 허무의 미사를 집행할 뿐이다.[11]

'허무의 사제'인 '나'는, 굶주린 작가가 그러했듯이, 완전히 텅 빈
몸으로 오로지 글쓰기만을 생각한다. 그러나 그는 너의 텍스트, 세
계-텍스트를 읽지 못한다. 그의 독서는 오직 곁눈질로만 행해지며,
그나마 이 곁눈질로 볼 수 있는 것 역시 행간에 지나지 않는다. 이
것은 궁색하고 뒤틀린 독서이다. 이처럼 뒤틀린 독서를 시인은 '허
무의 미사'라고 부른다. 우리는 앞에서 '작가는 세계라는 텍스트를
읽는다'는 상투어를 말했다. 그러나 정말로 그럴까? 사실 작가는

11) 최승자, 「내가 구원하지 못할 너」 전문, 『내 무덤, 푸르고』, 문학과지성사, 2003
(1993), 30쪽.

조효원 · 세계를 쓰는 자, 세계를 읽는 자

세계를 읽을 수 없다. 왜냐하면 세계는 이름이 없기 때문이다. 작가의 독서는 세계의 익명성에 부딪쳐 좌초한다(오로지 독자만이 읽을 수 있으며, 만약 그가 쓰듯이 읽는다면 그에게도 똑같은 운명, 즉 좌초하는 자의 운명이 도래할 것이다). 블루멘베르크는 이렇게 말한다. "세계는 어떤 이름도 갖지 않는다. 어떻게 그리고 어째서 그런 것일까? 이름을 줄 수 있을 법한 모든 잠재적 명명자에게 이름을 부여하기 위한 조건이 되는 [대상과의] 최소한의 거리가 결여되어 있기 때문이다. 즉 그에게는 [이 세계라는] '사태'에 대한 지향이 일절 허락되지 않는다. 그는 이 사태를 보여줄 수 없다. 왜냐하면 그는 그 안에 너무도 깊숙이 자리해 있기 때문이다. '세계'를 보여주는 일은 공허로 귀착될 따름이다."[12] 요컨대, 세계는 이름이 없다. 그런데 이것 역시 너무도 진부한 사실이 아닐까? 이런 의혹을 제기하는 것은 정당하다. 그러나 다시 한 번 생각을 다듬어 보면, 블루멘베르크의 진술은 오히려 세계에 대한 본능-상식적 표상을 표적으로 삼는 것임을 알게 된다. 즉 상식에 대한 철학의 공격인 셈이다. 본능이 되어버린 상식은 세계 자체에 대해서는 결코 생각하지 않는다. 그의 시야에는 결코 세계의 지평이 들어오지 않는 것이다. 이런 의미에서 '작가란 상식과 싸우는 사람'이라는 명제는 전적으로 타당하다. 따라서 '세계의 이름 없음'은 동시에 '작가의 이름 없음'이기도 하다. 다시 말해 세계 '안'에 있는 무수한 이름들 곁에 혹은 사이에 작가의 이름을 위한 자리는 없는 것이다. 마치 세계가 자기 '안'에 이름을 가지고서 들어갈 수 없듯이. 이러한 역설적 위상기하학topology을 간파함으로써만 비로소 우리는 '세계 관찰자'로서의 작가를 말할 수 있게 된다. 그러나 분명히 알아야 할 것은, 이러한 통찰은 서글픔을

12) Han Blumenberg, a. a. O., S. 50.

자아내는 진단이 아니라 작가의 본질을 성찰하기 위한 필수적 전제가 된다는 사실이다.

암시와 죽음

작가는 글쓰기를 통해 '세계 관찰자'가 된다. 그런데 이것은 세계와 함께 '이름 없음'의 영역으로 들어가야 한다는 커다란 대가를 필요로 하는 일이다. 그러니까 글쓰기는 작가에게 세계와 삶에 대해 뭔가를 쓸 수 있도록 해주는 유일한 통로이지만, 이 어두운 통로에서 인간으로서의 그의 존재는 깡그리 망각되고 마는 것이다. 이 끔찍한 장소에서 작가는 '독 안에 든, 제 꼬리를 문 쥐'의 형상으로만 존재할 수 있다. 이곳에서 그가 먹을 수 있는 양식이라곤 자연의 가장 바깥쪽 경계에 있는 돌조각, 아니면 자신의 손가락 외에는 없다. 이렇게 보면, 명성을 얻은 작가에 대한 세상의 과도한 관심이나 극심한 가난에 시달리는 무명작가에 대한 차가운 무관심은 작가의 본질과는 하등의 상관도 없는 부차적인 사태에 지나지 않음을 알 수 있다. 다시 말해 작가의 본질은 인격이 아니라 어떤 장소 혹은 어떤 상태와 관련된 것이라는 말이다. 관건은 작가라고 불리우는―여기에는 아무런 근거가 없다―어떤 인격체가 그 장소에 현전할 수 있는가, 그 상태로 들어갈 수 있는가 하는 점이다. 시인 이성복은 "시는 내가 쓰는 게 아니라 어떤 상태에 있는 나를 통과하는 것"이라고 말했다. 그러나 우리는 '통과하는 것은 시가 아니라 오히려 인간이었던 작가'라고 말해야 한다. 즉 어떤 인간이 저 '이름 없음'의 영역을 통과할 때, 오직 그때에만 그는 작가가 된다. 달리 표현하자면, '세계의 이름 없음'에 벌거벗은 몸, 텅 빈 몸으로 맞서는 자야말로, 오직 그만이 작가인 것이다. 그러니까 '작가'라는 레테르는 어떤 인격을 가진 개인에게 붙여질 만한 것이 아니다. 그것은 오히려 어떤 장소/상태에 붙여져야 하는 것이다. 그리고 이 장소에서 가능한 언어적 작업은 오직 '암시'뿐이다. 진정 작가의 자리에 있었던 보르헤스의 말을 들어보자.

이제 저는 표현을 믿지 않고 오로지 암시만을 믿는다는 결론(그리고 이 결론은 슬프게 들릴지도 모릅니다)에 도달했습니다. 결국 단어들이란 무엇입니까? 단어들은 공유된 기억에 대한 상징입니다. 만일 제가 어떤 단어를 사용하면, 여러분은 그 단어가 상징하는 것에 대한 어떤 경험을 꼭 갖추어야만 합니다. 만일 여러분에게 그런 경험이 없다면, 그 단어는 여러분에게 아무것도 의미하지 않습니다. 저는 우리가 암시만 할 수 있다고, 독자로 하여금 상상하게 하도록 노력할 수만이 있다고 생각합니다. 만일 독자가 충분히 예민하다면, 무언가를 우리가 그저 암시만 한다는 것에 만족할 수 있겠지요.[13]

여러분은 '달을 가리키는 손가락'이란 선문답적 표현에 함축된 양가성에 대해서 잘 알고 있을 것이다. 그러나 작가는 심지어 달을 가리킬 수조차 없다. 왜냐하면 그는 이미 제 손가락을 씹어 먹어버렸기 때문이다. 혹은 그의 손이 그의 숨결을 피해 어딘지 알 수 없는 곳—글쓰기의 장소—으로 달아나버렸기 때문일지도 모른다. 따라서 그가 할 수 있는 일은 오로지 암시뿐이다. 암시는 가리키는 것도, 가리키지 않는 것도 아닌 기묘한 행위이다. 세계 '안'에 있는 이름들은 모두 가리킨다. 어떤 이름은 크고 강력하게 가리키고,

---

13) 호르헤 루이스 보르헤스, 앞의 책, 154~155쪽.

또 다른 어떤 이름은 희미하게 가리킨다. 그러나 어쨌든 세상의 이름들은 모두 가리키는 관계망 속에 있다. 그러나 세계 자체의 이름, 작가의 이름은 그 관계망 안으로 들어갈 수 없다. 왜냐하면 세계는 그 관계망 자체를 지탱하는 힘으로 존재(해야)하기 때문이며, 작가는 '시간의 가시뼈'를 '잘못' 삼킨 까닭에 그 관계망 밖에 존재할 수밖에 없기 때문이다. 작가의 장소를 빠져나온 인간—부적절하게도 그는 여전히 '작가'라고 불리는데—은 물리적인 차원에서는 추위와 배고픔으로, 또 정신적인 차원에서는 모멸감과 조급함으로 극심한 고통을 받는다. 그러나 아무도 그를 도울 수 없고, 또 그 역시 다른 누군가를 도울 수 없다. '허무의 사제'가 제의를 집전하는 성전에 한 번 발을 들여놓은 자는 이 겹겹의 고통을 결코 피해갈 수 없다. 물론 그중 가장 큰 고통은 서로 도울 수 없다는 사실을 깨닫는 데서 오는 고통일 것이다. 그러나 그로 하여금 거듭해서 저 글쓰기의 장소/성소로 들어가게 만드는 것 역시 바로 그 고통이다. 고통이 극에 달하면, 이 고통의 성소는 낭떠러지와 바다가 만나는 아슬아슬한 끝이 된다. "한계가 낭떠러지를 부른다./낭떠러지가 바다를 부여잡는다."[14] 내가 아니라 나의 한계—아무도 도울 수 없는!—가 낭떠러지—끝없이 추락하게 만드는!—를 부르고, 내가 아니라 나를 떨어뜨린 낭떠러지가 바다를 부여잡는다. 바다는 죽음의 장소이지만, 다른 도리가 없다. 어떻게 바다를 피하겠는가? 발터 벤야민은 "죽음은 이야기꾼이 보고할 수 있는 모든 것에 대한 인준을 뜻한다"고 말했다.[15] 이 말은 진정으로 작가의 상태를 통과한 사람은 자신의 모든 삶을 죽음의 관점에서 영위해야 함을 뜻한다.

---

14) 최승자, 「세기말」 부분, 『내 무덤, 푸르고』, 문학과지성사, 2003(1993), 36쪽.

15) 발터 벤야민, 반성완 옮김, 『발터 벤야민의 문예이론』, 민음사, 1998(1983), 178쪽.

만약 그러지 않는다면, 그에게는 세상의 이름이 운명처럼 낙인처럼 주어지고 말 것이다. 이것은 작가라는 작업/직업 자체의 무화_{無化}를 뜻한다. 이런 맥락에서 릴케의 분신 말테가 가장 두려워한 것이 다름 아닌 명성이었다는 사실은 정말로 의미심장해 보인다. 말테를 좋아했을/할 것이 분명한 시인 최승자는 이렇게 썼다.

어느 썩은 도랑에서 나 태어났고
어느 썩은 도랑에서 나 살았고
어느 썩은 도랑에서 나 죽을 것이다.

내게서 모든 기대를 거두어다오.

나 이미 살았고 죽었고,
살았었고 죽었었고,
남은 것은 가벼이 머물다
흘러가버리는 무심.

눈뜨고 죽은 송장의
두 눈동자에 비쳐 흐르는
잠시이며 영원인 무심.[16]

16) 「무심」 전문, 위의 책, 58쪽.

세계를 쓰는 자, 세계를 읽는 자

작가는 세계에 대해서 쓰는 자가 아니다. 작가는 세계를 쓰는 자이며, 또한 바로 그런 한에서만 세계를 읽는 자이다. 이 점을 해명하는 것은 매우 중요하고 가치 있는 일이다. 발터 벤야민이 기록자의 모범으로 상정한 인물형은 객관적인 역사가가 아니라 신앙심으로 충만한 중세 연대기 기록자였는데, 그것은 그들이 "역사를 신의 구원계획이라는 바탕 위에서 서술함으로써 처음부터 역사적 사건을 설명·입증해야 한다는 부담감을 떨쳐 버렸"[17])기 때문이다. 역사가는 모든 사건과 그 연관성을 설명하고 입증하기 위해서, 그러니까 결국 자신의 견해를 주장하기 위해서 전력을 다한다. 그것이 그들의 본질을 이룬다. 이에 반해 연대기 기록자는 건조하게 혹은 냉철하게 사건들을 보고할 따름이다. 왜냐하면 그들은 모든 사건에 대한 이유와 결과들에 대해서 이미 알고 있기 때문이다(이것은 연대기의 독자들에게도 해당되는 이야기이다). 그것들은 모두 신의 구원계획의 일부인 것이다! 그러나 연대기 기록자는 작가가 아니다. 작가에게는 이와는 반대 방향에서 생겨나는 힘 또한 필요하다. 벤야민이 작가의 최고 모범으로 생각한 인물들 중 한 사람인 니콜라이 레스코프의 "(…전략…) 작품에는 묵시록적인 역사관을 가지고 있는 연대기 기록자의 면모와 세속적 사건에 관심을 가진 이야기꾼의 면모가 동일한 비중을 갖고 동시에 나타"[18])난다. 즉 신의 구원계획에 대한 믿음 못지않게 세속적 사건에 대한 관심 또한 중요한 것이다. 연대기 기록자는 신의 목소리에 따라 세계를 쓰는 자이고, 이야기꾼

17) 발터 벤야민, 앞의 책, 180쪽.

18) 위의 책, 180쪽.

은 신의 손길이 숨겨 놓은 세계의 비밀스러운 수수께끼를 읽어내는 자이다. 그리고 이 두 가지 쓰는 자/읽는 자 유형이 동일한 비중으로 결합할 때 진정한 작가가 탄생한다. 그러나 반복하건대 '진정한 작가'란 결코 어떤 인격체를 가리키는 표현이 될 수 없다. 연대기 기록자와 이야기꾼이 공평하게 만날 수 있는 유일한 장소는 다름아닌 죽음이기 때문이다. 죽음을 앞두고 자신의 삶의 역사를 한순간에 떠올리는 순간에는 누구나 작가가 된다. 실제로 글쓰기를 행하지 않더라도 말이다. 글쓰는 작가는 바로 이와 같은 순간들을 사는 자, 살아야 하는 자, 살 수밖에 없는 자이며, 그의 이념은 그 순간들 사이에 중단을 없애는 것, 아니 차라리 복수의 순간들을 단수의 순간으로 만드는 것이다. 요컨대 그는 오롯이 '오직 그 순간' 속에서 살기를 원해야만 한다. 이것은 가혹한 말일까? 그럴지도 모른다. 그러나 나는 다시 한 번 진정한 작가 보르헤스에게서 응원의 목소리를 듣는다.

저는 어떤 생각과 씨름해 왔습니다. 그 생각이란, 한 사람의 인생이 수천 수만의 순간들과 날[日]들로 혼합되어 있다고 하더라도, 그 많은 순간들과 그 많은 날들은 단 한순간, 즉 인간이 스스로가 누구인가를 아는 순간, 자기 자신과 대면하는 순간으로 환원될 수 있다는 것이었습니다. 유다(Judas)가 예수에게 키스했을 때(만일 정말 그가 그랬다면), 그는 그 순간에 자신이 배반자이고, 배반자가 되는 것이 자신의 운명이며, 또 자신은 그 사악한 운명에 충실하다고 느꼈을 것입니다.[19]

보르헤스가 단 한 순간=삶의 주인공으로 유다를 선택한 것은 정

19) 호르헤 루이스 보르헤스, 앞의 책, 134쪽.

말이지 탁월한 것이었다. 무릇 작가의 자리, 글쓰기의 제단 앞으로 나아가고자 하는 자는 모두 유다처럼 배반의 세례를 스스로에게 집전해야만 한다. 물론 그가 배반하는 것은 예수가 아니라 세계 '안'의 모든 이름들이며, 무엇보다 자기 자신의 이름이다. 이런 의미에서 발터 벤야민이 비평가를 위해 쓴 다음의 테제는 세상에 숨어 있는 모든 잠재적 유다들을 위한 금언으로 읽힐 수 있다. "항상 대중이 틀렸다는 것이 입증되도록 해야 하지만 동시에 항상 비평가가 그들을 대변해주고 있다고 생각하도록 해야 한다."[20] 이 말은 결국 누구나 자기 자신을 위해 써야 한다는 말에 다름 아니다. 보르헤스의 통찰과 벤야민의 충고는 모든 사람이 공히 제각각 작가가 되어야 한다는 당위를 가리키고 있다. 만일 이 당위가 현실이 된다면, 그때에는 인간들 사이의 '도움' 따위는 전혀 필요치 않을 것이다. 그때에는 작가와 인간 사이의 구분 따위는 이미 깨끗이 지워져 있을 것이기 때문이다. 🔲

---

20) 발터 벤야민, 조형준 옮김, 『일방통행로』, 새물결, 2007, 70~71쪽.

조효원
2008 세계일보 신춘문예 평론 부문 및 2008 문학동네 신인상 평론 부문 당선.
성균관대학교 독어독문학과와 동대학원 석사 과정 졸업.
2011년 현재 서울대학교 독어독문학과 박사과정 재학중.
ejjung213@hanmail.net

조효원 · 세계인 쓰는 자, 세계를 읽는 자

신체와 제로

임태훈

기타로 오토바이를 타자
수박으로 달팽이를 타자
메추리로 전깃불을 타자
비눗방울로 집을 짓자
송충이로 장롱을 안아보자
김치로 옷을 지어 입자
　　　　　── 산울림, 〈기타로 오토바이를 타자〉,《무지개》(지구 레코드, 1997)

미립자의 사운드스케이프와 백지白紙

　내 방에서 오랫동안 자리를 차지하고 있던 사물들이 이젠 낯설다. 저것들은 어째서 늘 뻔한 사운드스케이프soundscape의 상태로 한결같이 유지될 수 있는 걸까? 테이블과 침대 그리고 수도꼭지와 그

위에 매달린 거울을 잇는 침묵의 행렬은, 그것들을 새삼스럽게 쳐다보고 있는 내 침묵과 더불어 '선택조차 아니었던 것들의 상태'를 고스란히 드러내고 있다. 이게 내 방에서만 벌어지는 예외일 리 없다. 이를테면, 데모가 사라진 광장의 고요를 뒤늦게 낯설어하게 될 날이 머지않았는지 모른다. 나는 내 선택에 대해서뿐만 아니라 선택조차 아니었던 것들의 목록을 온전히 복기할 수가 없었다. 어떤 반복이 반복이 아니었던 맨 처음 순간의 진상은 짐작도 못 하겠다. 이 망각과 무감각의 공백이 나에게 의미하는 것은 무엇일까? 그러니 당장 이 침묵에 대해서부터 캐묻지 않을 수 없다. 이 장소에서 어떤 소리가 가능하고 또 불가능한가? 장소에 묻는 게 아니라 나 자신에게 묻는다. 그리고 지금 여기서 나는 어떤 리듬과 진동을 욕망했고 반대로 생각해본 적조차 없었던가? 시작부터 엉뚱하게 들릴 테지만 이것이 '작가'를 화두로 고민하던 중 맨 처음 돌파해야 했던 질문이었다. 함께 샛길로 돌아 걷기를 청한다.

소리는 언제나 '소리듣기'의 문제이기 때문에, 어떤 소리든 누구의 몸에 반응하는 감각이며 어떻게 지각의 산출에 기여하는가를 따져 묻는 것은 마땅하다. 이 작업을 위해 사물과 신체의 관계를 역추적할 수 있는 목록이 필요하다. 아마도 누구나 활동의 제한된 순열 안에서 일상적 동선은 반복되고 있을 뿐만 아니라 그 활동 범위 역시 놀랍도록 편협하게 구획되어 있음을 발견하게 될 것이다. 예를 들어 손도 안 닿는 천정의 표면은 대개 고요할 테고 발바닥과 엉덩이가 맞닿는 바닥은 분주하게 부스럭거릴 것이다. 나를 둘러싼 사운드스케이프는 내 몸에서 가능했던 사건(들)을 증언하고 있다. 사물과의 관계를 다르게 구성하고, 이를 통해 다른 동선과 리듬, 진동을 실현한다면 사운드스케이프도 당연히 달라질 게 분명하다. 다시 말해 신체가 '소리'를 조율할 수 있다.

비단 '소리'만이 아니다. '매체'의 변화 역시 언제나 그것과 관계하는 '신체(들)'과의 역학을 통해 이해해야 한다. 스웨덴의 올라 시몬손Ola Simonsson과 요하네스 슈테르네 닐슨Johannes Stjaerne Nilsson이 2001년에 발표한 단편영화 〈하나의 아파트와 6인의 퍼커셔니스트를 위한 음악Music for One Apartment and Six Drummers〉[1] 역시 같은 주제를 다루고 있어 소개한다. 이 영화는 9분 30초에 걸쳐 단 한 마디의 대사도 없이 '소리'만으로 이른바 '뮤지컬 테러리즘musical terrorism'을 정의한다.

줄거리는 간단하다. 6인의 테러리스트가 빈집에 무단 침입한다. 그리고 경직돼 있던 사물의 사운드스케이프를 해방한다. 양파 깎기와 칫솔, 전기면도기와 헤어드라이어, 면도거품과 실내화, 스탠드 덮개와 아스피린이 악기로 변용된다. 각각의 소리를 떼어놓고 들으면 보잘것없는 소음에 불과하지만 이것들끼리 절묘하게 박자와 리듬을 이루자 일순간 음악으로 뒤바뀌 들린다. 연주가 고조될수록 집 안은 점점 난장판이 된다. 책장에 꽂혀 있어야 할 책은 바닥에 내팽개쳐지고 부엌과 화장실도 본래의 질서를 잃는다. 이들 뮤지컬 테러리스트의 세계에선 무엇이든 악기가 아닌 것은 없으며 연주도 언제 어디에서든 가능하다. 일단 연주가 시작되면 소리 입자의 빠름과 느림이 이루는 복잡한 관계 속에서 악기로서의 매체와 연주자의 신체를 구분 짓는 경계는 불분명해진다. 이건 온통 음악이다. 양자兩者의 관계가 뿜어내는 에너지 그리고 극대와 극소의 문턱

---

[1] 이 영화는 유튜브(YouTube)에서 쉽게 찾아 볼 수 있다(http://bit.ly/c840Am). 국내에서 공식적으로 상영된 건 2007년 시네마 상상마당 음악영화제가 유일하다. 2002년 파리영화제 최우수 단편상·관객상을 받았고 같은 해 아스펜 단편영화제에선 'Most Original Film'을 수상했다. 올라 시몬손과 스탄 닐슨 감독은 2010년에 뮤지컬 테러리스트들의 새로운 활약을 그린 장편 영화 〈Sound of Noise〉를 발표해 전작에 못지않은 호평을 받았다. 이 영화는 제15회 부산국제영화제(2010) 월드시네마 초청작이었다.

을 오르내리는 강도強度의 차이만이 오로지 문제적이다. 곤두박질치는 극소의 순간은 집주인 부부가 산책에서 돌아올 때였다. 영화도 이 순간 덜컥 끝나버린다. 연주는 그보다 몇 초쯤 전에 매듭을 지을 수 있었지만 집주인 부부와 테러리스트가 멀뚱히 마주 보는 사태를 피할 겨를은 없었다. 하지만 이들은 9분 30초 동안 시간을 예민하게 재면서 이 방에서 저 방으로 한 곡당 대략 2~3분 내외의 연주를 하며 옮겨 다녔다. 이들은 왜 그렇게 시간에 민감한 걸까? 뮤지컬 테러리즘의 음악이 도달할 수 있는 강도의 극대치는 잠잠히 경직돼 있던 전前 상태와의 '차이'를 되도록 또렷이 감각할 수 있을 때 도달한다. 그만큼 제한된 시간 동안 고조되고, 절정은 그보다도 짧게 유지된다. 그 시간이 이들에겐 경험적으로 2~3분 내외였던 모양이다. 이들은 집주인과 맞닥뜨린 뒤에도 어떻게든 요령껏 도망쳐서 다른 미지의 장소에서 연주를 계속할 것이다. 이들의 모험은 어느 한 장소에 정주해 전개되지 않을 것이다. 연주가 리듬이나 박자를 헤아리기 어려운 '소음'에 압도되어 버리더라도 어느 틈엔가 '음악'으로 다시 들리게 할 수 있다. 뮤지컬 테러리즘의 지평을 끌고 들어오지 않더라도 '음악'은 원래 그런 것이다. 소음은 음악마저 가능케 하는 카오스모스이기 때문이다.

이 영화에 담긴 9분 30초의 시간 동안 숨 가쁘게 확인할 수 있었던 것은 '소리'의 속성을 닮은 삶이었다. 이 삶엔 또 무엇이 가능한가? 묵은 질문이지만 새삼 절실하게 느껴진다. '글쓰기'에 의해서도 뮤지컬 테러리스트에 못지않은 삶의 변용을 기대할 수 있을까? 여전히 그리고 당연히도 '신체'가 또다시 문제시된다. 우선 진정으로 쟁점이 되어야 할 고민을 희석하는 속류의 언설들을 따돌려야겠다. 그러니까 이런 이야기들. 근래엔 소셜 네트워크나 태블릿 PC, 스마트폰 등의 정보통신기술 발달에 고무되어 '글쓰기'의 새로운 풍속에 의미를 부여하는 논담이 유행인 듯싶다. 하지만 대개는 근본적인 질문을 빼놓은 채 호들갑스러운 마케팅 용어에 주파수를 맞추어 공회전하는 담론에 불과하다. 광고는 충분히 차고 넘치니 다른 얘길 할 때도 됐다. 유행이 또 다른 유행을 낳고 기술이 거듭 혁신될수록 지금 각광받는 첨단의 뉴 미디어 제품도 필연적으로 구舊미디어의 그늘에 내려앉게 마련이다. 이런 말에 부디 오해하지 않길 바란다. 지금 나는 러다이트 식의 냉소에 젖어 정보통신 기술의 신제품을 깎아내리고 있는 게 아니다. 내가 원하는 것은 그런 상품이 촉발하는 것보다 훨씬 더 과격한 상상력의 발휘다. 첨단 기술이나 대중적 유행, 신풍속에 열광하는 것만으로는 상상력이 진가를 제대로 발휘할 기회를 잡지 못한다. '글쓰기'에 대해 우리는 특수효과로 뒤범벅된 CF 영상보다 훨씬 더 SF적으로 사고할 수 있다. 과장하려는 게 아니라 '신체'와 '글쓰기'라는 주제는 사실 믿을 수 없을 만큼 SF적이다.

아이패드? 트위터? 페이스북? 이 모든 혁신과 유행의 계열을 형성해낼 수 있었던 근본적인 사건의 지평 혹은 창조의 조정자는 무엇인가? 바꿔 말하자면 무엇'으로' 새로운 글쓰기를 할 것인가를 묻기에 앞서, 무엇'으로부터' 새롭든 낡았든 글쓰기가 가능한지를 물어야 할 차례다. 재차 강조하지만 이것은 '신체'에 대한 탐구다. 글쓰기뿐만 아니라 음악과 문학, 철학과 영화 역시 신체'로부터' 가능한 능력들의 변용이다.

이 '신체'는 살과 피와 뼈가 뭉쳐진 물리적인 몸만을 가리키는 게 아니다. 고백하건대 이 글이 굳이 사운드스케이프에 대한 의문에서 출발해야 했던 까닭도 여기에 있다. 전술했던 사운드스케이프를 미립자 단위의 배율에서 다시 바라보자. 이 세계에선 공기 속을 휘몰아치고 서로 부딪쳐 박동하는 음音의 입자와 내 몸뚱이의 세포를 이루는 입자, 감각과 사고를 전달하는 시냅스의 입자를 각각 구별할 수 없다. 그래서 미립자의 세계에선 오장육부로 기관을 나누고 몸의 내부와 외부, 정신과 육체의 경계를 긋는 일 따윈 애당초 불가능하다. 입자들이 쉼 없이 움직이고 관계와 속도, 에너지의 강도가 변하고 있어서, 시간을 멈추지 않고선 정의 가능한 어떤 실체나 주체의 상태를 포착할 수 없다. 이런 '신체'를 두고 '우리의 신체'라 쓰면 미립자 세계의 문법에선 틀린 표현이 된다. '신체'로부터 가능한 관계의 변용 가운데 '나', '너' 그리고 '우리'라 부를 수 있는 것들의 양태가 가능하다. 들뢰즈는 스피노자와 니체를 경유해 신체의 철학을 전개하면서 '내재성의 평면', '기관 없는 신체', '고름의 평면' 등의 다른 이름을 덧붙이길 즐겼다. 각각의 별칭이 환기하는 사유의 이미지는 '신체'로부터 창조될 수 있는 다양한 계열에 공명共鳴한다. 여기에 나는 '백지白紙'를 다른 이름의 하나로 추가해 본다. 물리적 실체로서의 종이를 가리키는 게 아니라, '쓸 수 있는', '상상할 수 있는', '상상하고 싶어 하는', '쓰고 싶어 하는' 온갖 정념과 정동이 한 데 뒤엉켜 와동하는 '언어 신체'에 관하여, 나는 '백지'의 이미지를 떠올렸을 때 가장 강렬히 반응할 수 있었다. 그건 마치 빨라진 음악 비트에 심장도 함께 뛰는 증상과 비슷했다. 들뢰즈라면 이를 두고 신시사이저의 철학이라 부를지 모르겠다. 이 또한 미립자들의 합주가 이뤄내는 뮤지컬 테러리즘이다.[2]

---

2) '신디사이저의 철학'이란 표현은 다음의 구절에서 영감을 얻었다. "마치 어떤 음악 작품 속에서 하나의 동일한 테마가 변용의 다른 부하와 더불어 서로 다른 속도를 따라 진행된다고 할 때, 우리가 그 음악 작품 속에서 서로 다르게 듣고 느끼는 것과 어느 정도 비슷하게 말이다. 마찬가지로 글쓰기도 또한 하나의 동일한 평면 위에서 변용을 분배하며 빠름과 느림을 생산한다. 어쩌면 우리는 컴퓨터와 신시사이저(음성 합성 장치)를 동원한 현대적인 방법을 통해서 오늘날 철학사가 새롭게 태어나는 일, 그리하여 마치 전자음악처럼 부분적으로 전화화 된 그런 철학사를 우리가 받아들이는 일을 보게 될지도 모른다." 질 들뢰즈, 박정태 엮고 옮김, 「스피노자와 우리」, 『들뢰즈가 만든 철학사』, 이학사, 2007, 127~128쪽.

신체는 그 무엇이든 될 수 있다. 그것은 동물일 수 있으며, 소리 신체일 수 있고, 영혼이거나 관념일 수 있다. 또 그것은 언어 신체일 수 있으며, 사회적 신체 또는 어떤 집단일 수 있다. 그리고 이 같은 관점에서 출발하여 우리는 어떤 한 신체를 구성하는 입자들 간의 빠름과 느림의 관계 전체, 운동과 정지의 관계 전체를 신체의 경도라고 부른다. 또 우리는 변용시키고 변용되는 이중적인 자기 능력 아래에서 매 순간 어떤 한 신체를 채우는 변용 전체를 그 신체의 위도라고 부른다. 이런 식으로 하여 우리는 신체에 대하여 지도 제작을 하게 된다. 물론 이렇게 제작된 지도의 경도와 위도를 합친 전체는 언제나 가변적인, 그리고 개체와 집단에 의해서 끊임없이 개조되고 건설되며 재건설되는 자연이라는 평면, 즉 내재성의 평면 또는 고름의 평면을 구성한다.[3]

'신체'에 대한 이 모든 긍정과 찬사에도 정작 우리는 염세적인 불구로 살아가고 있는 건 아닌지 진단해 봐야 한다. 위의 인용문이 시큰둥하게 느껴졌을 수도 있다. 신체는 그 무엇이든 될 수 있다고? 그 무엇도 될 수 없도록 하는 강제, 특정한 한 존재의 상태에 머물러 있어야 하는 억압의 차트는 현실에 깨알같이 가득하다. 그럼에도 불가능한 것들 사이로 자신의 길을 그어나갈 수 있는 신체를 발명해야 한다. 가로막은 벽을 뚫고 성층권까지 뛰어오르는 SF를 운운하는 게 아니다. 오히려 '자기 특유의 불가능'을 창조해낼 수 있는 신체를 발명해야 한다. '작가'의 탄생도 신체의 발명과 동시적이다. 거기엔 진실을 구성할 수 있는 허위의 힘이 충만하다. 사건은 언제나 가상, 허위, 잠재된 것의 차원에서 맨 처음 솟구쳐 오른다. 아직 만나보지 못한 세상, 경험해보지 못한 관계, 새로운 주

3) 위의 책, 123~124쪽.

체성을 담은 상상의 인물이 그곳에 배태된다. 이런 신체(들)의 세계는 늘 낯설다. 그렇기에 늘 새롭게 출발할 수 있다. 오직 현실의 제약 안에서 가능한 것들만을 바라며 타인의 욕망을 대리할 뿐인 자들의 세계엔 도래하지 않는 전환점이다. 나는 그곳을 '작가'가 멸종된 세계라 부른다.

카오스모스를 위한 글쓰기

그렇다면 지금 이 시대는 '작가'가 멸종된 세계로부터 얼마나 멀리 떨어져 있는 걸까? 이런 작가들의 분투를 주목한다.

상상력과 창의력 그리고 자동인형automata에 관한 책인 김진송의 『상상목공소』에서 현대인과 기계의 관계가 도착적으로 왜곡돼 있음을 지적하는 대목을 읽었다. 우리를 둘러싼 경직된 사물의 질서가 무엇으로부터 구조화되어 있는가를 담담히 설명한 문장이었다. 김진송은 이미 '장 그노스'라는 필명으로 발표한 괴기도서[4] 『인간과 사물의 기원』에서 같은 주제를 가상의 앎과 허위적 앎의 교차를 통해 다룬 바 있다. 그리고 이번 『상상목공소』에서는 기계 대 기계라는 새로운 변주다. '기계'에 관한 김진송의 입장 가운데 가장 흥미로운 지점은 '내 기계' 만들기였다. 이 세계의 도착증을 조금이라도 덜 앓기 위한 김진송의 자기 처방이다.

---

4) 『인간과 사물의 기원』(열린책들, 2006)은 '소설'로 분류하는 게 대체로 무난할 테지만, 이런 도서 분류법의 쓸모를 의심하게 만들 만큼 일면 소설적이면서 반면 논문 같기도 하고 어느 순간 만화처럼 읽히다가 난해한 철학서의 얼굴을 내밀기도 하는 등 종잡을 수 없는 횡단적 글쓰기의 결정체다. 그래서 이 책에 끓어 넘치는 잡종의 비범함에 폐를 끼치지 않기 위해서라도 나로선 경외감을 듬뿍 담아 '괴기도서'라 부르는 게 최선이라 판단했다.

사람들은 무수히 많은 기계를 만들었다. 세상에 나와 있는 수만 가지 기계들은 인간의 쓰임을 위해 존재한다. 하지만 모든 기계는 사람들에게 일반화된 행동과 태도를 강요한다. 자동차를 쓰기 위해 누구나 거의 똑같은 절차를 따라야 하고 컴퓨터를 쓰기 위해 거의 똑같은 방법으로 접근해야 한다. 하나의 기계는 많은 사람들에게 도움을 주기 위해 만들어지지만 거꾸로 많은 사람들의 욕망을 채우기 위해 만들어진다. 자동차는 적어도 수십만 대가 팔릴 수 있어야 한 가지 디자인이 가능해진다. 아무리 많은 문물이 쏟아져 나오고 첨단기기가 출현해도 그 기계가 단 한 사람을 위해 존재하지는 않는다.[5] (강조는 인용자)

기계는 인간이 규격을 정하고 생산하지만 인간의 삶 역시 기계에 의해 규격화되고 대량생산되고 있다. 얼마 전 애플의 아이폰에 사용자의 위치·이동 정보를 수집하는 프로그램이 비공개로 내장돼 있었다는 사실이 밝혀졌을 때도, 그게 충격적이라기보다는 대량생산되는 어느 기계인들 사람의 신체에 개입하지 않는 게 있겠느냐는 체념부터 앞섰다.[6] 꽤 오랫동안 다들 이런 세상에서 살고 있다. 추문에도 불구하고 지난 4월 말 아이패드2의 국내 출시일에는 번화가의 애플 매장마다 신제품을 사려는 사람으로 인산인해를 이뤘다고 한다. 돈과 정보를 내주는 대신 그들은 신상을 자랑할 수 있게 되었다. 이 거래가 부당하다고 실감하지 못하는 '신체'는 어떻게 구성되고 있는가? 기계 작동 혹은 기계 소비의 매뉴얼이 일상의

---

5) 김진송, 톨, 『상상목공소』, 2011, 116~117쪽.

6) 빈 라덴이 아이폰 앱을 이용하면서 '현재 위치 정보를 사용합니다'에 동의를 하는 바람에 미군에 사살 당했다는 루머까지 한동안 나돌았다(출처: http://starline.tumblr.com). 루머의 진위 여부가 중요한 게 아니다. 진짜 문제는 빈 라덴에게 정말로 그런 일이 일어났는가가 아니라, 우리에게 정말로 그런 일이 일어나고 있다는 사실이다.

동선, 리듬, 강도強度와 피드백하며 인간 각자의 특이성을 압도하는 일은 흔하디흔하다. 이때 '신체(들)'이 사라진다. 어떤 기계를 정해진 용도에 위반해 사용할 수 있는 신체, 다른 누구도 만들어 줄 수 없는 '내 기계'를 창조하기 위해 탐구하고 몰입하는 신체, 소비자가 '아닌' 신체, 국민이 '아닌' 신체, 정보통신기술의 통제사회를 숨 막혀 하는 신체, 그 모든 신체의 목록이 빠르게 말소되고 있다. 그래서 김진송의 '내 기계'인 '자동인형'은 작품 자체보다도 거기까지 이를 수 있었던 최초의 계기와 시행착오의 과정, 그리고 이 결과물로부터 촉발된 또 다른 삶의 탐구와 다른 실천이 더 의미심장한 것이다.

목수 김진송이 '내 기계'를 만들어 상상력과 창의력을 한껏 펼칠 수 있는 '신체'의 해방을 꾀했다면, 기계비평가 이영준은 '기계'의 거짓말을 감별해 기계 신화의 영향력을 무장 해제하는 전략을 취한다.

기계는 다른 방법으로 인간을 속인다. 그것은 구조와 투명성의 관계를 통해서다. 오늘날 한국에서 누드전화기 등으로 불리는 아주 특수하고 촌스러운 사례를 제외하면 20세기의 기계들은 그 구조를 들여다볼 수 없다. 이는 우연이 아니다. 기계는 자신의 진술구조를 보여주지 않기 위해서 겉을 감싸고 있는 것이다. 기계는 자신이 일하는 구조를 보여주지 않으면서 사람에게 기능, 혹은 작동이라는 깜짝쇼를 보여주는데, 덕분에 인간은 기계를 두려워하지 않게 되었다. 이것이 20세기의 기계가 지닌 신화의 구조이며, 이는 바르트가 말한 현대의 신화의 개념과 정확히 똑같은 것이다. 즉 어떤 진술을 가져다가 형식을 바꿈으로써 신화적 담론으로 만든다는 점, 그 담론은 원래 자료가 되는 담론 위에 덮어 씌워져 있다는 점에서 말이다. 그리하여 기계는 구차하게 일하는 모습을 보이지 않으면서 어느 틈엔가 작동하고 있더라는 신화적 메시

지를 담고 있게 된다.[7]

희극적으로 폭로된 기계의 실상 앞에서 또렷이 재발견하게 되는 것은 기계와 신체의 관계가 얼마든지 가변적일 수 있다는 사실이다. 다시 말해 이 둘은 서로 죽일 듯 적대할 수도 있고 한없이 우애로울 수도 있다. 그래서 이영준은 기계를 무시하는 초월적 도사가 되거나 뭐가 뭔지 봐도 모르고 설명해줘도 모르는 기계치 양쪽 모두 되지 말 것을 권장한다. 왜냐하면 기계와 신체를 둘러싼 다중의 싸움이 전혀 만만치 않게 전개되고 있기 때문이다. '기계'를 생산과 소비의 사이클 안에 묶고 그 존재의미를 용도와 가격에 한정 짓는 패러다임에 맞서는 싸움, 기계의 신화학이 '신체'를 억압하는 것에 대한 저항, 기계와 신체의 관계를 해방적으로 재구성하기 위한 모험이 서로 얽히고 섞이며 불화하고 있는 시대다. 이에 대해 IT 업계와 매스컴에선 '미디어 격변기'라는 용어를 더 선호하는 모양이지만, 이 말의 그림자에는 시대의 흐름을 잘 타 어떻게든 한 몫 잡아볼 궁리를 하는 경제 동물들의 얼굴이 우글우글하다. 왜 풀 네임을 제대로 적지 않는지도 의뭉스럽다. '미디어 격변기'는 원전이 폭발하고 세계금융위기를 겪어도 끄떡없이 계속되고 있는 '신자유주의 시대의 미디어 격변기'의 준말이기 때문이다. '미디어 격변기'의 세속적 풍경이야말로 이영준이 위에서 지적한 기계의 신화를 뒤집어쓰고 있다. 자신을 숨기는 거짓말에 언제까지 속아야 한단 말인가? 그 거짓말의 이면을 직접 대면하고 맞서 싸워야 하는 게 우리 시대의 전선戰線이다. 기계와의 비판적 동맹은 이 싸움에 맞서 싸울 수 있는 동력을 제공할 것이다. 가령 윈도 운영체제 독점에 맞서

7) 이영준, 『기계비평』, 현실문화연구, 2006, 269쪽.

전 세계에서 자율적으로 조직되고 전개되고 있는 리눅스의 오픈 소스 운동을 대표적인 사례로 꼽을 수 있다.

전문적인 엔지니어나 프로그래머가 아닌 아마추어도 반란에 동참할 수 있다. 요네하라 마리米原万里는 『발명마니아』에서 "좀스러운 발명으로 이 세상의 문제를 해결하겠다"(507쪽)라는 전투적 기세로 기상천외한 발명 아이디어를 무더기로 내놨다. 미군의 원자력 항공모함이 배치되는 것을 막기 위해 요코스카 항 해저에 내진 구조 계산을 위조한 불량 건물을 쓸어 넣어 잠수함이나 항공모함이 들어오지 못하는 수심이 낮은 바다를 만들자는 과격한 제안이 있는가 하면, 세금을 낭비하지 않고 적은 비용으로 친환경적으로 인공위성을 쏘는 방법을 발명했다면서 초대형 물대포 발사법을 제안하기도 한다.

원리는 지극히 간단하다. 높이 200미터, 지름 50미터가량 되는 거대하고 두꺼운 양동이 모양의 받침대를 바다에 띄운다. 바닥에 수많은 사슬을 달아서 안에 바닷물이 들어오지 않는 아슬아슬한 깊이까지 양동이를 가라앉힌 뒤 사슬 한쪽 끝을 바다 밑에 고정한다. 혹은 바닥의 중량을 무겁게 만들어서 양동이가 적당한 깊이까지 잠기게끔 조정한다. 이 받침대가 발사대가 된다. 그전에 양동이 바닥 한가운데에 구멍을 뚫고 여닫이식 조정판으로 이 구멍을 막아놓는다. 판 위에 발사할 위성을 탑재하고 발사 신호와 동시에 판을 열면, 양동이 바닥에서 어마어마한 기세로 물이 뿜어져 나와 위성을 하늘 높이 쏘아 올려줄 것이다. 요컨대 초대형 분수나 물대포 같은 물건이다.[8]

---

8) 요네하라 마리(米原万里), 심정명 옮김, 『발명마니아』, 마음산책, 2010, 289쪽.

바람이 없다면 우리가 바람을 일으키면 된다는 게 요네하라 마리 식 발명의 기본 이론이다. 세상을 바꾸고 싶다면 현실을 탓하며 아무것도 하지 않는 대신에 새로운 세상에 대한 꿈만이라도 사람들과 열렬히 공유해야 한다는 게 그녀의 진정성이다. 그래서 요네하라 발명 컬렉션이 과학적으로 불가능한 일이거나 일부 아이디어는 재앙에 가까운 부작용을 가져올 수 있음에도[9] 그 발상에 전제된 비전에 대해서만큼은 감동적으로 공감하게 된다. 요네하라 원더랜드에선 환경오염이나 자원낭비, 계급갈등과 인종차별, 전쟁, 부정부패, 빈부격차, 독재와 폭력, 내진설계 불량과 핵 추진 항공모함이 얼씬거릴 수 없다. 이 세계는 그저 작가의 머릿속에 어른거리는 하나의 가상에 지나지 않는 게 아니다. 이런 가상을 품을 수 있는 '신체'로부터 방사되는 행동 능력의 계열엔 비루한 세상을 바꿔나가는 데 일조할 수 있는 실천이 싹틀 수 있기 때문이다.

이것은 작가 홀로 구석에서 자족적으로 몰두하는 실험이 아니다. '글쓰기'는 신체들 간의 정동의 전염을 일으킨다. 그렇더라도 어느 누군가의 변화를 두고 작가의 글쓰기 때문이었다고 인과 법칙 아래 간편히 묶어버리는 건 유치하고 졸렬한 사고방식이 아닐 수 없다. 작가의 글쓰기조차 순전히 작가 자신으로부터 비롯되지 않으며, 이질적인 관계의 변용들과 종횡으로 협업하는 이른바 다양체의 생성이기 때문이다. 정동의 전염 역시 다른 강도强度들과 교차하고 합성한다. '발명'과 '글쓰기', 그리고 이를 통한 '전염'은 더는 바뀌지 않을 것 같은 세계의 코스모스를 새로운 질서, 신체, 기계를

---

9) 『발명마니아』 같은 책을 두고 과학적 정확성이나 기술적인 이치를 따지는 것 자체가 난센스이긴 하다. 그러나 이 책에서 진정 평가받아야 할 기술적 효용이 있다면, 그건 역시 '명랑한 상상력'으로 세상을 바라볼 수 있도록 돕는 이 책만의 '삶의 기술'일 것이다.

배태할 수 카오스모스 속으로 되돌려 놓는 협업인 것이다.

당신은 어떤 '신체'를 욕망하는가?

여기서 또 다른 사운드스케이프와 마주하려 한다. 지난 2월 28
일부터 3월 4일까지 캘리포니아 롱비치에서 있었던 TED2011에서
에릭 위태커Eric Whitacre는 12개국 185명의 사람이 참여한 가상합창
단 프로젝트를 소개했다.[10) 가상합창단에게 유튜브는 오디션장이
자 연습실이었고 녹음 스튜디오이면서 최종적인 공연장이기도 했
다. TED 강연에선 가상합창단에 참여한 한 여성의 경험담이 소개
되기도 했다.

가상합창단원이 된다고 남편에게 말했을 때, 남편은 저에게 그런 소
질은 없다고 했죠. 제게 상처가 되었고, 저는 눈물도 났지만, 남편의 말
에도 이것을 꼭 하고 싶다는 의지가 있었습니다. 전 합창단원을 한 경
험이 없어서 이렇게 같이 하다니 꿈만 같습니다. 제가 사는 곳을 구글
어스 맵에 표기했을 때 가장 가까운 도시가 400마일이나 떨어져 있는
것을 보았습니다. 제가 알라스카 오지에 살고 있더라도 인공위성이 저
를 세계와 연결시켜 주는 셈이네요.

가상합창단의 영상을 볼 때마다 인터넷이야말로 에릭 위태커의

---

10) 에릭 위태커의 가상합창단 프로젝트는 유튜브에서 확인할 수 있다(http://bit.ly/
bQa2oE). 필자가 이 글을 작성하고 있는 현재까지 232만 4,890명의 사람이 이
영상을 감상했다고 한다. 에릭 위태커의 TED 강연 영상도 쉽게 찾아볼 수 있다
(http://bit.ly/eOiuGO). 별도의 가입 없이 서비스를 이용할 수 있고 각국 언어로
번역된 자막을 제공한다.

작품명처럼 우리 시대의 '빛과 소금Lux Aurumque'이 될 수 있다는 막연한 낙관주의에 마음이 기울곤 한다. 그러나 인터넷은 공간과 시간의 제약을 뛰어넘어 사람이 서로 만나 소통할 수 있는 유용한 방식의 하나일 순 있어도, 다른 모든 방식의 소통을 대체할 수 있을 만큼 절대적인 가치를 지니진 않았다. 오히려 인터넷에 대해서라면 사람에게 좀 더 친밀한 만남을 갈구하게 한다는 바로 그 점을 테크놀로지의 형식보다 인정해야 한다.『가상 공동체: 전자 개척지에 집짓기』의 저자 하워드 레인골드는 "수행해야 할 필요가 있는 대부분 것들은 면 대 면으로 직접 수행해야 한다. 시민 연대의 의미는 당신의 신체가 살고 있는 속에서 이웃을 대해야 한다는 것을 의미한다"[11]고 지적했다. 트위터와 페이스북에서 아무리 많은 사람이 이 나라의 정치, 경제, 문화에 대해 논쟁하고 의견을 공유하고 있다 하더라도, 누구도 광장에 직접 나와 몸으로 세상과 부딪히려 하지 않는다면 소셜 네트워크의 실상이란 그저 말을 대량 소비하는 곳에 지나지 않을 것이다. 튀니지 재스민 혁명의 진정한 위대성 역시 혁명의 도구 가운데 하나였던 소셜 네트워크 따위에 돌릴 게 아니라, 부정한 권력을 향해 죽기를 두려워하지 않고 부딪힌 튀니지 인민들의 '신체'로부터 철저히 배워야 한다. 그러니 사실은 인터넷조차 언제나 우리를 향해 묻고 있다는 걸 잊지 말아야 한다. 당신은 어떤 신체를 욕망하는가? 그 욕망은 누구와 더불어 실현될 수 있는가?[12]

---

11) H. Rheingold, *Virtual Community: Homesteading on the Electronic Frontier*, Cambridge, MA: MIT press, 2000, p. 382.

12) "너희 자신의 기관 없는 몸체를 찾아라. 그것을 만드는 법을 알아라. 이것이야말로 삶과 죽음의 문제, 젊음과 늙음, 슬픔과 기쁨의 문제다. 모든 것은 이것과 관련되어 있다." 질 들뢰즈·펠릭스 가타리, 김재인 옮김,『천 개의 고원』, 새물결, 2003(2001), 290쪽.

이 고민에 도움이 될 만한 작품을 찾아봤다. 아돌포 비오이 카사레스Adolfo Bioy Casares의 『모렐의 발명』에 등장하는 주인공도 '신체'의 선택을 두고 고뇌한다. 그는 잘못된 법정 판결의 희생자로 수감 생활을 피하고자 남태평양의 빌링스 섬으로 도피한다. 섬에는 박물관, 예배당, 수영장 등이 건설되어 있고 한때 주민이 적잖이 거주했던 곳이었지만 지금은 무인도로 변한 지 오래다. 전염병 때문에 섬사람이 몰살했다는 소문 때문에 누구도 얼씬거리지 않는 곳이다. 그는 빌링스에 적응하기 위해 갖은 애를 쓴다. 조수에 휩쓸리고 늪에 빠지고 모기에 시달리지만 어떻게든 버텨보려 했다. 식량도 늘 모자란 판이라 굶어 죽지 않으려면 통증과 고열에 시달리는 와중에도 사냥하러 다녀야 했다. 변변한 도구도 없이 말이다. 여기까지 그의 '신체'는 두 번의 변용을 겪는다.

그는 법정에 굴복해 죄수로 살고 싶지 않았고 필사적으로 국가권력의 바깥을 찾아 도망쳤다. 국가 안에 도망자가 도망자인 채로 정주할 수 있는 장소는 없다. 체포돼 감금되지 않기 위해선 도망자는 계속 움직여야 하고 타인의 시선을 피해야 한다. 주인공은 수감자의 삶뿐만 아니라 도망자의 삶에서도 탈주하고 싶었다. 그래서 외부와 고립된 빌링스 섬으로 들어가 죄수이자 간수이며 법관이기도 하지만 동시에 그 무엇도 아닌 '신체'로 거듭나려 한다. 그러나 이 과정은 고달프기 그지없다. 빌링스 섬의 혹독한 자연은 도망자의 적들이나 법정의 권위보다 훨씬 더 무시무시하다. 이 지점에서 주인공의 세 번째 변신은 이미 예고되어 있다. 그는 벌레에 물리고 상처가 곪아 터지고 고열에 시달리는 연약한 몸뚱이로부터 자살과는 다른 방법으로 탈주하고 싶어 한다. 그리고 그 방법은 오래전 빌링스 섬에 거주했던 수수께끼의 발명가 모렐이 이미 만들어 놓았다.

주인공은 습관적으로 '오스티나토 리고레Ostinato rigore'라는 문구를 되뇌는데, 이 말은 본래 어렵고 힘든 상황에서도 끈기 있게 행동한다는 뜻이지만 결국 혼자서 모든 것을 해결할 수밖에 없다는 주인공 특유의 결벽증적 징환을 드러내는 구호이기도 하다. 『모렐의 발명』이 허깨비 영상을 상대하는 주인공의 독백만으로 이뤄진 이야기라는 건 무심히 지나칠 특징이 아니다.

아무도 살지 않는 줄 알았던 섬에 사람들이 나타나기 시작한다. 그런데 갑자기 나타난 사람들의 모습과 행동이 어딘가 이상하다. 그들은 똑같은 말과 행동을 반복하고 있을 뿐만 아니라 주인공 '나'의 존재를 전혀 느끼지 못한다. 그들은 아주 오래전, 사람들이 배를 타고 섬을 떠나기 전날의 영상 이미지였다. 모렐은 사람의 촉각, 체온, 후각, 미각의 이미지를 촬영해 영원히 상영될 수 있는 장치를 발명했다. 영사된 것을 보는 관객의 입장에서뿐만 아니라 이미지들 또한 스스로 살아있고 의식적이라고 느끼게 되는 이른바 가상현실 제조기다. 모렐과 그가 사랑했던 여인 포스틴, 그리고 섬에서 일주일을 함께 살았던 사람들은 이런 식으로 영원히 빌링스섬에서 살아간다. 그런데 이 모든 사실을 알게 된 주인공은 뜻밖의 선택을 한다. 그는 모렐이 남겨둔 기계의 작동법을 익혀 유령들의 세계로 탈주하려 한다. 그리고 그곳에서 완전히 새로운 신체를 얻길 욕망한다. 사이버 펑크물에 흔히 등장하는 설정인 육체의 죽음과 가상현실에서의 영생이라는 테마를 1940년에 발표된 이 소설에서도 마주하게 된다. 하지만 주인공의 영혼이 포스틴과 함께 있을 수 있는 세계로 진짜 옮겨갔는지는 작가가 아무 말도 하지 않았다. 대신에 영사기의 빛을 쬔 신체가 점차 파괴되는 과정을 자세히 기록했다.

나는 내 죽음이 진행되고 있다는 사실을 거의 느끼지 못한다. 그것은 왼손의 세포 조직에서부터 시작되었다. 무척이나 크게 진전됐지만, 아직도 너무나 천천히, 통증을 느끼지 못할 정도로 너무나 지속적으로 진행되고 있다. 나는 시력을 잃어가고 있다. 촉감은 이미 사라졌다. 이제 피부가 벗겨지고 있고 감각은 불분명해졌으며 아프다. 그래서 나는 그것들을 생각지 않으려 애를 쓴다.[13]

『모렐의 발명』은 속류의 사이버펑크 소설과 달리 고립된 인간의 정신이 어떻게 병들고 파괴되어 가는가에 대한 이야기다. 이 소설에는 가상현실에 대한 광신보다는 그런 징환에 대한 연민이 가득하다. 주인공이 가상현실로 옮겨 갔다 치더라도 그의 몸은 정해진 순서대로 움직일 수밖에 없고 화면 안에 봉인된 채 한 걸음도 벗어날 수 없을 것이다. 그가 마지막에 선택한 신체는 다시는 탈주가 불가능한 최악의 감옥에 불과하다. 그렇더라도 주인공이 욕망한 '신체'는 연모해 마지않는 여인 포스틴과 함께 있을 수 있는 장소다. 이를 통해 『모렐의 발명』에서 정식화할 수 있는 명제는 다음과 같다.

함께 하면 행복해질 수 있는 존재들과 공존할 수 있는 '신체'를 우리는 욕망하고 있다. 세계의 비루함으로부터 해방될 수 있는 장소는 인터넷에 약속되어 있지 않다. 그런 해방은 오직 우리의 '신체'에서만 가능하다. 그 '신체'는 언제나 하나이면서 여럿이기에 고립되어 있지 않지만, 우리가 우리 자신에 대한 착각과 유해한 징험으로부터 벗어나기 위해선 많은 노력이 필요하다.

---

13) 아돌포 비오이 카사레스, 송병선 옮김, 『모렐의 발명』, 민음사, 2010(2008), 162~163쪽.

임태훈 · 신체와 제로

기타로 오토바이를 타자

마지막으로 이 글의 제사題詞에서 인용한 노랫말에 관해 짧게 이야기해두려 한다. 글을 쓰는 내내 이 노래가 머릿속에서 윙윙거렸던 터라 나로선 이걸 빼놓고 마무리를 지었다간 뭔가 덜 이야기한 기분이 들기 때문이다. 산울림이 1997년에 발표된 13집《무지개》에 수록된〈기타로 오토바이를 타자〉는 원래 몰랐던 노래도 아니고 근래 특별히 계기가 있어 다시 듣게 된 것도 아니었다. 그저 라디오를 틀어놨다가 우연히 듣게 된 건데, 그때 나는 얼마 전 번역 출판된 제임스 발라드의『크래시』를 읽고 있었다. 이 소설은 (작가의 이름과 똑같은) 주인공 제임스가 자동차 사고를 계기로 알게 된 인물들을 통해 기계에 대한 극한의 페티시즘과 죽음충동이 뒤엉킨 기이한 성적 욕망에 빠져든다는 내용이었다. "메추리로 전깃불을 타자"와 같은 김창완 특유의 과하게 명랑한 목소리가 들린 건 그러니까 이런 대목을 읽고 있을 때였다. 주인공과 헬렌 그리고 자동차가 서로의 신체에 뒤엉키며 섹스를 하는 장면이다. 그런데 여기에 김창완의 노랫소리까지 뛰어든 것이다.

아폴로 우주선 안에서 처음으로 동성애 관계를 갖는 것처럼 이 좁은 공간은 낯선 합류점에서 만나 상호 작용하는 인간의 둥근 육봉과 얄팍한 조절막으로 꽉 차 있었다. 내 엉덩이를 짓누르는 헬렌의 풍만한 허벅지, 내 어깨를 꽉 누르는 그녀의 왼쪽 주먹, 내 입술을 덮친 그녀의 입술, 내 무명지로 쓰다듬는 그녀의 촉촉한 항문은 자애로운 테크놀로지가 만들어낸 물품들로 뒤덮여 있었다. 형틀에 찍혀 나와 계기판 다이얼을 가려주는 계기판 차양, 지금은 가려져 보이지 않지만 튀어나온 스티어링 칼럼, 화려한 사이드브레이크 손잡이가 바로 그런 것들이었다.

나는 푸근한 조수석 인조가죽 시트를 매만진 후, 헬렌의 회음부의 축축한 주름을 쓰다듬었다.[14]

잔뜩 긴장된 그로테스크한 장면임에도 나는 정말 큰 소리로 웃고 말았다. 이런 반응이 제임스 발라드의 의도일 리 없겠지만, 그렇다고 김창완이 느닷없이 튀어나와 분위기를 망쳐버린 탓도 아니었다. 내 몸 안으로 뭔가 어울릴 듯 잘 어울리지 않는 강도強度가 한꺼번에 부딪히면서 반짝하는 사고가 벌어졌다. 그것은 '작가', '기계', '신체', '글쓰기', '발명' 등의 키워드에 대해 낯선 기분으로 생각을 시작해 볼 수 있는 계기가 되었다. 비자발적으로 갑자기 옮겨간 출발점.[15] 이것이 '신체'가 우리를 영도하는 방법이다. 🈡

---

14) 제임스 발라드, 김미정 옮김, 『크래시』, 그책, 2011, 98~99쪽.

15) 들뢰즈는 가장 철학적인 동물로 '거미'를 꼽는다. 거미는 '비자발적인 능력'을 동원해 철학을 한다. 그는 '자발적인 능력'에만 의지하는 사유는 사물에 집어넣은 것만을 사물로부터 끄집어내는 한계가 있다고 했다. 반면에 '비자발적인 능력'을 동원해 철학을 한다는 것은 우리가 발견해야 할 진실에 대해 아무것도 미리 알 수 없기 때문에, 사소하게 던져진 기호를 단서로 삼아 온몸을 던져 해독하는 일이 된다. 그렇다고 이게 비장하고 투쟁적인 것은 아니다. '거미의 철학'을 하는 자를 달아오르게 하는 것은 '진실'의 개념보다는 '중요', '필요', '흥미'와 같은 개념이기 때문이다. 그 개념들은 '진실'의 개념을 대신하기보다, '진실'을 가늠할 수 있게 해준다. '거미'에 관한 들뢰즈의 말은 다음과 같다. "거미는 거미줄 꼭대기에 올라앉아서, 강도 높은 파장을 타고 그의 몸에 전해지는 미소한 진동을 감지할 뿐이다. 이 미소한 진동을 감지하자마자 거미는 정확히 필요한 장소를 향해 덤벼든다. (…중략…) 비자발적인 감수성, 비자발적인 기억력, 비자발적인 사유는 이런저런 본성을 가진 여러 가지 기호들에 대해 기관 없는 신체가 매 순간 보이는 강렬한 전체적 반응들 같은 것이다." 질 들뢰즈, 서동욱·이충민 옮김, 『프루스트와 기호들』, 민음사, 2009(1997), 277~278쪽.

임태훈

1979년생. 성균관대 박사 수료. 문학평론가. 소설가. 『자음과모음 네
오픽션』 편집위원. 광운대와 세명대에서 문학을 가르치고 있음. 삼성
문학상 희곡부문 수상(1999), 올해의 연극 작품상(2000), 대산대학
문학상 평론부문 당선(2006), 추리소설작가협회 신인상(2009). 대
표글로는 「팽형자」, 「게릴라의 글쓰기」, 「미적지근한 시민들의 촛불
을 위하여」, 「웹 3.0의 '명제 공간'과 '문학'의 좌표」가 있음. junorex@
hanmail.net

특집

생존의 비용, 글쓰기의 비용
: 우리 시대의 '작가'에 관하여

김대성

'나는 작가다'

짐짓 모른척, '오늘날의 작가란 누구이며, 그 변화된 위상이란 무엇인가'라는 질문 옆으로 접근해본다. 시시하고 오래되었기에 지루한 질문이지만 나는 이 질문을 마주보지 못 한다. 그러나 한껏 다급한 어조로, 김훈의 어법을 빌려 '시급한 당면문제'라도 되는 것인 냥, 어깨에 잔뜩 힘을 주고 이마를 찌푸려 흘깃, 그 질문을 넘겨본다. 마치 나는 그 질문의 당사자가 아니라는 듯, 그렇기에 답하기가 한결 수월하다는 듯, 강 건너 불구경을 하는 사람처럼, 목청을 세워 이것저것을 규정하고 지시한다. 신자유주의라는 새로운 강령이 전지구를 잠식하고 내 애인과 맞잡은 손바닥 사이에까지 침투한 바로 이 시대에, 추방과 생존의 공리가 만들어낸 '서바이벌 세대'들의 틈바구니 속에서 나는 '작가란 무엇인가', '글을 쓴다는 것은 무엇인가'라는 철없는 질문을, 철 지난 질문과 대면해본다.

대출기록이 남아 있지 않은 도서관 서가에 꽂혀 있는 먼지 쌓인 책의 한 모퉁이에서 '문학에 모든 것을 걸겠다'는 의기로 '투합'해 있는 한 청년의 모습을 발견할 수 있을지도 모르겠다. 그러나 현실 에서의 삶의 조건은 '투합'이 아닌 '투잡two job'이나 '투항'을 통해서 만 마련될 수 있을 뿐이다. 그러니 '문학, 문학, 문학'이라고 되뇌는 이는 필시 '문학 오타쿠'라고 불리어질 공산이 크다. '사랑, 사랑, 사 랑'이나 '돈, 돈, 돈'과 같은 단어들은 세 번의 발음 속에서 자연스 레 사회적으로 공인된 리듬이 만들어지지만 '문학'은 단 한번의 발 음에도 좀처럼 '리듬'이 만들어지지 않는다. 그것은 비트beat도, 심 지어 bit로도 나눠지지 않는 투박하고 불필요하게 비대한 유물인 지도 모르겠다. '문학 오타쿠'라니! 이런 조어가 가능하다는 바로 그 사실이 가리키는 지점이 오늘날 문학의 정확한 주소지인 것은 아닐까.

문학보다 중요한 일이 세상의 단어만큼이나 무한대로 널려 있 는 이 시대에 '작가란 무엇인가'에 대해 질문을 하기 위해서는, 바 로 그 질문의 발화 자리에 대해 먼저 사유해야 한다. '오늘날의 작 가의 변화된 위상이란 무엇인가'라고 묻는 이는 누구이며, 왜 그것 에 대해 질문하는가? 그 누구보다 많은 글을 쓰지만 정작 '작가'로 는 불리지 못하는, 문학과 관련된 글'만' 쓰지만 정작 문학 서적엔 큰 관심을 가지고 있지도 않으며 문학과는 무관한 삶을 살고 있는 이들, 바로 피로한 비평가들. 되물어보자. 비평가들은 작가가 될 수 있는가? 그리고 다음 질문에 다시 답해보자. 오늘날의 작가란 무 엇인가?

이 물음은 매번 스스로를 증명해야 하는 '자기소개서적 구조'의 다른 판본처럼 보인다. 끊임없이 스스로를 증명해야만 하는 시대,

그것은 쉼없는 업데이트(자기계발)를 의미하며, 자본제적 질서를 가파르게 몸과 정신에 새겨넣은 작업을 가리키는 것일 터이다. 자기소개서적 구조가 스스로를 증명하지 않으면 언제라도 낙오자가 될 수 있다는, '공포의 중독'으로부터 비롯되는 사회적 증상이라고 할 때, '자기소개서'란 공포를 몰아내기 위한 처방전(각성제)인 셈이다. 사정이 이러할 때 '문학'의 자리란 '자기계발'이나 '재테크'를 접두어로 할 때만 마련되는 것인지도 모른다. 이른바 '나는 가수다'식의 자기 증명이 의미를 획득하는 자리란 '추방'을 원천적인 조건으로 할 때에만 마련된다는 것을 떠올려보자.

　'나는 작가다' 혹은 '나는 작가인가'라는 선언과 물음이 오늘날의 한국문학장에서는 한사코 담론화되지 않고 있는 것은 그들이 자본제적 질서와 창의적으로 불화하고 있기 때문만은 아닐 것이다. 실로 '작가'라는 지위는 매번 재규정되어 왔지만 그것이 '추방과 생존'의 범주 속에서 논의되었던 적은 없는 듯하다. 바꿔 말해 그 위상의 고저가 있었을 뿐 '작가'라는 위치, 그 자체에 대한 회의는 한사코 하지 않았다는 것이다. 그것은 오늘날의 주류문학이 스스로를 증명하지 않아도 되며, 스스로를 되묻지 않아도 되는 위치에 있다는 것을 가리키는 것처럼 보인다. 그렇다면 문학을 읽거나 말하기를 그쳐버린 이 시대에 '나는 작가다' 혹은 '나는 작가인가'라는 선언과 물음은 역설적으로 일말의 가치를 획득할 수 있지 않을까?

　따라서 '오늘날의 작가란 누구이며, 그 변화된 위상이란 무엇인가'라는 물음은 '그들'의 것만은 아닌듯하다. '글'이 담고 있는 내용보다 그것이 어떤 매체에 기고되었는가에 의해 그것의 지위가 결정되는 오늘날의 한국문학장 속에서 글을 쓴다는 것, 혹은 '나는 작가인가?'라는 물음 아래에 나는 '비평가의 글은 작품일 수 없는가'라는 터무니없는 질문을 쟁여 두고자 한다. 그러나 나는 '비평이 작품이며 비평가 또한 작가다'라고 호기 있게 외치지 못한다. 내가 읽고 쓰는 글이 문학의 범주에 속하는 것은 분명해보이지만 어쩐지 그것들은 알맹이가 빠진 '도넛'과 같은 것처럼 보이기 때문이다. 당연하게도 나는 스스로를 증명하지 못하고 우리 시대 소설가들의 어떤 표정을 탐구하는 우회로를 타게 된다. 알맹이가 빠져버린 도넛 세대[1]의 소설가, 그들의 소설이 보여주고 있는 세계의 단면을 읽어내는 자리에서, 바로 그 시선perspective을 통해 가까스로 마련되는 '어떤 자리'를 기대하면서 말이다.

경험과 생(활)존

지난 시절부터 들어온, 익숙한 우화로부터 논의를 시작해보자. 임종을 앞둔 한 노인이 아들들에게 포도밭에 보물이 숨겨져 있다는 유언을 한다. 아들들은 열심히 포도밭을 파지만 당연하게도 보물은 나오지 않는다. 그러나 그해 가을 그 포도밭은 그 나라의 어느 곳보다 많은 포도를 수확하게 된다. 아버지가 물려준 보물은 바로 '경험'이었던 것이다. 보물은 금이 아니라 성실함 속에 있다는 경험, 바로 그것 말이다. 벤야민은 「경험과 빈곤Erfahrung und Armut」[2]에서 어른들이 젊은 사람들에게 나누어주던 경험의 유통 가치가 떨어졌음을, 그리하여 전혀 새로운 빈곤이 덮쳤음을 이 우화를 서두로 하여 지적한 바 있다. 다시 말해 기술의 비약적인 발달이 사람들 사이의 경험과 그 경험을 세대에서 세대로 전해주던 전통적인

---

[1] 핵심이 빠져야 의미를 획득할 수 있는 '도넛 세대'라는 단어는 윤성호 감독의 독립장편영화 〈은하해방전선〉(2007)에서 빌려왔다.

[2] 발터 벤야민, 최성만 옮김, 『발터 벤야민 선집』 5, 도서출판 길, 2008.

서사형식들을 붕괴시켰고 전쟁과 인플레이션, 세계 경제 위기 등 일련의 세계사적 파국으로 인해 사람들이 내·외적으로 영락해간 다는 것이다. 아감벤은 벤야민의 논의를 이어 받으며 경험의 파괴에 관해서라면 세계의 파국까지 갈 것도 없이 대도시에서의 평화로운 일상생활만으로도 충분하다고 지적한다. 현대인의 일상이, 권위를 잃어버린 바로 그 일상이 경험으로 번역될 만한 것을 거의 가지고 있지 못하다는 사실을 지적하면서 말이다. 우리가 일상생활을 견딜 수 없는 것은 열악한 삶의 질이나 무의미 따위가 아니라 바로 이 경험의 번역 불가능성에 있다는 것이다.[3]

경험의 파괴와 그로 인해 발생하는 새로운 빈곤을 논하는 데 활용되고 있는 저 '포도밭 우화'는 오늘날의 한국소설의 어떤 표정을 논할 때 또한 흥미로운 대비를 보여주는데, 소설가라는 것이 육체 노동자와 다르지 않음을 우화 형식으로 그려내고 있는 이기호의 「수인囚人」[4]의 경우가 특히 그러하다. 원자력 발전소의 연쇄적인 폭발로 남한의 70% 이상이 방사능에 노출되어 구성원들의 대부분이 외국으로의 망명 신청을 종료하고 있을 즈음, 소설 집필을 위해 사회와 격리되어 깊은 산속에 칩거하던 한 소설가가 도심으로 내려오면서 발생하는 문제를 다루고 있는 이 소설은 오늘날 작가들이 처해 있는 환경이 퍽이나 노골적인 방식으로 묘사되어 있다. 직접적으로는 소설가인 '나'를 향해 "건강보험이 지역가입자로 되어 있군요"(195쪽)라거나 "국민연금은 아예 가입도 안 되어 있는 상태고, 재산세 납부 실적도 전무하고, 등록된 자동차도 없고, 여권도

---

3) 조르조 아감벤, 조효원 옮김, 『유아기와 역사: 경험의 파괴와 역사의 근원』, 새물결, 2010.

4) 이기호, 『갈팡질팡하다가 내 이럴 줄 알았지』, 문학동네, 2006. 이후로는 쪽수만 표시함.

없고…… 도대체 뭐 하시는 분입니까? 실직상태였나요?"(196쪽)라고 묻는 심사자의 질문(심문)에서 확인되며[5] 아울러 "소설가라, 소설가…… 모집 직종란에는 없는 직업이군요"(196쪽)와 같은 언급만으로 오늘날 소설가가 처해 있는 위상이 어떤 것인지를 짐작할 수 있다.

그러나 이 소설은 궁핍한 소설가의 사회적 위상을 그리는 데 무게 중심을 두는 것이 아니라 그가 여전히 '육체노동자'임을 눈물겨운 과정을 통해 증명해내는 데에 집중하고 있다고 하겠다. 무엇보다 주목해야 할 점은 그가 행하는 고군분투가 역설적으로 '작가'라는 지위를 지탱시켜 주던 물질적인 근거가 사라져 버린 현실을 고스란히 드러내고 있다는 데 있다. 좀 더 자세히 설명해보자. 자신이 소설가라는 것을 증명하기 위해 '나'가 하는 일이란 곡괭이로 두껍게 둘러쳐진 콘크리트를 파 나가는 일이다. 그 속에 자신이 쓴 소설이 묻혀 있기 때문이다.[6] 「수인」의 이러한 우화적인 설정은 육체노동자처럼 글을 쓰겠다는 작가의 의지와 입장을 천명하는 것에 방점을 찍고 있는 것은 분명하나 문제는 바로 그 의지가 외려 오늘날의 소설이 더 이상 '육체노동'과는 무관한 것임을 넌지시 드러내

---

5) 이 소설이 마치 카프카의 「법 앞에서」를 연상시키는 듯한 "수영은 심판장의 문을 열고 들어갔다"(193쪽)라는 문장으로 시작하는 것 또한 흥미로운 대목이 아닐 수 없다. 누군가에게 자신을 증명해야 하는 상황, 그러나 그 무엇으로도 자신이 소설가임을 증명할 수 없는 상황, 그리하여 자기 증명을 위해 20m의 콘크리트 바닥을 곡괭이로 파지만 정작 자기 증명은 자신이 쓴 소설을 발견하는 순간에 획득되는 것이 아니라 바로 곡괭이로 땅을 파는 그 행위에 의해 획득된다는 아이러니!

6) 땅을 파는 소설가의 형상은 「발밑으로 사라진 사람들」(『최순덕 성령충만기』, 문학과지성사, 2004)이나 「누구나 손쉽게 만들어 먹을 수 있는 가정식 야채볶음흙」(『갈팡질팡하다가 내 이럴 줄 알았지』)에서 '상상력을 발휘하라'는 맥락으로 변주된 바 있다.

는 역설을 발생시킨다는 데 있다. 곡괭이질을 통해 소설가임을 증명받고자 하는 '수영'의 분투는 '소설'이 '노동'과 괴리되어 있었다는 사실을 정확하게 가리키는 것에 다름 아니기 때문이다.

　수영이 서울을 떠나 대관령 근처 태기산 중턱에 있는 화전민의 폐가로 들어간 것은 십일 개월 전의 일이었다. 그는 사 년 전 한 문예지의 장편소설 공모에 당선되어 문단에 나온 이후, 단 한 편의 소설도 완성하지 못한 작가였다. 그가 소설을 쓰지 못한 데에는…… 별다른 이유가 있었던 것은 아니었다. **생활** 때문이었다. 그에겐 뇌졸중으로 쓰러져 사경을 헤매는 외할머니가 있었다. (…중략…) 그래서 그는 외할머니의 입원비와 간병비를 대기 위해 소설 말고 다른 일을 해야만 했다. 그것이 그에게 내던져진 현실이었다. (196~197쪽, 강조는 인용자)

　'(육체)노동'과 '소설'의 괴리는 '생활'과 소설이 불화하고 있는 위의 인용에서도 확인된다. 여기서 말하는 '생활'은 명백하게 생활고를 의미하는 것이겠지만 그 부분을 하나의 증표로, 굵은 표시를 해둠으로써 '생활'이라는 단어의 다른 자리를 마련해보도록 하자. 물론 이때의 '생활'은 박금산이 『바디페인팅』에서 놀라울 정도로 '외설적'이게 포착한 문화예술위원 보조금에 전적으로 의존해야 하는 오늘날의 작가들이 처해 있는 궁핍한 상황을 가리키는 것이기도 하다. "왜 나는 직장에 매여 있는 사람처럼 소설에 매여 있지 않은가"[7]라는 탄식은 생활 때문에 소설을 쓰지 못했다는 '수영'의 항변이 가리고 있는 중요한 사실을 선명하게 드러낸다.
　한 논자는 「수인」을 "육체파 소설가의 자기 선언"(신형철)이라 명

7) 박금산, 『바디페인팅』, 실천문학사, 2007, 69쪽.

명했지만 실은 신체의 반복된 숙련에 의해 획득한 '육체파'라는 소설가의 표지가 그가 속해 있는 공동체 구성원들과 경험을 나누거나 전수될 수 있는 것이 아니라 오직 '자기 선언'의 의미밖에는 가지지 못한다는 것을 가리키고 있다는 점이야말로 「수인」의 알짬이라 하겠다. 생활이 소설쓰기를 가로막고 있다는 사실, 다시 말하지만 그것은 표면적으로 '빈곤'을 가리키고 있지만 우리는 여기서 소설이 생활 속에서 나온다는 오래된 명제가 이미 붕괴했음을 새삼스레 알아차릴 수 있게 된다. 생활 때문에 소설을 쓰지 못한 소설가는 생활로부터 벗어나 산속에 은거한다. 그렇게 생활과 세속과 절연할 때 '소설'을 쓸 수 있게 되는 것이다. 이때 '소설가란, 작가란 무엇인가?'의 물음을 다시 던져보자.

　사정이 이러할 때 '소설가'를 향한 심판관의 저 질문은 오늘날의 모든 작가들에게 향해 있는 것일 수밖에 없다. "우리가 정말 궁금해 하는 건 선생께선 도대체 어디서 뭘 하다가 이제야 나타났냐는 겁니다."(196쪽) 소설을 쓰느라 세계의 종말을, 나라가 망해버린 것을 모르고 있던 소설가가 곡괭이 하나를 들고 자신이 소설가라는 것을 증명하기 위해, 마치 미루어둔 일기나 숙제를 몰아서 처리해버리는 것처럼 몇 주간 수십 미터의 땅을 파 자신의 소설을 찾아 내려 한다. '소설가의 자기 증명'을 위해 씌어진 이 소설은 노동하듯이 소설을 쓰겠다는 작가의 의도를 보기 좋게 배반해버리고 만다. 따라서 이 소설에서 우리가 주의를 기울여야 하는 지점은 '세계의 종말'에 대해 아무것도 모르고 있는 소설가에 있다. '소설을 쓰느라 세상이 어떻게 돌아가는지 모르고 있다는 사실'이 주는 아이러니한 설정이야말로 오늘날의 소설이 '생활'과 유리되어 있음을 가리키는 것이기 때문이다. 그렇다면 오늘날의 작가는 누구를 향해 쓰는 것이며 누구에게 말을 거는 것일까?

"우리 다 뭐 하는 사람들이지? 왜 이렇게 초조해해야 하는 거지? 이렇게 쑥스러워들 하고 있으면 어쩌잔 말이냐. 그리고 너, 노련해져 있는 작가인 너. 세계가 낳은 아이도 아니고, 눈물을 흘리는 엄마도 아닌, 세계 자체가 되어 있는 노련한 신진작가인 너는 도대체 뭐냐. (…중략…) 심사위원님들, 난 당신들에게 거짓말을 한 것이 아니었습니다. 당신들을 희생시키고 싶지 않았어요. 난 제도한테 말을 한 것이었습니다."[8]

오늘날 작가의 자리란 세계와의 관계 속에서 마련되는 것이 아니다. '노련한 작가'는 스스로가 세계가 되어(소설가의 자기 선언) '제도'에게 말을 건다. 이때의 제도란 국민의 세금(수탈)으로 문인들에게 창작 활성화 지원금을 제공하는(재분배) 문화예술위원회이며 그것은 곧 국가를 가리킨다. 조영일이 오늘날의 한국문학 시스템을 "국가에 투항하는 문학"[9]이라 규정한 것 또한 이러한 맥락이었을 터이다.

일찍이 생활과 글쓰기의 불화에 대해 사실적이고 노골적인 방식으로 드러낸 이는 김수영金洙暎이었다. 생활의 쇄사鎖事를 그 누구보다 적나라하게 시와 산문을 통해 형상화했던 김수영은 얼핏 「수인」이나 『바디페인팅』의 주인공인 빈곤한 작가의 형상과 겹쳐지는 것처럼 보이지만 전자의 글쓰기가 생활을 진원지로 한다면 후자는 생활과의 유리를 통해서 글쓰기가 이루어진다는 데 결정적인 차이를 가진다.

만약에 나라는 사람을 유심히 들여다본다고 하자/그러면 나는 내가

---

8) 위의 책, 84~85쪽.

9) 조영일, 『한국문학과 그 적들』, 도서출판 b, 2009.

詩와는 反逆된 생활을 하고 있다는 것을 알 것이다.//먼 山頂에 서 있는 마음으로/나의 자식과 나의 아내와/그 주위에 놓인 잡스러운 물건을 본다//그리고 나는 이미 정하여진 물체만을 보기로 결심하고 있는데/만약에 또 나의 친구가 와서 나의 꿈을 깨워주고/나의 그릇됨을 꾸짖어주어도 좋다//함부로 흘리는 피가 싫어서/이다지 낡아빠진 생활을 하는 것은 아니리라/먼지 낀 잡초 위에/잠자는 구름이여/고생도 마음대로 할 수 없는 세상에서는/철늦은 거미같이 존재없이 살기도 어려운 일//방 두 간과 마루 한 간과 말쑥한 부엌과 애처로운 처를 거느리고/외양만이라도 남과 같이 산다는 것이 이다지도 쑥스러울 수가 있을까//詩를 배반하고 사는 마음이여/자기의 裸體를 더듬어보고 살펴볼 수 없는 詩人처럼 비참한 사람이 또 어디 있을까/거리에 나와서 집을 보고/집에 앉아서 거리를 그리던 어리석음도 이제는 모두 사라졌나보다/날아간 제비와 같이//날아간 제비와 같이 자죽도 꿈도 없이/어디로인지 알 수 없으나/어디로든 가야할 反逆의 정신//나는 지금 산정에 있다—/시를 반역한 죄로/이 메마른 산정에서 오랫동안/꿈도 없이 바라보아야 할 구름/그리고 그 구름의 파수병인 나.[10]

김수영에게 있어 '시인'이란 지위는 '시'와 '반역된 생활'을 하고 있다는 사실을 자각하는 자리에 설 수 있을 때만 획득할 수 있는 것이라 하겠다. 시적 화자가 서 있는 '산정'은 생활과 유리되어 있는 곳처럼 보이지만 실은 '나'라는 사람을 둘러싸고 있는 생활을 보다 유심히 보기 위한 자리에 다름 아니다. "방 두 간과 마루 한 간과 말쑥한 부엌과 애처로운 처"(생활)를 외면하면 시와 반역되지 않을 수 있겠지만 김수영의 '시'는 바로 시를 배반해야만 하는 그 생활의

10) 김수영, 「구름의 파수병」 전문, 『거대한 뿌리』, 민음사, 1995(1974).

자리를 발원지로 한다.

「수인」에서 소설쓰기를 가로막고 있었던 '생활'과 김수영의 위의 시에서 가리키고 있는 '생활'은 거의 같은 뜻으로 쓰이는 것처럼 보이지만 전자가 생활 때문에 소설을 쓰지 못했고, 그리하여 세상과의 격리를 통해서만 소설 쓰기가 가능할 수 있었던 것에 반해 후자는 바로 그 '생활'과 '시'가 불화하는 자리를 한사코 벗어나지 않으려는 의지("존재없이 살기도 어려운 일")를 통해서만 시인의 자리, 바로 세계와의 관계를 지속할 수 있는 자리가 마련된다는 점에서 이두 '생활'은 명백히 다른 것이다. 그렇다고 이 차이가 작가에 대한 가치 평가를 위한 잣대의 의미를 가지는 것은 아니다. 그것은 세계와의 관계를 절연할 때 비로소 작품을 쓸 수 있는 오늘날의 작가들이 서 있는 지반을 살피기 위함이며 작가들의 빈곤이 비단 물질적인 것에 국한되는 것이 아니라 '경험'을 나눌 수 없는 '새로운 빈곤'과 대면해야 한다는 사실을 보여주기 위한 것이다. 비유컨대 작가론이 여전히 많이 씌어지고 있지만[11] 작가전기 연구가 중단된 지오래라는 사실, 일견 자연스러워 보이는 이 사실이 작가의 '경험'과 '글쓰기'의 문제가 유리되어 있음을 가리키는 하나의 증표로도 읽을 수 있지 않겠는가.

요컨대 작가로서의 '생존'을 위해서는 '생활'을 괄호 속에 넣어야만 한다. 그렇다면 오늘날의 작가들이 서 있는 자리이자 그들의 글이 씌어지는 자리를 '생(활)존'이라고 명명해볼 수 있겠다. '생(활)존'

---

[11] 매호 특정 작가를 축으로 잡지를 꾸려온 『작가세계』의 편집 체제의 변화를 살펴보는 것도 '작가의 위상' 변화를 파악하는 데 요긴한 지점을 제공받을 수 있을 것이다. 아울러 최근 문예지의 작가론이 '인터뷰'와 '작품론'의 꼴을 가진다는 것, 긴 시간동안 작품활동을 이어오고 있는 중견작가들의 자리가 점점 좁아지고 있다는 점 등 또한 변화된 작가의 위상을 파악하는 데 함께 고려해봄 직한 사안이라 할 수 있겠다.

에서 씌어지는 작품에는 '경험'이 삭제되어 있으며 그 자리를 다른 무언가가 대체하고 있는 것처럼 보인다. 하여, 오늘날 작가라는 지위의 위상 변화를 살피기 위해서는, '작가란 무엇인가'라는 질문을 던지기 위해서는 생활을 괄호 속에 넣었음에도 지탱할 수 있는 작품을 가능케 하는 새로운 지반을 살피는 것으로 옮아가야만 한다.

생존의 비용: 지우는 글쓰기와 장르 문법

"나는 달로 간 사람의 이야기를 알고 있다"[12]라는 문장으로 시작하는 소설이 있다. 그런 문장을 첫 번째 소설집의 첫 번째 문장으로 기입했어야만 한 소설가가 있다. 그리고 그는 언제나 '세계의 뒷면', 다시 말해 '말의 뒷면'을 검질기게 파고들었다. 한유주의 소설이 언제나 죽음의 언저리를 배회하고 있는 것은 그가 놓여 있는 세계의 한켠이 죽음에 반쯤 잠겨 있거나 그의 글이 한쪽 발을 죽음 강에 담그고 있을 때만 씌어질 수 있기 때문일 것이다. 그가 세계의 뒷면에 가닿으려고 하는 것은 세계의 앞면은 이미 붕괴해버렸거나[13] 극심하게 오염되어 버렸기 때문이다. 한유주는 이러한 세계에서 쓴다는 것은 그 무엇도 구원하지 못하며 외려 또 다른 '야만'의 행위에 지나지 않는 것이라 규정한다.

우리의 세대는 수사학이 선인 세대야. 우리는 아무것도 가진 것이 없는 세대지. 우리의 과거는 전파로 얼룩져 있고 그러므로 우리는 어떠한

---

12) 한유주, 「달로」, 『달로』, 문학과지성사, 2006, 8쪽. 이후는 글명과 쪽수만 표기함.
13) "겉장이 달아나고 없는 세계". 「죽음의 푸가」, 위의 책, 44쪽.

반성도 회의도 추억도 갖지 못한다. 텔레비전의 화면은 한 가지 전파만을 송신하고, 그마저도 뒷면을 갖고 있지 않으므로, 우리에게는 영혼이 없다. 오직 전파만이 영혼의 속도로 직진하고 있을 뿐이다. 그것이 우리의 야만이다. (「그리고 음악」, 118쪽)

"세계는 14인치 텔레비전 화면 하나로 축소"되어 있기에 "흑과 백으로 명멸하는 세계는 나를 어두운 방 한구석으로 밀어낼 뿐"(「그리고 음악」, 99쪽)이다. 아무 것도 가진 것도 없는 세대에게 남겨진 것이란 '수사학' 밖에는 없으니 그것을 부려 세계를 재현하는 것은 전파로 얼룩진 세계에 또 하나의 얼룩을 덧입히는 것일 뿐이리라. 세계가 감각의 너머에 있다는 것, 사건이 (미디어에 의해) 너무 일찍 도착해버려 감각되지 않는다는 것, 그것은 정확하게 '경험'을 가지지 못한 세대의 '새로운 빈곤'을 가리킨다. 한유주가 '쓰고 있는' 말줄임표나 부정문으로 이루어진 소설, 바로 쓰지 않음을 쓰는 글쓰기, 다시 말해 지우면서 쓰는 글쓰기는 글쓰기가 또 다른 야만이 될 수밖에 없는 오늘날의 작가가 서 있는 위치로부터 비롯되는 것일 터이다. 그러나 소설은 언제나 세계가 부러진 자리에서부터 시작되지 않았던가. 글쓰기의 영도零度에 가닿으려는 한유주의 도약이 종종 '자기유폐적인 옹알이'로 오인되곤 하지만 그것은 모국어를 부린다는 것이 매번 '치욕'과 대면해야 한다는 사실로부터 벗어나지 않으려는 '작가의 위치'를 가리키는 것이지 않을까. 부러진 세계를 부러진 언어로, 절룩거리며 쓸 수밖에 없는 것은 글을 쓴다는 것이 언제나 치욕과 대면해야 한다는 사실을 의미하기 때문일 터이다.

　누군가는 아우슈비츠 이후 서정시를 쓰는 것은 야만이라고 말하기도 했었다. 나는 그들의 야만적인 시대를 지금 다시 본다. 그러나 나를 둘러싼 세계는 야만적이지 않다. 나는 자꾸만 살아남는다. 그것이 나의 삶을 위협한다.

살아남음으로써 깨닫게 되는 감정은 다름 아닌 수치스러움이다. 그 수치스러운 감정이 계속해서 깨어 있게 한다. 치욕과 망각으로 점철된 삶. (「그리고 음악」, 114쪽)

그리고 다시 안개가 내렸다 이곳에 입에 담지 못할 일이 있었다 사람들은 말을 하는 대신 무릎으로 기어 먼 길을 갔다 그리고 다시 안개는 사람들의 살빛으로 빛났고 썩은 전봇대에 푸른 싹이 돋았다 이곳에 입에 담지 못할 일이 있었어! 가담하지 않아도 창피한 일이 있었어! 그때부터 사람이 사람을 만나 개울음 소리를 질렀다

그리고 다시 안개는 사람들을 안방으로 몰아넣었다 소곤소곤 그들은 이야기했다 입을 벌릴 때마다 허연 거품이 입술을 적시고 다시 목구멍으로 내려갔다 마주보지 말아야 했다 서로의 눈길이 서로를 밀어 안개 속에 가라앉혔다 이따금 汽笛이 울리고 방바닥이 떠올랐다
아, 이곳에 오래 입에 담지 못할 일이 있었다……[14]

1980년대, 이성복을 괴롭게 한(달리 말해 시를 쓰게 한) '치욕'과 한유주의 '치욕'을 비교해보자. '안개'가 "입에 담지 못할 일"을 은폐하지만, 사람의 (개)울음까지는 막지 못한다. 그들은 밖으로 나가지 못하고 골방에 감금되지만 말하기를 멈추지 않는다("이것에 입에 담지 못할 일이 있었어!"). 이에 반해 한유주의 '치욕'은 실어증을 낳는

[14] 이성복, 「그리고 다시 안개가 내렸다」, 『남해 금산』, 문학과지성사, 1986.

다. 한유주도 외친다. "저곳에 입에 담지 못할 일이 벌어지고 있어!"
라고. 저 너머에, 강 건너에, 지구 반대편에 매순간 입에 담을 수 없
는 일들이 벌어지고 있지만 그 사건은 각종 미디어에 생생하게 담
겨 실시간으로 매일 아침 문앞에 당도해 있다.[15] 그럼에도 야만으
로 점철된 지금의 세계에는 "무릎으로 기어 먼 길을" 가거나 "서로
의 눈길이 서로를 밀어 안개 속에 가라앉"히는 일은 일어나지 않는
다. 일상은 너무나 평온하다. 외려 세계는 그 어느 때보다 '평화'와
'이해'가 넘쳐난다. "저 곳에 입에 담지 못할 일이 벌어지고 있"음에
도 불구하고 말이다. 그 사실이 외려 그/녀를 불안에 떨게 하고 모
든 것을 의심하게 만든다. 거짓말을 하지 않기 위해 선택할 수 있
는 유일한 발화가 '침묵'이라고 할 때, 한유주의 글쓰기는 이야기를
불려가는 '서사'의 구축을 향해 달려가지 않는다. 제 몸을 불려가
는 이야기는 마치 쉼없이 비대해지는 도시의 형상과 비슷해보이지
않는가. 모든 뼈가 분절되어 있는 것처럼, 모든 단어들이, 문장들이
제각각 떨어져 발 아래에서 서걱거리고 있는 것처럼, 한유주의 글
쓰기는 유연한 '봉합'이 아닌 그 분절들을 고스란히 드러내는 데
집중한다. 마치 우리의 몸을 이루고 있으며 행위를 가능케 하는 모
든 뼈가 실은 부서져 있는 상태라는 듯 그의 문장은, 이야기는, 덜
그럭 거리며 짐짓 자연스러운 표정을 유지하기 위해 한껏 일그러져

15) "2001년 9월 11일……, 우리는 새로운 광경을 목도한다. 미디어란 얼마나 재빠른
가? 세상에서 가장 거대한 첫 번째 빌딩이 무너지고, 몇 분 지나지 않아 세상에
서 가장 거대한 두 번째 빌딩이 무너지기도 전에, 무슨 일이 벌어지고 또 곪고 있
는지 알아차리기도 전에, 카메라는 이미 그곳에 당도해 있다. 장면은 0과 1로 전
환되어 잠시 대기권 밖을 떠돌다가, 곧바로 세계 곳곳의 안테나로 흡수된다. 전
광판, 텔레비전, 갑작스런 호외. 우리의 세대는 너무나 공시적이다. 고통을 느끼
기 위한 순간의 여유도 만들어내지 못한다. (…중략…) 장면은 간결하고, 아무런
부연도 하지 않는다. 장면은 감각 너머에 있다. 그것이 우리의 야만이다." 한유주,
「그리고 음악」, 앞의 책, 118~119쪽.

김대성 · 생존의 비용, 글쓰기의 비용

있는 말의, 관계의 이음매를 드러내고 있는 것이다.

붕괴된 세계의 잔해 더미에서 문장을 지우는 글쓰기의 양식을 고안해내고 있는 한유주에게서 최근 세계의 종언, 묵시록적 세계관을 주조음으로 하고 있는 『더블』을 펴낸 박민규로 비약해보자. 박민규의 「카스테라」가 골방에서—정확하게는 냉장고 속에서—"하나의 세계"를 발견한 것과 달리[16] 『더블』은 세계의 종언을 축으로 회전하는 인류의 마지막 운동을 통해 구축한 세계처럼 보인다. 자연스레 코멕 매카시의 『로드』(문학동네, 2008)을 떠올리게 하는 「루시」나 지구의 바닥에 닿기 위해 '디퍼'라는 새로운 종의 인류를 다룬 「깊」과 같은 작품은 말할 것도 없거니와 박민규의 『더블』을 이루고 있는 다채로운 소설들의 근저에 묵시록적 세계관이 자리하고 있다는 것이 함의하는 바에 대해 집중해보자.

우선 '생존'을 위해 지구가 아닌 화성까지 가서 세일즈를 해야 하는 한 가장의 모습을 물과 공기가 부족한 화성이라는 행성의 정조로 스산하게 묘사한 「딜도가 우리 가정을 지켜줬어요」의 경우. 빈곤하고 발기가 되지 않는, 아니 빈곤하기에 발기가 되지 않는 세일즈맨, 바꿔 말해 "최후의 보루조차 사라진 인간"[17]은 화성이라는 행성에서 삶의 돌파구를 찾으려고 한다. 지구에서는 "좋은 시절은 지나갔다"(「딜도가 우리 가정을 지켜줬어요」, 179쪽)는 문장을 빼고서 시작하는 삶을 기획할 수 없기 때문이다. 이때 과거의 영광을 가능케 했던 '자동차'는, 사람들에게 물건을 팔 수 있던 세일즈를 하는 수완과 능력은 아무런 의미를 가지지 못하고 외려 의사$_{pseudo}$ 남근

---

16) 골방에서 발견한 세계에 관해서는 김대성, 「종언 이후의 시공간과 주체성: 수용소와 골방의 동물들」, 『작가들』, 2009년 가을 참조.

17) 박민규, 「딜도가 우리 가정을 지켜줬어요」, 『더블』 side B, 창비, 2010, 183쪽. 이후는 글명과 쪽수만 표기함.

인 '딜도'의 역할로 대체됨으로써만 '의미의 자리'를 차지할 수 있게
된다. 바꿔 말해 '딜도'라는 의사 남근에 의해서만 '가정'을 사수할
수 있다는 것인데, 그렇게 가까스로 지켜낸 세계에 '피로'와 '빈곤'
만이 오롯이 남아 있을 뿐이다.

　이 '피로'과 '빈곤'으로 점철된 삶의 자리는 "대의와 명분이 살아
있던 시대였으니 이미 까마득한 과거의 일이다"(「龍龍龍龍」, 88쪽)는
문장과 맥을 함께 하며 "영웅의 시대는 끝이 났다. 바야흐로, 소녀
들의 시대였다"(「龍龍龍龍」, 94쪽)라는 박민규다운 어법으로 변주되
고 있다. 부패와의 투쟁에서 승리한 인류가 골방의 냉장고라는 새
로운 세계에서 '한 조각의 카스테라'와 조우했던 것처럼 대의와 명
분이 사라진 세계에 그 누구도 나서서 대적할 마음이 생기는 않는
'생존'이라는 괴물이 덩그러니 놓여 있다.

　　인걸은 간 데 없고 가난과 싸워온 반세기였다. 무학의 노인네가 할
　　수 있는 일은 농사와 칩거, 막노동이 전부였다. 무공을 겨룰 상대도 비
　　급을 시전할 대상도 사라진 지 오래였다. 법이 정의를 대신하고 금전이
　　힘을 대신하는 세상이었다. 용을 믿는 세계도, 용이 필요한 세계도 아
　　니었다. 세계는 이미 무목(無目) 무각(無覺)으로 무리지어 이동하는 작
　　고 소소한 개미들의 것이었다. (…중략…) 대의와 명분이 사라진 세계에
　　는 연명(延命)만이 남아 있었다. (「龍龍龍龍」, 90쪽)

"대의와 명분이 사라진 세계에는 연명(延命)만이 남아 있었다"는
저 문장이야말로 『더블』이라는 세계를 정초하고 있는 머릿돌이라
하겠다. 사정이 이러할 때, 오늘날의 상황을 무협소설이라는 장르적
인 어법으로 설명하고 있는 위의 소설은 대의명분이 사라진 시대의
서사의 운명을 적실하게 포착하고 있는 것처럼 보인다. '장르적인

김대성 · 생존의 비용, 글쓰기의 비용

87

문법'이 아니고서는 '서사'를 구축할 수도, 전달할 수도 없는 현실의 문맥을 얼핏 현시하고 있다는 것. 이 소설에 등장하는 여러 도사들이 세속의 직업을 가질 수밖에 없는 것은 비단 생활고 때문만은 아니다. '도술'이란 개인적인 능력에 의해서만 획득되는 것이 아니라 그것을 부릴 수 있는 환경과 그것을 필요로 하는 질서 위에서 가능하기 때문이다. 그것을 대의와 명분이라 바꿔 말해도 좋다. 대의와 명분이 사라진 시대에 '생존'이라는 괴물이 그 자리를 대신한다. 서사를 구축할 수 없는 시대에 세계의 뒷면을 검질기게 파고드는, 쓰면서 지우는 글쓰기와 장르 문법이 마주하고 있다. 그것을 오늘날의 작가들이 지불해야 할 '생존의 비용'이라 불러도 좋을까.

나는 왜 쓰는가

노동 계급 집안의 '영리한' 소년은, 말하자면 장학금을 타내는, 육체노동으로 살기에는 도무지 적합하지 않은 유형의 소년은, 다른 방법을 통해 자기 위 계급으로 올라가는 수도 있으나(예를 들어 노동당 정치 활동을 통해 올라가는 유형이 있다) 문단 쪽이 가장 일반적이다.[18]

훌륭한 에세이스트이기도 한 조지 오웰은 글을 쓰는 동기를 '순전한 이기심', '미학적 열정', '역사적 충동', '정치적 목적'이라는 네 가지 요소로 논평한 바 있다. 그가 가장 쓰고 싶었던 글은 정치적인 글쓰기를 예술로 만드는 일이었고 글의 출발점은 언제나 당파

18) 조지 오웰, 이한중 옮김, 『위건 부두로 가는 길』, 한겨레출판, 2010, 221쪽.

성을, 곧 불의를 감지하는 데서부터라고 밝히고 있다.[19] 그러한 대
의가 존재하고 실현될 수 있던 시대에 문학을 한다는 것은, 글을
쓴다는 것은, 신분 상승을 위한 중요한 도약대가 되기도 했으며,
당파성을 실현하는 윤리적인 자리였을 뿐 아니라 사회적 활동의
중핵에 가닿을 수 있는 중요한 행위였을 것이다. 그렇다면 오늘날
의 글쓰기가 놓여 있는 자리란 무엇인가, 글을 쓰고 있는 작가가
서 있는 위치는 어디이며 그 위치는 무엇을 말하고 있는가.

　다소 위악偽惡적인 방식으로 몇몇 작가들의 작품을 읽어보았다.
그것은 작품을 밀도 있게 독해하는 것에 목적을 두는 독법이 아니
었기에 편의적으로 작품을 재단한 부분이 있을 줄로 안다. 이 글
이 집중하고 싶었던 것은 'a'(작품)를 숙련된 언어로 독해하여 가공
하는 것이 아니라 바로 그 숙련된 독해로 인해 삭제되는 'b'(작품이
놓여 있는 지반)를 투박한 방식으로라도 드러내는 것이었다. 에둘러
왔지만, 아니 그 길이 에두르는 길이었는지 확신할 수도 없지만 그
것이 늘 글을 쓰고 있지만 작가의 뒤에서 군림하고 있는 듯한 위치
로부터 피할 수 없는, 아울러 자신이 쓰는 글의 의미를 매번 부차
적인 것으로 부정해야만 하는 나의 문제로, 바로 '비평가'의 자리에
대해 심문하는 하나의 경로를 마련하고 싶었다는 점을 밝혀둔다.
정작 내가 묻고 싶었던 것은 '오늘날의 작가란 무엇인가'라는 질문
이 한사코 지우고 있었던, 이 시대의 '작가' 중 하나인 비평가의 자
리였던 것인 셈이다. 아, 비평가에게 '나'라는 주어의 자리는 이토록
위악적이고 멀리 에둘러야만 가닿을 수 있는 아득한 곳인 것! 🔳

19) 조지 오웰, 이한중 옮김, 「나는 왜 쓰는가」, 『나는 왜 쓰는가』, 한겨레출판, 2010.

김대성

1980년 출생. 2007년 『작가세계』 신인상 평론 부분에 당선되어 등단. 주요 평론으로 「종언 이후의 시공간과 주체성: 골방과 수용소의 동물들」, 「감각의 사전과 찢겨진 서정시」, 「추방과 생존」 등이 있으며 『지역이라는 아포리아』를 함께 씀. smellsound@empal.com

나는 왜 르포를 쓰는가

박영희

잠에서 깨 옥상에 오르니 하늘이 잔뜩 찌푸린 얼굴을 하고 있다. 한바탕 비라도 퍼부을 기세다.

고물을 주워 생계를 꾸리는 내당동 할머니와 성서 할머니는 요즘 어떻게 지내실까, 순창에서 농사짓고 사는 광희 씨의 한숨은 멎었을까, 공사판을 전전하는 광주의 준호 씨는 공치는 날이 줄었을까, 서울에서 퀵서비스를 하는 김영석 씨의 딸은 대학에 진학했을까?

르포를 쓰면서 생겨난 버릇이다. 예전 같았으면 가깝게 지낸 작가들의 근황이 궁금하였을 텐데 언젠가부터 그 자리를 취재원들이 비집고 들어선 것이다.

전업 작가의 갈림길

첫 르포집 『길에서 만난 세상』(공저, 우리교육, 2006)을 펴낸 건 2006년 3월이었다.

꽤나 혼란스러웠다. 1만 부를 예상했던 판매가 2만 부를 넘어선 것이다. 세상이 미쳤나, 싶었다. 신록의 강이 서정으로 흐르는 시도, 그렇다고 재미난 소설도 아닌 르포집이 어쩌자고 2만 부 이상 팔린단 말인가. 더구나 2006년도면 한 국가의 수장인 대통령까지 나서서 한국 사회의 오랜 지병인 양극화를 떠벌리지 않았던가.

두 번째 르포집 『아파서 우는 게 아닙니다』(삶이보이는창, 2007)를 펴낸 건 그로부터 1년 뒤였다. 반응은 나쁘지 않았다. 출판사로부터 10쇄를 찍었다는 연락을 받은 나는 이제야 비로소 내가 쓴 르포들이 자리를 잡아가는 것 같아 안도할 수 있었다.

르포를 쓰기 전이다. 2004~2005년 두 해는 전업 작가인 내게 피말리는 시간들이었다. 특히 휴대전화가 울릴 때면 가슴이 철렁 내려앉았다. 누군가를 만나는 일이 그때처럼 두려웠을까. 찻값은커녕 버스비조차 없었다. 그나마 선배를 만나러 가는 길은 부담이 덜했지만 후배들한테 전화가 오면 창살 없는 감옥처럼 느껴졌다.

더욱 견디기 힘든 건 아내의 표정이었다. 둘 중 하나를 딱 꼬집어 말한 건 아니었지만 궁핍이 한눈에 보였다. 중학생 딸과 얼굴을 마주칠 때면 차마 고개를 들 수 없었다. 헌책방에 책을 내다팔까? 이쯤에서 글을 접고 돈 버는 일에 뛰어들어? 책이 눈에 들어올 리 없었다. 글을 써보려 자세를 고쳐 앉았지만 마찬가지였다. 쪼들려도 너무 쪼들리니 상상은커녕 치매 걸린 사람마냥 머릿속이 하얀 잿더미가 되어 버렸다. 주기적으로 두통약을 복용한 건 그때가 처음이었다.

그런 어느 날이었다. 소설을 쓰는 전성태에게 전화가 걸려왔다. 형, 르포를 써보지 않겠느냐는 그의 말에 나는 지옥 끝에서 연옥 으로 다시 올라선 기분이었다.

사생아로 다가온 르포

르포를 만난 건 이십대 초반이었다. 한국에서 지금까지 발행 중 인 잡지 중 가장 역사가 오래된 월간 『신동아』에서 논픽션 공모를 하였는데, 여타 잡지에 실린 수기와 다르게 공모 논픽션은 현장감 이 돋보였다. 한 어부가 그물을 막 건져 올렸을 때처럼 신선한 충격 을 안겨주었다. 반면 뒤이어 접한 『어느 청년 노동자의 삶과 죽음』, 『어느 돌멩이의 외침』, 『죽음을 넘어 시대의 어둠을 넘어』, 『어둠의 학교』, 『삼청교육대 악몽의 363일』, 『사랑과 전쟁의 낮과 밤』, 『아리 랑』, 『난지도 사람들』은 마치 악몽을 꾸는 것 같았다. 불을 켰는데 도 세상이 막장처럼 어두웠다. 세칭 군부독재 시절이었다.

배낭을 꾸려 무작정 현해탄을 건넌 건 순전히 임화 때문이었다. 그가 쓴 시 「현해탄」에서 임화는 "첫 번 항로에 담배를 배우고 둘 째 번 항로에 연애를 배우고 그 다음 항로에 돈 맛을 익힌 것은 하 나도 우리 청년이 아니"라며 선을 그은 뒤 "우리의 청년들은 늘 희 망을 안고 건너가 결의를 가지고 돌아왔다"고 하였는데, 순진한 나 는 그 대목에서 뿅 가고 말았다. 현해탄을 한 번 건너볼 거라고 꼬 박 3개월을 노가다해서 모은 돈을 환전해 여객선에 몸을 실은 것 이다. 임화가 도왔던 것일까. 일본에서 나는 두 르포작가를 만나는 행운을 얻었다.

유재순, 낯선 이름은 아니었다. 『신동아』 논픽션 공모작인 『난지도 사람들』(글수레, 1985)은 내게 강한 인상을 남겼다. 도쿄에서 그 저자를 만난 날이었다. 유 씨는 르포와 관련한 이론과 취재담, 그리고 본인이 직접 다녀온 사할린 동포들의 이야기를 들려주었다. 순간 내 머리를 스쳐간 건 임화의 「현해탄」이었다. 사할린과 현해탄은 같은 얼굴, 같은 눈물을 하고 있었다.

다음으로 만난 르포작가는 나가사키에 거주하는 하야시 에이다이 씨였다. 그를 보자마자 나는 선생이라고 불렀는데, 스스로 생각해 봐도 놀라운 일이 아닐 수 없었다. 교과서와 너무 일찍 이별을 고한 터라 감독, 소장, 총무, 반장, 공장장 등의 호칭이 더 자연스러웠다고 할까. 결혼을 앞둔 나는 그동안 얼굴 한 번 뵌 적 없는 소설가 현기영 씨를 찾아가 이런 말을 한 적이 있다. 선생님이 쓴 글을 읽고 이렇게 주례를 부탁하러 왔노라고. 하야시 선생이 바로 그런 분이었다. 재일조선인 2세인 그는 주로 동포들의 이민 시절을 다룬 르포작가로, 서재에 꽂힌 책들을 보는 순간 가슴이 뭉클했다. 선생이 펴낸 열두 권의 책 모두가 '朝鮮'으로 시작되었다. 그날 선생이 내게 선물한 책은 『朝鮮海峽』이었다.

일본에서 가장 아름다운 노을을 볼 수 있다는 나가사키에서 첫 밤을 보내는 날이었다. 차를 마시던 중 선생은 내게 이런 질문을 던졌다.

"그래 청년은 문학이 무어라고 생각하는가?"

"글쎄요, 공부가 아직 여물지 못해서……."

"그럼 잘 듣게. 그간의 내 생각과 경험에 비춰보건대 진정한 문학은 그 뿌리에 있는 게 아닐까. 모름지기 작가라면 이 뿌리들의 아우성과 신음소리를 귀담아들을 줄 알아야 하는데, 그러기 위해서는 때로 그 뿌리가 피워낸 꽃을 외면하는 건 물론이고 댕강 꺾어서 버릴 줄도 알아야 하네. 뭐랄까, 여느 나라를 막론하고 아름답고 행복한 그 뒷면에는 필시 그만큼의 고통과 눈물이 감춰져 있다 할까. 더구나 르포를 쓰고 싶다면 이 점을 뼛속 깊이 간직해야 할 것이네."

차를 마시면서 나는 '뿌리들의 아우성'을 곱씹어 보았다. 다시 말하면 그건 민중들의 아우성이었다.

선생 댁에서 하루를 더 머문 뒤 나가사키를 떠나는 날이었다. 한국의 청년이 당신을 찾아온 건 내가 처음이라던 선생은 당부를 아끼지 않았다.

"한국에도 드문드문 르포들이 보이던데, 자네는 절대 섣불리 덤비지 말게나. 모든 문학의 출발이 다 그렇겠지만 특히 르포는 혼자만으로는 절대 불가능한 작업이기 때문에 도모하는 자세가 필요하지."

일본에서 돌아온 나는 틈틈이 르포와 관련한 책을 접하려 노력했다. 그런데 왜였을까. 보고기사 또는 기록문학이라는 르포르타주의 정의에서 그만 맥이 풀려 버렸다. 나이만 백 살이지 연륜에 비해 체계적인 정리가 왠지 미흡해 보였다. '르포는 실제로 발생한 사건에 대한 기록이면서 문학적 형상화를 통해 재구성된다?' 시답잖은 내가 보아도 르포는 저널과 문학 사이에 긴 샌드위치와 같아서 논쟁거리를 제공하기에 충분했다. 뭐랄까, 저널에도 낄 수 없고 순수문학에도 낄 수 없는 사생아를 보는 것 같았다고 할까. 일본을 다녀온 뒤라서 그 무렵 나는 『나는 조선 사람을 이렇게 잡아갔다』, 『빼앗긴 조국 끌려간 사람들』 등 일제 치하 식민지와 관련한 르포집들을 눈여겨 읽었다.

지금도 묻곤 하는 르포의 정체

마침 감옥에 갈 일이 있었다.

'학교'라는 그곳에서 나는 세계문학과 한국문학의 시·소설집을 구입해 열독하기 시작했다. 에리히 레마르크의 『서부 전선 이상 없다』, 조지 오웰의 『카탈로니아 찬가』, 앙드레 말로의 『인간 조건』, 미하일 숄로호프의 『그들은 조국을 위해 싸웠다』 등 르포문학의 태동과 함께 쓰인 책들은 내게 새로운 길잡이가 되어 주었다. 일본에서 만난 하야시 선생이 왜 꽃이 아닌 뿌리를 강조했는지 그 점을 깨달을 수 있었다. 『서부 전선 이상 없다』를 보면 전선과 사령부에 보고되는 통신문이 전혀 다른 얼굴을 하고 있는데, 초토화된 전선과 서부 전선 이상 없다, 라는 통신문이 그걸 증명해 주었다.

반면 그 무렵에 읽은 르포집들은 마침표가 물음표로 바뀌는 경우도 있었다. 영국의 저널리스트이자 작가인 님 웨일즈(본명은 헬렌 포스터 스노우)가 항일투사 김산(본명은 장지락)의 생애를 기록한 글이 바로 그것이었는데, 르포문학의 3대 걸작으로 꼽히는 필자들의 출생지가 어딘가 모르게 좀 낯설게 느껴졌다. 중국의 혁명을 다룬 『중국의 붉은 별』은 님 웨일즈의 남편인 에드가 스노우가, 20세기의 가장 중요한 사건이라고 할 수 있는 러시아의 혁명을 다룬 『세계를 뒤흔든 열흘』은 미국 출신 기자였던 존 리드가, 스페인 내전을 다룬 『카탈로니아 찬가』는 인도에서 출생하여 영국에서 공부한 조지 오웰이 그 중심에 서 있었던 것이다.

평안북도 용천 출신의 김오성(문학평론가)을 만난 건 7년의 옥살이가 거의 끝나갈 즈음이었다. 김오성은 「보고통신문학 제문제」라는 글을 통해 르포르타주론을 제시하는데 그 시점은 1946년도에 터진 남한 노동자 총파업과 10월 항쟁이었다. 그 두 소식을 제대로 알리지 못하고 있다고 판단한 김오성은 한날 임화와 김남천을 찾아가 르포문학의 필요성을 제안하는 과정에서 이렇게 말한다.

"르포르타주는 기존의 작가뿐만 아니라 비전문가들도 쉽게 창작할 수 있다는 점에서 인민대중문학의 한 축을 감당할 수 있다."

그러면서 그는 르포문학의 활성화를 위한 요건으로 여섯 가지를 주목했다.

① 실정과 사태에 충실할 것. ② 사태를 통해 본질을, 개인의 경험을 통해 인민대중의 동태를 신속히 파악해 기록할 것. ③ 문학자가 사태 가운데로 들어갈 것. ④ 과학적인 정신에 입각할 것. ⑤ 싸우는 인민 스스로가 창작자가 될 수 있도록 양성할 것. ⑥ 보도기관은 지면을 제공하는 등 인민 르포작가 육성을 원조할 것.

하지만 김오성의 당찬 꿈은 곧 좌절되고 만다. 르포문학에서 실전에 속하는 창작 부진이 그 원인이었다.

그동안 접한 르포집들을 통해 느낀 거지만 르포에 대한 희망은 늘 희비가 엇갈렸다. 누군가를 대신해 막힌 숨통을 트여주고, 바겐세일bargain-sale처럼 소비자들을 끌어 모을 수는 있어도 여전히 그 실체에 대해서는 확신할 수 없었다고 할까. 저널이냐 문학이냐 하는 불완전성도 그중 하나일 수 있다. 실제 발생한 사건을 비허구문학으로 각색한다고 했을 때 사실과 비허구의 비율 문제가 뒤따를 수 있기 때문이다.

고로 한국에서 르포란 아직 생경한 장르임에 틀림없다. 뿐만 아니라 소나기 지나가듯 잠시 노동문학이 주목을 받았던 1970~1980년대를 상기한다면 망설여지는 것 또한 사실이다. 그럼에도 한 가지 떨쳐버릴 수 없는 건 감옥에서 우연히 접한 일본의 시사

잡지 『세카이世界』다. 여전히 그 잡지에는 당신의 소중한 르포를 기쁜 마음으로 사겠다는 광고가 실려 있었다.

출판사와 르포작가

첫 르포 청탁을 받은 건 2003년 봄 대구에 지하철 화재 참사가 발생하였을 때다. 먼저 나는 『당대비평』의 청탁 기준이 마음에 들었다. 당시 화재 참사로 7명이 사망하였으나 정규직 4명만 순직으로 처리되었을 뿐 청소 용역은 데드라인deadline에서조차 밀려나 있었다.

필기도구와 카메라를 챙긴 나는 집을 나섰다. 몇 차례 뉴스를 통해 화재의 현장을 본 탓인지 에즈라 파운드의 시가 머리를 스쳐 갔다.

군중 속에서 유령처럼 나타나는 이 얼굴들,
까맣게 젖은 나뭇가지 위의 꽃잎들.

—「지하철 정거장에서」 전문

버스에서 내린 나는 장례식장으로 향했다. 순간 나는 심한 충격에 휩싸이고 말았다. 사망한 지하철공사 직원들의 빈소는 동료직원에 취재진까지 북새통을 이룬 반면 비정규직 청소 용역 아주머니들의 빈소는 적막이 감돌았다. 벌써 한 시간 가까이 앉아 있었는데도 가족 외에 개미새끼 한 마리도 보이지 않았다. 이럴 수가, 이럴 수가……!

사람의 온기라고는 찾아볼 수 없는 빈소를 나온 나는 인근 포장마차로 들어가 연거푸 술잔을 비웠다. 죽음에서까지 정규직과 비정규직으로 나뉜다면 나는 정부고 나발이고 민주주의고 뭐고 다 지워 버리고 싶었다. 전태일의 '내 죽음' 이후, 박노해의『노동의 새벽』이후 달라진 게 무엇이 있는가. 노동 3권은 유효한 것인가. 그러나 1980년 그때와 비교하면 지금은 희망마저 꿈꿀 수 없는, 하루하루가 지뢰밭이었다. 새벽은 이미 물신과 탐욕에, 경쟁과 이기에 묻혀 이제 내놓을 수 있는 거라곤 복종의 민주주의뿐이었다.

그렇다, 굳이 답해야 한다면 내 르포의 첫 문장은 '차별'이었다. 대기업 언론사의 취재진들마저 저렇듯 중심을 잃은 채 한쪽을 세우고 다른 한쪽을 덮으려 한다면 그 죽음이 얼마나 억울하겠는가. 이처럼 르포 취재는 나에게 현장이라는 새로운 공부방을 제공해 주었다. 한 가지 우려가 되는 건 보고자의 입장과 위치였다. 첫 취재에서 이미 한쪽으로 기운 언론의 좋지 못한 행태를 직접 목격한 나로서는 이 점을 염두에 두지 않을 수 없었다. 르포는 책상에 앉아서 쓸 수 있는 글이 아니기 때문이다.

집으로 돌아온 나는 먼저 나의 뇌리에 도사리고 있을지 모를 격문들을 지웠다. 저널이 까발리는 데서 그친다면 르포문학은 어떤 사건과 사실들을 충실하게 파헤쳐 그걸 묘사하는 일이 필요했다. 사사로운 감정에 치우쳤다간 르포문학이 보고기사로 전락할 수도 있었다.

『당대비평』이 도착했다. 책을 펼친 나는 작가의 감정이 개입되지 않았는지 그 점부터 면밀히 살폈다. 이것은 1970~1980년대에 나왔던 르포들이 격문을 벗어나지 못했다는 자성의 일환이기도 했다. 이왕 쓸 거면 반짝했다 사라지는 일회성 르포가 아닌, 독자들에게 꾸준히 사랑받는 르포를 쓰고 싶었다.

그리고 반 년쯤 지나서였다. 국가인권위원회에서 발간하는 월간 『인권』의 '길에서 만난 세상' 꼭지를 써보지 않겠느냐는 전화가 걸

려왔다. 나는 그동안의 경험을 되살려 광부, 비정규직, 보안관찰, 어부, 소록도 한센인 등을 다뤘다. 아쉬운 점은 원고지의 양이었다. 나는『인권』담당자에게 전화를 걸어 5매를 더 늘려줄 것을 요청했다. 원고지 30매로 취재원들의 삶을 다룬다는 게 미안해 견딜 수 없었다.

오수연·전성태와 함께 쓴 르포가 마침내 단행본으로 출판되었다. 뒤이어 고물을 주워 생계를 꾸리는 노인, 덤프트럭 기사, 기초생활수급자, 일용직 노동자 등의 목소리를 담은 개인 르포집『아파서 우는 게 아닙니다』가 출간되었다. 주 독자는 학생들로, 그 덕에 나는 한 달에 한 번꼴로 학교를 찾아갔다. 르포집 강연은 즐거웠다. 취재 이야기에 영상으로 사진까지 곁들인 탓인지 저자와의 만남은 예정된 강연 시간을 넘기는 일이 다반사였다.

독자들의 반응은 그것으로 끝이 아니었다. 독자들에게 장문의 메일을 받은 날은 울컥 목이 메었다. "제발 당신만이라도 우리 이웃들의 이야기를 사실 그대로 써 주시오." 그동안 네 권의 시집을 냈지만 정작 독자들로부터 관심과 사랑을 받아보는 건 이번이 처음이었다.

책이 좀 팔린 탓이었을까. 한날 모 출판사로부터 연락이 왔다. 출판사 측은 이미 내 르포집의 성향과 독자, 그리고 판매 부수까지 사전 파악한 뒤 연락을 취한 모양인데 그만 나는 속이 뒤틀리고 말았다. 르포를 그저 돈벌이용으로만 생각하는 출판사와는 더 이상 말을 섞고 싶지 않았다. 그런가 하면 모 출판사는 작가의 인세를 10프로에서 8프로로 낮춰줄 것을 요청하기도 했다.

사실 출판사 측 입장에서 보면 르포집 출판은 머리가 좀 복잡할 것이다. 시나 소설, 산문집은 작가에게 지불할 인세와 자체 제작비면 출판이 가능하지만 르포집의 경우는 별도로 지급해야 하는 취재비에 제작비가 만만치 않기 때문이다. 책을 만들고, 그 책을 팔아 직원들의 월급을 줘야 하는 출판사 쪽에서 본다면 모험일 수도 있다. 이와 같은 사정을 아는지 모르는지 모 평론가께서는 한국만큼 중요한 사건과 문제가 많은 나라에서 르포 하나 제대로 쓰는 작가가 없다며 한탄한 뒤 고작 원고지 100매에서 200매에 그치는 협소함까지 지적하였는데, 새겨듣긴 하겠지만 반감이 전혀 없는 것도 아니다. 막말로 입으로 밥 들어가는 건 누구나 똑같지 않을까! 혹여 문예지를 창간한 뒤 비정규직을 양산하는 오류를 스스로 범하고 있는 건 아닌지 각자 점검할 필요가 있다. 등잔 밑이 더 어둡다지 않은가.

아무튼 르포집 출판은 출판사와 작가 모두에게 보통 어려운 문제가 아니다. 100원이면 만들 수 있는 책을 어떤 바보가 300원을 투자해 만들려 하겠는가 말이다. 나는 르포집을 계약할 때 출판사 측에 두 가지 안을 제시하는 편이다. 하나는 출판사 측에서 취재비를 좀 아끼고 싶다면 초판을 5,000부 찍는 걸로, 다음은 작가쪽에서 요구한 취재비를 출판사 측에서 군말 없이 지불했을 경우초판을 2,000부로 한다. 물론 출판사 측에 취재비를 요구할 적엔작가의 양심을 담보로 한다.

사실의 힘, 르포

최근 르포시장이 매우 빠른 속도로 팽창하고 있다. 쏟아져 나오는 신간 르포집이 한두 권 아니다. 물론 그렇다고 해서 기분이 좋을 것까지는 없다. 그만큼 우리 사회가 어수선하다는 걸 보여주는 반증일 테니까. 르포의 속성이 밝음보다는 어둠에 그 뿌리를 두고 있다면 더욱 그렇다.

　서두에서 밝혔듯이 나는 차별을 싫어한다. 아니 응징하고 싶을 정도다. 사람 사는 세상에서, 사람이 사람을 차별한다면, 대체 어디로 가 살란 말인가! 당연 고개를 쳐들며 으르렁댈 것이다. 그리고 갖은 해코지를 해댈 것이다. 자살과 살인은 계속해 늘어날 것이며, 한동안 우리의 뇌리에서 사라졌던 민란과 혁명이 되살아날 수도 있다. 혁명과 전쟁의 틈바구니에서 싹을 틔운 르포, 생겨나지 않아도 될 르포가 백 년 전 세상에 얼굴을 내민 까닭은 과연 무엇이었을까. 필시 원인에는 제공자가 있게 마련이듯 나는 요즘 이 답을 구하려 고민 중이다.

　르포를 쓰고 있는 한 작가의 입장에서, 르포문학과 관련한 신문 기사를 접할 때면 기분이 썩 좋은 것만은 아니다. 언론이 정론을 지향하고 시민들의 목소리에 좀 더 귀 기울였다면 굳이 르포가 필요했을까? 그동안 만난 60여 직종의 취재원들을 통해 직접 들은 이야기지만 그들은 하나같이 신문사나 방송국 기자들을 나쁜 놈, 못 믿을 놈들이라고 했다. 돈 많은 대기업이 속한 사건일수록 수박 겉핥기 식의 보도를 한다는 게 그 이유였다. 거대한 광고시장 앞에 시민들의 아우성은 가십에 지나지 않다고 할까.

　취재를 떠날 때면 나는 가끔씩 이런 질문들을 던져보곤 한다.

　당신은 우리 사회가 제대로 길을 가고 있다고 생각하는가?

　하늘은 하늘대로 평안하고 땅은 땅대로 평안하다고 생각하는가?

　당신은 정말 당신이 태어나 살고 있는 대한민국에 당신의 미래를 온전히 맡길 수 있는가?

　당신은 당신이 일한만큼의 대가를 받고 있다고 생각하는가?

　예컨대 내 르포의 출발점은 바로 이와 같은 자문 속에서 진행되는지도 모른다. 일상 속으로 좀 더 깊이 들어가 눈물로 호소하는 평민들의 두서없는 이야기를 가지런히 정리해서 내놓는, 그 역할이나마 충실히 이행하고 싶은 것이다. 때문에 나는 취재를 나가면 되도록 시민단체와의 접촉을 피하려 한다. 몇 차례 시도해본 결과 오히려 그게 취재원들의 목소리를 가로막고 있다는 걸 스스로 체감할 수 있었다. 또한 이것은 시민들의 정서를 시민운동가들이 제대로 파악하지 못한 데서 생겨나는 기이한 현상처럼 보였다.

인간은 논리성을 갖지만 인생은 스토리를 갖는다? 르포가 가르쳐준 교훈은 이뿐만이 아니다. 세상은 커다란 경전이며, 취재원 모두는 내 삶의 채찍이자 스승들이다. 그들의 가슴속에 켜켜이 쌓인 두서없는 이야기를 묵묵히 들어주는 일, 사실 르포작가에 인터뷰란 그렇게 중요한 것이 아닐 수도 있다. 취재원이 강을 건너면 따라 건너고, 산을 넘으면 함께 넘어주고, 취재원이 눈물을 보이면 술잔을 채워주는 것만으로도 충분하기 때문이다. 괜히 들이대거나 가르치려 들면 오히려 역효과를 가져올 수 있다. 한 가지 분명한 사실은 어찌된 영문인지 시간이 흐르면 흐를수록 시민들의 한숨 또한 깊어져 간다는 것이다. 5년 넘게 르포를 쓰면서 직접 보고 느낀 바에 따르면 위정자들과 시민들은 한 국가 안에서 전혀 다른 언어를 사용하는 이방인 같았다.

취재를 떠나기 전 가슴에 품는 게 하나 더 있다. 네 이웃에 대하여 거짓증거하지 말라는, 십계명 중 제9계명이다. 르포는 누구나 쓸 수 있는 장르이면서 동시에 그만큼 위험이 뒤따르기 마련인데, 상대방의 이야기를 전달하는 과정에서 괜한 과욕을 부렸다가는 법정에 설 수도 있다.

기쁨보다는 한숨이, 희망보다는 절망이 먼저인 3D Dangerous, Difficult, Dirty 업종의 르포를 왜 쓰는가? 나는 '사실의 힘' 때문이라고 답하겠다. 르포를 쓰기 시작하면서 나는 상대를 부추기거나 더하고 곱하는 것들을 아예 뇌리에서 삭제시켜 버렸는데 그만큼 르포는 신중을 기해야 하는 글쓰기다. 줄서기에서 제일 어려운 게 이쪽도 저쪽도 아닌, 건널목에 서 있는 자라고 했던가. 르포작가란 바로 그와 같은 존재일 수도 있다.

르포의 일장일단

현재 '르포'라는 이름표를 달고 방영되는 공영방송 프로그램만도 십여 편, 여기에 다큐를 더하면 공영방송의 현장르포는 의아할 정도다. 그러나 좀 더 깊이 살펴보면 그 문제점들을 금방 발견할 수 있다.

먼저 신문을 보자. 각종 신문들이 앞다퉈 르포를 쏟아내고 있지만 문제는 그 결말들이 마치 짜고 치는 고스톱처럼 매우 낯간지럽다는 것이다. 대부분의 르포들이 결말에 이르러 '희망'을 마침표로 찍는다 할까. 바로 이럴 때 나는 신문사들의 야심찬 심층기획 르포가 왜 정부가 외치는 구호와 판박일까 하는 의구심을 떨쳐버릴 수 없다.

그렇다면 텔레비전의 르포와 다큐는 신문사와 비교해 무엇이 다른가. 국민들로부터 세금을 받아 국가를 운영하는 정부가 응당 책임져야 할 일을 국영방송들이 나서서 그 짐을 이웃들에게 떠넘기는, 그럴싸하게 포장한 르포를 시청하고 나면 나는 밑을 닦다 말고 화장실을 나온 것처럼 찝찝해 견딜 수 없다. 분장실로 들어가 각색을 하였음에도 불구하고 처절하게 다가왔던 누군가의 고통이 어느덧 희망을 만나 따라가 보면, 다리 건너에 시청자들의 쌈짓돈을 노리는 ARS구제가 떡 버티고 있는 것이다. 저걸 과연 나눔이라고 할 수 있을까?

르포집을 내고 나면 종종 듣는 이야기가 있다. 대안제시가 바로 그것이다. 하지만 나는 네 권의 르포집을 내는 동안 한 번도 여기에 대한 대답을 내놓지 않았다. 변명처럼 들릴지 모르겠지만 먼저는 어떤 사실을 좀 더 자세히 보고하는 일에 충실하고 싶은 까닭이다. 그리고 만약 문학이 대안제시와 함께 답안지까지 작성해서 내놓는 것이라면 그거야말로 전봇대로 이빨 새를 쑤셔대는 짓이 아닐까?

2006년 이후 네 권의 르포집을 펴냈으니 결코 적은 양은 아니다. 그러나 르포 취재에서 성공과 실패는 늘 반반이었다. 잠깐 만나서 쓰는 기사가 아닌 까닭에 한순간도 자신할 수 없다. 그 예로 한 여성 장애인을 찾아간 날이었다. 이미 두 명의 장애인을 만나 취재를 마친 나로서는 내심 기쁘지 않을 수 없었다. 학창 시절에는 체육 시간마다 같은 반 학우들의 소지품을 지켜야 했고, 성년이 되어서는 성폭행당한 사실을 숨김없이 털어 놓았던 것이다. 하지만 불혹의 여성 장애인은 다음날 전화 통화에서 어제 했던 인터뷰 전부를 삭제해 달라고 했다. 마음 같아서는 그를 다시 찾아가 사정해보고 싶었지만 나는 흔쾌히 응해주었다. 르포란 때로 한 개인의 묵은 상처를 꺼내고 건드리는 작업이어서 인권을 먼저 생각하지 않을 수 없다.

르포작가의 고통은 소위 순수문학에서도 곧잘 드러난다. 르포를 쓰면서 문장들이 눈에 띄게 건조해졌음을 알 수 있는데, 나로서는 여간 고통스러운 게 아니다. 예전보다 더 열심히 공부해서 셋(르포·시·소설)과 함께 가고 싶은 마음 굴뚝같지만 무섭고 두려운 것도 사실이다. 능력도 안 되는 놈이 마치 한 집에서 세 여자와 동거를 하는 것 같아서다. 그렇다고 당장 두 여자를 내보낼 용기가 있는가, 아마 시를 지키기 위해 르포와 소설 쓰기를 그만둬야 한다면 나는 생계를 먼저 걱정해야 할 것이다. 시만 써서는 도저히 생활을 꾸려갈 수 없다는 걸 이미 경험했기 때문이다. 그것도 뼈저리게.

그렇다고 르포를 쓰는 이유가 꼭 먹고살기 위한 방편만은 아닐 것이다. 늘 내 가슴속에는 차별과 함께 '사람답게 인간답게'라는 슬로건이 못처럼 박혀 있는데, 얼마 전『만주의 아이들』(문학동네, 2011)을 세상에 내놓았을 때다. 인터뷰를 요청하는 방송 작가들에게 미리 메일을 받은 나는 그만 웃고 말았다. 세 방송 작가 모두 약속이라도 한 것처럼 다음과 같은 질문을 던진 것이다.

"당신은 그동안 우리 사회의 소외된 이웃들을 위주로 르포를 써왔는데 특별한 이유라도 있는가?"

글쎄다. 나는 인터뷰를 통해 이렇게 답해주었다. 내 몸과 내 마음이 그쪽으로 가기 때문이라는.

몇 해 전부터 나는 만주를 들락거리고 있다. 항일독립운동사에서 반세기를 차지하는 만주가 어느 날 내게 제대로 된 먹잇감을 주었다고 할까. 항일독립운동사에 가려진 나머지 만주에서 문학은 백지상태나 다름없었다. 하지만 나는 만주로부터 선물을 받은 뒤 어떤 부끄러움과 함께 알 수 없는 부채를 느꼈다.

얼마 전이었다. 〈나는 가수다〉를 시청하던 중 '나는 작가다'라고 말하려는데 그만 웃음이 터져 나왔다. 내가 나를 비웃는 그런 웃음이었다. 개뿔, 무늬만 작가지 그걸 입으로 내뱉는다는 게 너무 부끄러웠다. 🈺

박영희

전남 무안군 삼향면 남악리에서 태어나 현재 대구에서 살고 있다. 1985
년 문학무크 『민의』 3집에 시 「남악리」 등을 발표하면서 작품 활동을
시작했다. 그동안 시집 『조카의 하늘』, 『해 뜨는 검은 땅』, 『팽이는 서
고 싶다』, 『즐거운 세탁』, 서간집 『영희가 서로에게』, 시론집 『오늘, 오
래된 시집을 읽다』, 평전 『김경숙』, 르포집 『길에서 만난 세상』(공저),
『아파서 우는 게 아닙니다』, 『사라져가는 수공업자, 우리 시대의 장인
들』, 『보이지 않는 사람들』, 『만주의 아이들』, 기행 산문집 『만주를 가
다』, 장편소설 『대통령이 죽었다』를 펴냈다. tkqnr80@hanmail.net

전업평론가를 욕하고 싶어도 이건 뭐 있어야 말이지

노희준

이 글은 내가 아는 평론가들의 청탁에 의해 써진다. 그들이 주겠다고 한 소정의 원고료는 그냥 됐으니 나중에 술이나 사달라고 했다. 작가의 기본권을 포기한데다가, 평론가들과의 친분을 공고히 하려는 의도가 다분한 불온한 글이다. 근데 꼭지의 제목이 "이 시대 '작가'의 정체성을 묻다"이다. 청탁 이메일에는 "조영일과 김영하의 논쟁 …… 반드시 염두에 두고 쓰셔야 하는 것은 아닙니다."라는 대목도 보인다. 뭐야, 주제가 이렇게 민감해서야 어디 비평가에 대한 주례사 에세이 제대로 쓸 수 있겠어?

청탁서를 받고 나서 중학교 때 읽었던 『리더스 다이제스트』의 콩트 한 편이 떠올랐다. 자본주의 경제구조에 대한 저널리스트의 우스갯소리였던 것으로 기억한다. 하도 오래돼서 구체적인 내용은 모두 증발했지만, 상상력을 한껏 발휘해 재구성해보자면 대충 이런 얘기다. 기자 한명이 인플레이션의 원인을 추적하기 위해 취재에 나선다. 밀가루 회사에 가서 왜 가격을 인상했냐고 물어보니 제분기가 비싸져서라고 답한다. 기계공장에 가보니 철판단가가 상승해서, 철강회사에 가보니 철의 원가가 올라서란다. 드디어 불황의 원흉을 찾을 수 있겠다는 기대감에 부풀어 광산에 찾아간 기자는 이런 답을 듣는다. "인부들 식대가 늘어서요. 밀가루 값이 어지간히 올랐어야 말이죠."

아직까지 잊지 않은 거 보면 꽤 재미있게 읽은 모양이다. 하지만 지금은 마냥 고개를 끄덕일 정도로 순진하지 않다. 결국 물가인상은 석유 때문 아닌가? 혹은 그것을 둘러싸고 있는, 혹은 그것에 기반하고 있는 시스템의 크고 작은 지각변동 탓 아닌가? 물론 박식한 경제학자라면 그렇게 단순하지 않다고 말하겠지. 친절하기까지 하다면 매우 디테일한 전문지식으로 반박할 것이다. 하지만 나 같이 무식한 놈이 그 논리를 알아먹을 가능성은 그 경제학자가 물가인상을 직접 해결할 가능성만큼이나 희박할 것 같다.

모 단체에서 개최한 세미나에 간 적이 있다. 이천 년대 소설에 대한 평론가들의 총평과, 젊은 작가와의 Q&A가 있었다. 발제문의 주제는 달랐지만, 당대소설에 대한 평가기준에는 합의된 전제가 있는 듯했다. 어디까지나 내가 무식하게 싸잡아보자면, 그것은 '새로움'과 '비판'이라는 양날검이었다. 즉, 비판적인 작품들은 형식에 있어 진부하고, 새로운 작품들은 현실에 대해 피상적이라는 진단이었다. 덕분에 세미나는 화기애애하게 진행되었다. 젊은 세대의 일상을 통해 현실의 모순을 우회적으로 길어냈다는 질의자의 평가에 초대작가는 "그냥 제 주변 이야기를 썼을 뿐"이라고 쑥스러워하고,

노희준 · 전업평론가를 욕하고 싶어도 이건 뭐 있어야 말이지

요즘 같은 시대에 그렇게 비판이 쉬우면 작가한테 요구하기 전에 인문학자들이 먼저 방향제시하면 될 일 아니냐는 나의 문제제기에 좌장은 "저희도 너무, 너무 어려워서 작가님들에게 의지하는 겁니다"라고 답했기 때문이다. 나는 그들의 솔직함과 겸손을 존중하다 못해 존경한다. 하지만 상황이 정말 이렇다면, 양날검은 그대로 부메랑이다.

최악의 시나리오 한번 만들어보자. 미未등단작가는 문단권력을 욕하고, 문단권력(?)은 출판시장 탓을 하고, 소비주체인 독자는 한국소설이 재미없다고 불평하고, 소외된 작가는 평론가들이 몇몇 작가에게만 몰빵한다고 원망하고…… 그 사이 몇몇 평론가들은 유명작가만 상대(?)하면서 한국소설의 죽음을 선언한다. 상 받은 작품이 팔리면 문학상이 자본의 논리에 넘어갔다고 하고, 안 팔리면 끼리끼리 밀어주니까 독자가 외면하는 거라고 말한다. 만약 대한민국에 문단이라는 게 존재한다면 이러한 연쇄에 가담하는 수사 전체가 문단이다. 소문이 그것을 믿는 사람들 사이에서는 사실로 기능하는 것처럼. 왕과 왕비가 점성술사의 신탁을 믿지 않았다면 어떻게 되었을까? 다른 제국에서 자란 오이디푸스가 믿지 않았다면? 어떤 경우에도 존속살해와 근친상간의 예언은 실행되지 않았으리라. 권력은 그것을 믿는 사람의 믿음으로 작동한다. 아버지는 적이 아니라 은폐물이다. 이 경우 진짜 권력의 핵은 점성술사의 예언이다.

나, 평론가한테 살의 느낀 적, 있다. 제일 화나는 경우가 한국작가들은 왜 외국의 누구누구처럼 못 쓰냐고 할 때다. 그러는 너네는? 왜 루카치나 바흐찐처럼 못 쓰니? 자본주의 비판하고 싶으면 게오르크 짐멜 정도는 돼야지. 십중팔구 재료(1차 텍스트)의 한계를 지적할 가능성이 크다. 이 땅에 도스토옙스키가 나와 봐라, 내가 세계적인 저작을 못 쓰나, 뭐 이런 식일 테다. 그러게, 도스토옙스키는, 그도 아니라면 차이코프스키는, 왜 하필 그 시대 러시아 땅에서 등장한 것일까? 한때 전 세계를 들끓게 했던 라틴아메리카 문학이 근래 들어 시들해진 이유는? 프랑스 68세대의 담론이 인문학의 헤게모니를 차지한 까닭은 또 뭘까?

한 시대의 예술작품은 예술가 개인의 전유물이 아니다. 역사적 사건, 문화의 토양, 개인의 구체적인 삶, 독자층의 성향, 크리틱critic의 견인과 자본의 개입 여부 등등, 여기에 글로는 기록할 수 없는 우발성의 틈입에 이르기까지, 수많은 힘들의 벡터vector로써 형성된다. 다른 말로 하면, 예술을 둘러싼 개별적인 욕망들의 최종목적은 종종 작품이 아니며, 때로는 작품이 아니어야 한다. 자본은 이윤을, 독자는 지적 허영이나 단순한 즐거움을, 당연히 추구할 수 있다. 작가가 돈을 벌기 위해, 자신의 존재증명을 위해, 명성을 위해 글을 쓰면 왜 안 되는가? 작품works은 이러한 수많은 욕망들을 매개하고, 그렇게 함으로써만 자신을 둘러싼 구조를 '지탱하면서 변형하는 힘'으로 존재할 수 있다. 시스템을 직접적으로 공격하거나 변형하는 것은 정치나 혁명의 소임이지 예술작품의 본분은 아니다. 모든 소설이 이구동성으로 사회비판을 하는 상황은 비판적 예술이 증발한 상태보다 끔찍하다. 이러한 욕망의 삼각형을 통째로 무시하고 작품자체를 최종목적으로, 혹은 궁극의 타깃으로 삼는 일종의 페티시즘fetishism은 몇몇 평론가들에게만 찾아볼 수 있는 희귀한 현상이다. 그 어려운 이론들을 작품(사실은 작가) 까려고 눈에 불을 켜고 읽었을까? 그래서 작가들이 모두 그들(자칭 비판적 평론가)의 말을 금석문처럼 받아들이면 뭐가 달라질까?

원고료는커녕 학원 강사로 먹고살던 시절, 수업을 위해 황순원의 「산」을 읽었다. 나라가 전쟁 중인지도 모르는 바우라는 나무꾼이 인민군 패잔병들에게 붙잡혀 길잡이가 된다. 인근주민의 무자비한 살인, 여군에 대한 집단강간 등을 목격한 바우가 점차 모반을 꾀해 패잔병들을 교란하는 한편, 적당한 기회를 틈타 군인 한 명을 살해하고 여인 한 명을 구조해 집으로 돌아온다는 스토리다. 문학참고서에 "폭력의 내면화" "선의 이중성" 등등의 어구들이 적혀 있기에 나는 비웃었다. 바깥 세계의 이념이나 지식을 모르면 바보인가? 바우는 산속에서만큼은 유일한 지식권력자다. 그는 경도 위도 고도 따위로 표상되는 근대좌표 대신 오직 구체적인 경험으로만 습득할 수 있는 지도를 갖고 있었기 때문에 살해당하지 않는다. 물론 나는 교재에 나온 그대로 애들한테 가르쳤다, 나는 언어영역 강사니까, 애들을 대학에 보내야 하니까, 라고 변명해봤자 한 나라의 교육을 망치는데 일조해야지만 대학원 등록금도 내고 생활도 꾸릴 수 있다는 게 본질이었으니까.

작가는 몸의 지도를 갖고 있는 사람이다. 선험적이고 합리적인 좌표가 없다고 해서 그에게 지도가 없다고 생각하면 오산이다. 작가는 패키지여행을 하지 않는다. 그는 걸어가면서 일정을 짠다. 도시의 일상 속에서도 그는 여행한다. 결코 "언어의 숲" 속에 있는 것이 아니며, 숲 속에서 길을 잃었을 때 그곳을 빠져나오는 가장 빠른 방법은 아무 방향이나 정해 일직선으로 걷는 것이라는 니체의 잠언 따위에도 동의할 수 없다. 작가는 살아가면서 쓰고, 쓰면서 살아간다. 숲과 바깥의 경계는 무의미하다. 두 가지를 하고 있다면 출신, 계급, 성별, 결혼의 유무 따질 것 없이 작가다. 자신의 위치를 파악하라거나, 경로와 목적지를 상정해야 한다는 요청은 쓰지 말라는 말이나 같다. 새로운 풍경을 찾아내기 위해 작가가 가장 우선적으로 해야 할 일은 지도를 버리는 일이다. 방위나 계획에 집착하면 어떤 결과가 발생하는지는 멀리서 찾을 것도 없이 내 작품들이 증명한다.

참, 이 글은 주례사 에세이였지.

비평이 왜 필요하냐는 말에 나는 전적으로 동의하지 않는다. 평론가가 작가 없으면 뭐 해먹겠냐고 비아냥거리는 소리도 싫어한다. 욕먹기 무서워하는 비겁한 성격이라 평소에는 웃어넘기는 편이지만 이 자리를 빌어 본심을 말하자면 사라져야 할 것은 비평에 대한 오해이지 비평이 아니다. 비평은 작품을 매개로 제 삼의 의미체를 추구하는 독립된 작품이다. 어근에 기생하는 접사가 아니라, 다른 어근과 결합해 새로운 의미를 형성하는 합성어 자체이다. 다시 말해 비평의 궁극적 목적은 자신의 목적을 향해 작품을 포월抱越하는 것이라고 나는 생각한다. 루카치가 세르반테스랑 진검승부하려고 돈키호테 비평 쓴 것 아니지 않나? 혹은 누가 누가 잘 썼나 판가름하려고 그 수많은 저작들을 냈나? 바흐찐은 도스토옙스키 분석을 통해 자신의 소설이론을 심화시킴과 동시에, 민중문학이 러시아에서 개화한 이유를 다층적으로 설명해낸다. 『장편소설과 민중언어』의 분석대상은 설화 민담을 포함한 러시아 문학 전체이다. 작품의 자격을 논하거나 우열을 가르는 게 목적이 아니었다는 뜻이다. 한국소설에 '새로운 비판'이 없다면 왜 그런 현상이 발생할 수밖에 없는지를 인문사회과학적으로 분석해내는 게 비평가의 소임이다. 관점은 다르지만 테리 이클턴이 당대 영문학에 대해 그랬듯이. 「도둑맞은 편지」는 라캉 때문에 유명해진 작품이지 좋은 소설이거나 포우의 대표작이 아니잖아? 사회비판이 비평적 관점이라면 소설군群의 서사구조 분석을 통대 당대 상징계를 재구하고, 그것을 바탕으로 시스템을 교란할 수 있는 담론을 생산하면 될 일이다. 꼭 소설일 필요도 없고 활자매체일 필요도 없다. 비판적인 작품이 있어야 비판적인 평론을 쓸 수 있는 거라면 그런 경우는 작품만으로 족하다. 자꾸 소고기 등급만 매기면 뭐하나? 도무지 유기농을 할 수 없게 만드는 자본주의 생산시스템에는 축·농가가 저항하든지 말든지 도축과 방역시스템만 완벽하게 구축하면 된다는 건가?

이런, 어쩌다보니 '작가의 정체성'이 아니라 '비평가의 정체성'을 논하는 글이 돼 버렸다. 하긴, 언제는 계획대로 썼던가? 이왕 이렇게 된 거 계속하자면,

몇 년 전 고맙게도 〈젊은 작가와의 대화〉에 초청되어 갔을 때, "비평가에 대해 어떻게 생각하느냐?"는 질문을 받고 "삼발이라고 생각한다"고 답했었다. 대충 이런 내용이었다. 평론가들은 학계, 출판계, 문단에 모두 걸쳐 있지 않나, 이해관계가 다른 집단을 세 곳이나 오가는데 입장이 분명한 글을 쓰는 게 쉽지 않을 것 같다, 강사로도 충분히 먹고 살만 하거나, 출판사에서 직장인만큼 연봉을 받거나, 글만 써도 생활에 지장이 없게 된다면 주례사 비평이니 대중추수적이니 하는 비판들은 싹 사라질 거다. 나 빼놓고 다 평론가였지만 나는 온전히 살아나왔다. 당돌하다는 듯 웃기는 했어도 화내는 사람은 없었다. 물론,

전업이세요?

라고 물으면 나는 할 말이 없다. 질문의 뜻을 모르겠어서이다. 진정성 있는 작가세요? 사이비 아니세요? 좀 팔리는 작가세요? 글만 쓰는 루저세요? 집이 좀 사세요? 등등의 수많은 질문을 받는 느낌이다. 8년간의 학원 강사, 발리파킹, 옷 장사, 택시운전, 프로젝트 따위의 단어들도 머릿속을 맴돈다. 내가 의사거나 공무원이거나 변호사였다면 이런 질문은 안 받았을 텐데…… 하는 생각도 든다. 그래서 자주,

　전선 위의 참새예요.

라고 대답하고 싶어진다. 상대방이, 감전당할 위험 없으세요? 라고 물은 거라고 멋대로 생각해 버린다. 다수의 작가들이 두 개 이상의 전선 위를 아슬아슬하게 오가면서 산다. '결혼한 여성작가'도 마찬가지다. 퇴근하고 글 쓰는 것과 가정주부하며 글 쓰는 게 뭐가 다른가? 가정주부는 비非임금노동자고, 가정주부 글쟁이는 반semi 프롤레타리아인데? 글쟁이 중에는 남자주부도 있고, 농·어부도 있으며, 장사꾼도, 정규직도 있다. 물론 부자도 있을 것이다. 하지만 그런 편가름이 '작가'의 정체성과 무슨 상관인가? 핵심은 작가들의 '개별적 조건'이 아니라 쟁이들이 겪고 있는 '공동의 현실'이다. '카르텔' 운운하며 쟁이들을 특권화하는 태도도 우습다. 그것은 이 땅의 대다수 프리랜서와 비정규직들을 둘러싸고 있는 '고용구조'니까. 실체도 없는 문단권력의 탓으로 돌리거나 기준조차 불확실한 한국소설의 품질평가로 해결될 수 있는 문제가 아니라는 얘기다. 언제나, 상자 안에서 생각하면 방법은 찾아지지 않는 법이다. 심지어 내용물도 꼼꼼히 살펴보지 않고 라벨만 읽었다면 십중팔구 오판이다. 단언컨대 어떤 상황에 처해 있건 작가라면 내 대답에 동의

할 것이다. 전업 작가는 바라지도 않는다. 나는 계속 작가로 살고 싶을 뿐이다. 먹고사는 문제가 해결됐더라도 글을 쓸 수 없게 된다면 불행해야 작가다.

마지막으로, 청탁 이메일에 적혀 있는 논쟁을 나는 풍문으로만 들었다. 풍문으로 들었으므로, 그것이 실제로 있었던 사건인지 아닌지는 확신할 수 없겠다. 끝

노희준
1999년 문학사상 신인상. 2006년 제2회 문예중앙소설상. 저서로는 단편집 『너는 감염되었다』(랜덤하우스 중앙, 2005), 『X형 남자친구』(문학동네, 2009), 장편소설 『킬러리스트』(랜덤하우스 중앙, 2006), 『오렌지 리퍼블릭』(자음과모음, 2010) 등이 있음.
londoncalling@hanmail.net

끝내, 겨우 존재하는 작가

권여선

이십대 후반에 글을 써서 먹고 살겠다는 생각을 한 후, 처음엔 방송 드라마를 쓰려 했고, 다음엔 영화 시나리오를 쓰려 했지만, 결국엔 소설을 쓰게 되었다. 처음에 방송 드라마를 쓰려고 했을 땐 '글을 써서 먹고 살겠다'는 생각 중 뒷부분, 즉 '먹고 살겠다'에 방점을 찍고 있었다. 하지만 드라마는 장르문법이 강하고 작가가 운신할 수 있는 폭이 좁았다. 이것이 드라마이고 저것은 드라마가 아니라는 분리가 확실했고, 설사 저것이 드라마라 할지라도 방송에는 적합하지 않다는 식의 판단 또한 선명했다. 영화 쪽은 방송보다 덜하겠지 하는 안이한 생각으로 시나리오로 옮겨갔다가, 그곳 또한 크게 다르지 않다는 결론을 내렸다. 둘 다 엄청난 자본이 투입되어야 완성되는 장르라, 서사의 라인이 강력하고 흥미로워야 했고, 작가의 창의성과 실험성에 대한 일정한 제한이 있었으며, 무엇보다 글이란 것이 완성된 작품의 밑재료에 불과하다는 의미에서 작가는 자기가 만든 세계의 최종적 주인일 수가 없었다.

어느 작가나 그 능력과 재능에 있어서 일정한 장르적합성을 갖추고 있기 마련이다. 자신이 쓰고 싶지 않고 쓸 수 없는 글로는 먹고 살 수도 없다. 결국 나는 몇 년의 방황을 거쳐 '먹고 살겠다'는 생각보다 '글을 써서'라는 과정이 훨씬 중요하다는 걸 깨닫게 되었다. 하지만 그 깨달음이 내 앞에 멋진 신세계를 펼쳐 보여주지는 않았다. 소설을 쓰는 것은 행복했지만 그것으로 먹고 살 수는 없었다. 죽도록 사랑했지만 사랑이 밥 먹여주지는 않았다는 식이다. 그래도 죽도록 사랑은 했고 아직도 사랑은 하니 그게 어딘가.

나는 작가로서 자부심이나 긍지를 느끼고 있는지 자문해본다. 어느 정도는 그런 편이라고 생각한다. 내 소설을 좋아하고 기다리는 극소수의 독자들이 있고, 나는 그들을 위해 손가락으로 자판을 두드릴 수 있는 한은 소설을 써야겠다고 생각한다. 내 책을 사주는 독자들이 아니라 내 책을 읽어주는 독자들을 나는 사랑한다. 가난한 그들을 위해 나는 가급적 그들이 책을 사서 읽기보다 도서관에서 빌려 읽을 것을 권한다. 내게 인세 소득은 거의 미미하여 의미가 없는 수준이다. 일단 작가가 글을 써서 작품을 만들어내는 사람이고, 전업 작가란 그것으로 밥을 먹고 사는 사람이라고 할 때, 나는 전업 작가임을 자부한다. 결정적인 문제는 나를 포함한 전업 작가들 중 대다수가 전업적으로 글을 써서 밥을 먹고 살기가 난망하다는 데 있다.

내 개인적인 경우를 얘기하겠다. 내 착각인지 몰라도, 전업 작가로서 소득 랭킹을 매긴다면 나는 제법 상위층에 속할 것 같다. 내가 매년 소설을 써서 벌어들이는 돈은 사백만 원 정도이다. 작가이기 때문에 할 수 있는 일, 이를테면 심사를 하거나 강연을 하여 버는 돈과 재수록료니 문학상 후보작이니 하여 부수적으로 버는 돈이 또 사백만 원 정도 된다. 이리하여 내 평균 연봉은 팔백만 원에

달한다. 운이 아주 좋은 해에는 문학상을 받기도 했다. 3년 전에 제법 상금이 많은 문학상을 받아 3년 동안 생활비로 알뜰히 나눠 썼다. 그리고 또 국가에서 주는 지원금도 받았다. 등단 후 15년 동안 천이백만 원이란 지원금을 한번 받은 적이 있고, 올해 운수가 대통했는지 어마어마하게도 이천만 원의 지원금을 받게 되었다. 이럴 수가! 그런데 한꺼번에 이천만 원을 주는 대신 2년에 걸쳐 천만 원씩 나눠 준다. 그렇게 현명할 수가! 그런데 지원금을 현찰로 바로 쏴주지 않고 체크카드 형태로 지급하여 내가 일 년 동안 천만 원 한도에서 카드로 결제할 수 있게 해 준단다. 그런 최첨단의 방식이! 역시 지원금도 진화한다.

　그런데 정작 문제는 그 지원금을 생활비로 쓰면 안 된다는 데 있었다. 그럼 어디에 쓰는가? 국내외 여행이라든가 취재활동 같이 창작욕을 고무시키는 일에 써야 한단다. 창피하지만 나는 비자도 없고 외국에 나가본 적도 없다. 혹시 의료보험료나 국민연금, 집세 같은 걸로 쓸 수 없나 했더니, 없단다. 집세는 안 되지만 창작실 임대료는 된단다. 다행히 나처럼 아연실색한 문인들이 많아서 부지런히 문의전화를 해댔는지, 문예위는 오랜 숙고 끝에 생활비는 안 되지만 '창작활동을 위한 생활용품 구입'은 된다는 눈 가리고 아웅거리는 결정을 내렸다. 올해 안에 이 돈을 다 안 쓰면 환수한단다. 결정이 늦게 내려지는 바람에 내가 체크카드를 쓸 수 있는 시기는 4월 중순부터였다. 나는 졸지에 천만 원을 8, 9개월 안에 다 써버려야 하는 졸부 상태에 돌입했다.

　누가 이런 해괴하고 복잡한 생각을 해냈는지 궁금하다. 사대강 사업처럼 이것도 창작활동사업이라고 간주하고, 엄한 데서 불투명하다고 얻어먹은 욕을 여기 와서 투명하게 해소하려는 모양이다. 작가들이 어떻게 사는지를 그들은 모른다. 의료보험료를 못 내고

집세를 못 낸다는 걸 이해하지 못한다. 좋은 작품이 안 나오는 건 해외여행을 못 해서거나 창작실이 없어서라고 생각한다. 그래도 이번에 영수증을 잘 모으고 시키는 대로 쓰라는 내역을 정확히 기재하지 않으면 내년에 주기로 한 지원금 천만 원을 안 줄지도 모른다. 체크카드를 쓰고 나면 열흘 내에 문예위에 접속해 사용내역을 신고해야 한다. 나는 '창작활동을 위한 생활용품 구입'이라는 목록 밑에, 용례에 따라 소주 1팩 6,000원, 열무김치 5,270원, 라면 3,750원을 기입한다. 슬프다. 물론 때로는 한우 27,000원도 쓰고 와인 24,000원도 쓴다. 얼른 써야 하니까. 안 쓰면 환수한다니까. 가계부를 열심히 쓰다 보면 글도 더 잘 쓸 수 있게 될지 모른다.

그래도 나는 살 만한 형편이다. 지원금을 못 받는 작가가 대다수인데 이런 사소한 일로 징징거려서야 될 말인가. 게다가 가난한 작가들에게 직접 지원되는 지원금은 점점 줄어드는 추세다. 이천부도 안 팔리는 시집과 천만 관객이 드는 영화가 있다고 할 때 과연 국가가 지원해야 할 대상은 어디인가? 지원이란 죽어가는 가치가 살아나도록 만드는 일이다. 멀쩡히 잘 살아 있는 것을 육성하는 것이 아니다. 그런데 이 나라의 문화정책은 멀쩡히 잘 살아 있고 날로 번창하는 것들에만 관심을 갖는다.

잘 만든 한 편의 영화가 자동차 수십만 대를 수출한 만큼의 외화를 벌어들인다고 한다. 그건 그렇다고 치자. 그런데 그렇게 벌어들인 돈이 어디로 가는가? 독립영화감독들이나 창의적인 시나리오 작가들, 극빈한 스탭들에게 가는가? 그래도 가긴 가겠지, 같은 영화판인데, 그 돈이 재투자되면 일자리도 생기는 거고, 뭐 이런 식이다. '하방침투효과'를 주장하는 자들의 전형적인 논리이다. 하방침투론에 따르면, 가난한 자들을 먹고 살게 만들려면 부자를 더 부유하게 만들어야 한단다. 부자가 부유해지면 그들의 이윤은 저절로, 자동적으로 가난한 자들 사이로 퍼져나간다는데, 여기서도 역시 애매한 대목은, '저절로, 자동적으로'라는 부분이다. 어떻게 저절로, 자동적으로 이윤이 하방에 침투된단 말인가? 자선으로? 새로운 고용과 착취로?

이런 논리의 악순환에 빠지면, 가난한 자들이 여전히 가난한 이유는 부자들이 아직 충분히 부유하지 못하기 때문이라는 결론에 이르게 된다. 부자들이 더 엄청나게 이윤을 축적해야 가난한 자들이 그나마 밥술이라도 뜨게 된다니, 참 재미난 논리다. 그런데 기막힌 건 이게 논리만이 아니라 엄연한 현실이라는 점이다. 국가는 대박 터질 콘텐츠를 개발하는 업체에 마구마구 돈을 퍼준다. 그래야 이천 부 시집이 팔린다고 믿는다. 아마도 언젠가는, 저절로, 자동적으로.

이제 우는 소리는 그만하고 싶다. 작가가 명예와 자부심을 밥 대신 먹고 살아야 하기 때문은 절대 아니고, 아주 오래전부터 제기되어 온 문제가 오랜 세월 동안 변화나 개선의 여지없이 방치되어 왔고 몇 년래 더 악화되었기 때문이다. 모든 선택에는 위험이 따른다지만, 작가를 직업으로 선택하는 순간 99퍼센트 확률로 극히 위태로운 인생이 기다리고 있다. 자본주의 사회에서 자본이 없는 작가는 언제나 허리 끊어진다. 국가는 천문학적인 규모의 원대한 기획에 아낌없이 세금을 퍼준다. 극소수 기획사와 문화산업체가 허리 띠 끊어지게 배부른 날이 와야 그 이윤이 언젠가는 저절로, 자동적으로, 허리 끊어지는 하방의 가난한 작가들에게 침투할 것이다.

내가 받은 지원금 중 일부는, 유흥주점에선 안 되지만 일반음식점에서 '소재취재를 위한 간담비'라는 명목으로 결제할 수 있단다. 연말에 지원금을 미처 다 못 쓰면(그런 일은 절대 없어야 되겠지만) 지원금 못 받은 작가들에게 김치찌개에 소주라도 쏴야겠다. 🈺

권여선

1996년 장편소설 『푸르른 틈새』로 등단. 소설집으로 『처녀치마』
『분홍 리본의 시절』『내 정원의 붉은 열매』 등이 있음.
puruntmm@hanmail.net

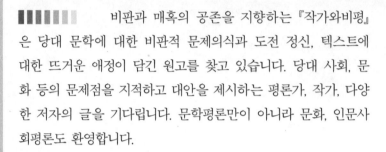

원고 모집 안내

▐▐▐▐▐▐▐▐ 비판과 매혹의 공존을 지향하는『작가와비평』은 당대 문학에 대한 비판적 문제의식과 도전 정신, 텍스트에 대한 뜨거운 애정이 담긴 원고를 찾고 있습니다. 당대 사회, 문화 등의 문제점을 지적하고 대안을 제시하는 평론가, 작가, 다양한 저자의 글을 기다립니다. 문학평론만이 아니라 문화, 인문사회평론도 환영합니다.

▐▐▐▐▐▐▐▐ 『작가와비평』은 기성 문인과 등단하지 않은 신인 모두의 글들을 환영합니다. 그리고 원고 채택에서 학연, 지연 등을 단호히 배격합니다. 오직 글로써만 여러분들의 글을 평가할 것입니다. 문단 신인들의 많은 호응을 부탁드립니다.

▐▐▐▐▐▐▐▐ 원고는 가급적 이메일로 보내주기 바랍니다. 수신 확인 이메일이 오지 않을 경우『작가와비평』독자 자유게시판에 문의하시기 바랍니다. 보내신 원고의 채택 여부는 한 달 내에 이메일 답장이나 공지사항에 간략히 올리도록 하겠습니다. 채택된 원고에 한해 소정의 원고료를 지급합니다.

모집분야	문학평론, 문화평론, 인문사회 평론(70~80매 정도)
	시, 소설, 르포, 시사만화
전자우편	wekorea@paran.com
우편주소	134-010 서울시 강동구 길동 349-6 정일빌딩 401호
유의사항	간단한 약력과 전화번호 필히 기재

소설가 손아람

自書 손아람

소설가.
저서로 『진실이 말소된 페이지』, 『소수의견』, 『너는 나다(공저)』가 있음.
aramgimson@naver.com

사람들은 무엇을 궁금해 할까. 누가 더 훌륭한 소설가인지를? 그들의 수상경력을? 최신작을? 평가를? 얼마나 팔았는지를? 그렇게 잘 쓰는 법을? 아니. 그건 '우리'의 호기심이다. 사람들은 '너희'로서의 소설가의 일에는 관심이 없다. 사람들의 질문은 지극히 이기적이고 그래서 건강하며 자연스럽다. 살펴보라. 그들은 줄곧 묻는다. '나'도 소설가가 되고 싶어요. 어떻게 해야 하나요?

나도 거기서 그들과 함께 물었다. 불과 몇 년 전이었다.

졸업이 코앞에 다가왔을 때 나는 본능적으로 느꼈다. 이제 도박의 여지가 거의 없을 것임을. 지나온 시간에 붙은 이자가 무시하기 어렵게 커지면서 삶을 셈하기가 어느새 적금통장 잔고를 읽는 방식과 비슷해졌다. 앞으로는 전부 걸어야 한다면 무엇도 걸지 못할 것이었다. 나의 고비였다. 우리의 고비였다. 나는 미련한 꿈을 살던 이들의 귀환을 다 지켜보았다. 취업을 준비하느라 분주해지면서 우리 사이에 침묵과 공포의 자리가 커져갔다. 겁이 더 많은 이들은 대학원이나 고시 쪽으로 시선을 돌렸다. 우리의 유일한 기회였다. 내 유일한 기회였다. 나는 결정을 내렸다. 아무 것도 하지 않기로. 입사 지원서를 한 장도 안 썼다. 그리고 토익을 준비하는 친구들 사이에서 소설을 쓰기 시작했다. 지옥같은 불안을 해소하려고 만들어낸 종교에 귀의했다.

신은 걸을 때 버릇처럼 수를 센다. 나는 그가 헤매는 바람에 놓친 육천번 근처의 숫자이다. 셈은 다시 할 수 있지만 나는 이미 증발했다.

127

첫 장편소설을 반쯤 썼을 때 한 친구가 말했다. 소설가가 되려면 등단시험을 봐야 하잖아. 그가 '등단'이 아닌 '등단시험'이라고 말한 것을 똑똑히 기억한다. 생각지도 못한 변수였다! 그건 어디서 보냐고 묻자 그는 잘 모르겠고 문화부에 물어보라고 대답했다. 정말 그럴 뻔 했다.

몇 년째 글을 쓴다. 두 권의 장편소설과 한 권의 교양서, 몇 편의 단편소설과 영화 시나리오를 썼다. 돌이켜보면 무모한 도박이었다. 다시 돌아간다면? 잘 모르겠다. 똑같은 짓을 반복하고 있지 않을까 싶지만 확신은 못하겠다. 소설가가 되려면 어떻게 하나요? 그 질문은 간신히 건넜다. 그러나 여전히 질문들이 남았다. 소설가로서의 정규교육을 받지는 못했지만(그리고 그런 게 과연 가능한지 의문이지만), 소설을 어떻게 써야하는지가 궁금해본 적은 단 한번도 없다. 그런 문제는 학기말 고사와 같아서 종이의 역사 속에 답이 다 있다. 내 인물들에게는 어떻게든 답을 다 찾아주었다. 하지만 그건 삶이 아니다. 삶은 그런 식으로 정의되지 않는다. 풀리지 않는 것은 내 문제들이다. 종이 위에서 해결을 볼 수 없는 것들. 내 사소한 문제들은 세계를 뒤흔드는 이야기보다 난해하며 궁극적이다. 대개 질문은 자정을 한참 넘어 찾아온다. 피하기 어려운 때에. 구깃구깃 접어 폐기한 원고, 산더미처럼 쌓인 책, 라면국물이 눌어붙은 냄비, 사그라드는 달빛과 새벽의 여명, 하루를 시작하는 거리의 의기소침한 소음, 아침과 역할을 교대하는 가로등. 전부 질문이다. 내 앞의 선배들이 다 거쳐갔을 과정이다. 하지만 그들은 치부 앞에 묵묵했고 시중의 소설론은 내게 가르쳐준 적이 없었다. 하루의 끝 아침에 만나는 그 간단한 물음들에 말이다.

평생 이렇게 살게 되나요? 외로움은 어떻게 넘기죠? 혼자 먹는 밥에 익숙해져야 될까요? 한 글자도 나아갈 수 없을 때는 어떻게 하죠? 이게 삶인가요? 정말 평생 할 수 있을까요? ……옳은 결정이었을까요?

이런 질문이 꼭 소설가의 소설에 속하진 않지만 그 역은 확실히 참이다. 소설은 소설가의 삶의 질문에 속한다. 나머지는 거짓말이다. 소설에 대한 거짓말이 활개치는 이유는 허구와 거짓말이 오인되기 때문이다.

그들보단 차라리 내가 낫다고 생각했다. 그래서 소설가가 됐다. 어쩌면 그 오만이 유일한 이유였다. 그런데 노트 위의 미학적 공간을 탐색하며 하룻밤을 지새는 것과 업으로써 삶을 세상으로부터 격리하는 것은 본질적으로 달랐다. 세상을 더 쓸수록 세상은 더 희미해졌다. 나는 거기 어디쯤 있는가. 나는 겨우 이 짓을 하려고 태어났는가. 살아서 소설가였고 죽어서 소설가로 남은 사람들에 대한 존경심과 의구심이 생겼다. 다시, 또 자주 묻게 됐다. 소설가는 왜 소설가가 되는가.

그러자 단지 잘 쓰인 소설은 시시해졌다. 독자로서는 여전하고 완전한 문제이지만 적어도 소설가로서는 아니었다. 그건 몇 걸음 떨어진 안전한 자리에서 문자열의 배치를 논할 여유가 있는 사람들의 일이다. 그런데 재능과 자질은 아버지가 세상에 자식을 내보낼 때나 다루어 짚어주는 주제다. 그리고 아버지의 입을 빌려도 그런 말은 월권이다.

나도 언젠가 도달하게 될 것을 걱정한다. 받은 패가 바닥나고 가진 힘이 부치는 순간을. 나는 상상한다. 아찔하게 쏟아지는 세계의 적의와 시야가 미치는 사방에 펼쳐진 보잘것없는 지형을. 그 중심에 선 내 모습을. 탐험가로서의 멸망을. 우리의 일부는 애초 가망이 없고 우리의 대부분은 결국 실패할 것이다. 거기 어딘가에서 다음 세대의 몫이 남을 거라는 사실이 오로지 희망이다. 확실히 말할 수 있는 건 그게 결코 문학의 순혈을 고집하는 냉소주의자들의 몫은 아니라는 거다. 냉소주의자들? 결국 자기 손자들에게조차 이름이 잊혀질 운명이다.

소설은 무모하게 저돌적이고, 믿을 수 없도록 순진하고, 가망이 보이지 않게 고집스러운 한 인간이 삶 전체로 세상을 들이받아 만들어낸 결과다. 이 짓을 저지르는 사람은 친구나 가족으로는 적당하지 않을 터다. 하지만, 누군가 가끔 "내가 존경하는 소설가는……"이라고 말할 때 마치 시대를 풍미한 위인처럼 거론되는 그 작자는 딱 그런 종류의 사람이다. 경험상 그런 사람일 수 밖에 없다고 본다.

자기 그릇을 가늠할 줄 아는 사람이 소설가가 될 수 있을까? 재능의 크기와 기대되는 산출을 예측하고 계량하는 타성 속에서? 그런 사람들이라면 문학을 선택할 이유가 없다. 가시적이고 확고하며 불확실성이 적은 보상이 널린 세상이다. 하다 못해 아르바이트가 수만 자리다. 나는 우리 시대의 가장 뛰어난 미학적 자질을 가지고 태어난 사람들 대부분이 문학 대신 엉뚱한 길 위에서 방황하고 있으리라 짐작한다. 굳은 신념의 쓰레기와 겁 많은 재능은 어떤 갈림길에서 헤어진다. 그 광경을 여러 차례 목격했다. 미학은 그때 이미 권력의 정통성을 잃었다.

나는 내게 영향을 끼친 지난 시대의 예술가들을 닮고 싶다. 주변에 폐를 끼치고 미치거나 모자라다는 평가를 들은 사람들 말이다. 그들은 같은 시대의 조신하고 사려깊은 사람들보다 훨씬 큰 영감과 자극을 남겼다. 한때는 내가 그들의 세상이었고 내가 그들을 살렸다. 그래서 안다. 세상이 한 푼 값어치의 물리적 생산도 하지 못하는 예술가들을 여전히 살려둔 데는 '괜찮은 것' 이상을 바라는 기대가 남았기 때문이란 걸.

세상의 훌륭한 모든 것에는 목소리가 있다고 믿는다. 기억되는 것은 오직 그 울림이다. 나는 나를 흔들어 깨웠던 계시적인 울림의 순간들을 기억한다. 문장이니 이야기니 하는 것들은 벌써 다 까먹었다. 그런 것들을 잊어버린 이유는 사소한 정보의 편린들을 서둘러 걷어내고 더 중요하고 더 가치있는 것들만을 간직하도록 인간이 설계된 까닭이다. 그래서 인간은 나이 스물에 전성기를 맞지만 죽을 때까지 성장한다.

미학의 신도들이 벌여 온 성전을 통해 어떤 전리품을 얻었는지는 관심이 없다. 나는 그보다 훨씬 큰 것이 욕심 난다. 나는 잘 된 소설 이상을 쓰고 싶다. 나는 누군가 내게 해놓은 것과 같은 일을 하고 싶다. 나는 인간에 영향력을 행사하고 싶다. 내가 속하고 거쳤던 세계의 일부분을 바꾸고 싶다. 겨우 소설 따위로 말이다. 그건 숙명이다. 그렇게 믿지 않고 견딜 수 있을까? 🔳

인터뷰 작가에겐 착각을 누릴
권리가 없다

만난 때: 2011년 4월 2일

만난 곳: 중앙대 근처의 한 카페

만난 사람: 손아람(소설가, aramgimson@naver.com)

이선우(문학평론가, 본지 편집동인, damdam328@naver.com)

그리고 중앙대학교 디지털문예창작학과 4학년 동경, 경민, 수정, 수영, 강

녹취 정리: 동경, 수정, 강

글쓴이: 이선우

손아람의 『소수의견』은 이렇게 끝난다.

봄이 온다.
태양이 창궐하고 계절이 마땅한 권리를 나눈다.
새들은 날의 오름을 노래하고 바람은 보아야 할 시절을 이르되, 지구의
땅과 물 위 사람들을 제하고는 결코 法의 이름을 빌리지는 아니하리라.

봄, 태양은 창궐하고 계절은 마땅한 권리를 나누며 새들은 날의 오
름을 노래하고 바람은 보아야 할 시절을 이르는. 그러나 법의 이름을
빌리는 데 익숙해져 버린 인간에게 그 봄은 과연 오는 것일까. 도시의
인간, 내게 봄은 어쩌면 헛것이다. 언제부터인가 나는 내내 겨울만을
살고 있는 것 같다. 그러다 지금은 갑자기 여름.
인터뷰를 진행한 것은 4월의 초입이었다. 봄이라는데 여전히 봄 같

지 않은 날씨여서 겨울 코트를 그대로 입고 집을 나섰다. 겨울에는 멀쩡하던 몸이 3월 들어 내내 감기에 시달리느라 마음을 배반했고, 4월이 되자 마음까지 몸을 따라 감기를 앓았다. 차가운 봄바람은 때로 매서운 겨울바람보다 견디기 어려운 법이다. 인터뷰를 진행할 수 없을 것 같아 약속을 취소할까 몇 번이나 전화기를 들었다 끝내 집을 나선 것은, 의지가 몸을 이긴 때문인지 몸이 마음을 굽힌 때문인지 모르겠다.

인터뷰를 진행하기로 했던 카페 지하는 공사 중이었다. 급히 다른 곳을 물색해 장소를 옮겼다. 그 간단한 일에도 나는 쉽게 지쳤다. 약속을 취소하지 않은 것을 후회했다. 그러나 다른 변수는 없었다. 손아람 소설가는 약속 시간에 꼭 맞춰 왔다. 그는 아주 크고 건장한 체격이었는데, 4월에 겨울장갑을 끼고 들어왔다. 학생들은 봄인데 우리는 아직 겨울이라는 생각이 들었다(이날 인터뷰에는 함께 프로젝트 수업을 진행하고 있는 중앙대 디지털문예창작학과 학생들이 참관하러 와주었다). 하지만 그에게는 계절과 무관한 활력이 느껴졌다. 스스로를 믿고 있는 사람들만이 뿜어내는, 은근하면서도 확실한 생동감. 그 때문이었을까, 걱정했던 것과 달리 나는 이야기를 나누는 동안 오히려 조금씩 기운이 생겼다.

손아람의 『소수의견』을 처음 읽은 것은 봄을 기다리던 작년 겨울. 편집동인 한 분이 작년 여름께 추천을 해주었고, 최강민 평론가는 지난 호에 이 작품과 관련한 비평(「철거민의 절규와 계급전쟁, 그리고 문학적 대응」, 『작가와비평』, 2010년 하반기)을 싣기도 했는데, 게으름을 피우고 있다가 책이 출판된 지 무려 반 년이나 지나서 읽게 된 것이다. 굳이 이런 사실을 여기 밝히는 이유는 미리 읽지 못한 것이 후회되어서이다. 내가 이 책을 늦게라도 읽어야겠다고 마음먹은 것은 용산참사와 관련된 법정소설이라는 사전정보 때문이었지만, 그 사전정보가 제공하는 일련의 연상들은 이 책을 쉽게 집어 들지 못하게 가로막기도 했다. 그것은 이 책에 대한 가장 핵심적인 정보이면서 이 책에 대한 가장 성급한 오해이기도 했던 것이다. 용산참사를 소재로 했을 때부터 그것은 아마 예상된 것일 것이다. 나는 에두르지 않고 우선이 질문부터 던지기로 했다.

용산참사와 법

이선우 작가에게는 매우 무례한 질문이겠고, 어쩌면 하나마나한 질문일지도 모르겠지만 어쩔 수 없이 제일 먼저 묻고 싶었던 것은, 왜이 소설을 썼는가 하는 것입니다. 법은 매우 무거운 주제고 용산참사는 너무 이슈화됐던 소재라서, 우리 사회의 가장 핵심을 건드리고 있는 문제임에도 불구하고 작가가 함부로 다루기 어려운 주제

❝ 제가 굳이 '철거민에 대한 이야기가 아니다'라는 발언을 했던 이유는, 법에 대해 써보고 싶다는 생각에서 이 소설을 시작했던 것이지, 용산참사 같은 특정한 사건에 출발점을 두고 시작한 이야기는 아니었기 때문입니다. 방점을 '법'에 찍고 싶었어요. ❞

와 소재라는 생각이 들어요. 더구나 이 소설은 일종의 법정소설입니다. 법정소설에는 많은 장점이 있지만, 법정소설 자체가 가지고 있는 한계 또한 분명합니다. 그걸 모르진 않으셨을 텐데, 철거민 문제를 법정소설 형식으로 쓴 이유는 무엇일까 궁금했어요. 다른 인터뷰를 보니까, "이것은 철거민에 대한 이야기가 아니라 '법'에 관한 이야기다"라는 말씀도 하셨던데요.

손아람 '법정'소설이라기보다는 '법'에 대해 다루고 싶었어요. 법정에 대한 이야기는 많잖아요. 변호사에 대한 이야기는 더 많죠. 그런데 정작 법을 다룬 이야기는, 내 기억에는 없어요. 항상 변호사의 삶이나 법정이 나오긴 하지만, 정작 그것들이 목적을 삼고 있는 법에 대한 이야기를 다룬 소설이나 영화 등을 한 번도 본 적이 없었거든요. 아마 (법을 다룬 이야기는) 너무 딱딱하거나 전문적이라 재미가 없다고 생각하기 때문인 것 같아요. 하지만 나는 충분히 써볼 만하다고 생각했습니다. 제가 굳이 '철거민에 대한 이야기가 아니다'라는 발언을 했던 이유는, 법에 대해 써보고 싶다는 생각에서 이 소설을 시작했던 것이지, 용산참사 같은 특정한 사건에 출발점을 두고 시작한 이야기는 아니었기 때문입니다. 방점을 '법'에 찍고 싶었어요.

사실, 처음엔 철거 이야기로 소설을 시작하지도 않았어요. 처음에는 SOFA 문제를 가지고 시작했었거든요. 그런데 소설을 써내려가고 있는 중에, 제 이야기와 굉장히 비슷한 내용의 영화가 개봉을 하게 됐어요. 〈이태원 살인사건〉이라고. 그래서 많이 고민을 하다가…… 갈아탔죠. (웃음) 일단 제가 소설을 시작하기 전부터 생각했던 것은, 국가와 개인 사이의 문제에서, 법에 대한 이야기를 쓰고 싶다는 것입니다. 그런 욕심을 가지고 출발했어요.

이선우 하지만 용산참사도 실제로 있었던 사건이기 때문에 이 사건의 맥락으로부터 자유로울 수는 없었을 텐데요. 그 때문에 소설이 매우 부각되기도 했고 동시에 오해되기도 합니다. 게다가 객관성 문제도 제기될 수 있었을 텐데, 이 작품을 쓰면서 어렵거나 난감했던 점은 없었나요?

손아람 말했듯이 처음 시작 때는 용산 사건으로 시작한 게 아니었어요. 원래 미군 범죄 문제에 관심 있었거든요. 하지만 너무 첨예한, 당장의 사안을 가지고 쓰고 싶지는 않았어요. 〈이태원 살인사건〉 때문에 내 소설이 시의성 있는 소설이지만 시류를 타는 소설로 보일 수 있는 위험이 컸어요. 이게 과연 옳은 선택인가 고민했죠. 영화가 나왔는데 바로 비슷한 시기에 책이 또 출판되면 시류성 소설로 전락할 것 같았어요. 그게 가장 컸죠. 시의성과 시류성 사이에서 사람들에게 오해의 소지를 일으키지 않으려 노력했어요.

이선우 결과적으로 그 선택이 옳았던 것 같은가요?

손아람 괜찮았던 것 같아요. 출발 자체가 그래서 고민이나 (소설이 다룬) 범위가 넓었던 것 같아요. 오히려 용산에 이야기가 머물렀다면 오해가 더 컸을 것 같고 나 스스로도 만족이 안 됐을 것 같아요. 용산에만 머물렀다면, 그것은 용산 참사가 터져줬기 때문에 나온 소설이 되는 거니까.

이선우 국가와 법에 대해 다시 또 써볼 생각도 있나요?

손아람 있어요. 전두환 불기소 문제는 꼭 한번 써보고 싶어요. 처음에는 사적인 일로 시작된 사건이 걷잡을 수 없이 커지면서 전 대통령의 사형을 선고받는 상황까지 갑니다. 이건 법이 아닌 여론이 저지른 사건이죠. 그런데 너무 논픽션이라 고민 중입니다.

이선우 일상보다는 역사와 사회 쪽에 관심사가 많은 것 같아요.

손아람 오히려 개인사 중에는 관심사가 없어요.

이선우 그런데 왜 법에 대해 이야기하는 소설을 쓰고 싶으셨나요? 개인적으로 저는 첫 번째 장편 『진실이 말소된 페이지』에서부터 그런 관심이 엿보이던데요. 그 소설, 정말 재미있게 읽었어요. 최근에 소설을 읽으며 그렇게 깔깔 웃어본 적이 없을 거예요. 유머감각이 남다르다는 생각이 들더군요. 그런데 끝이 다소 급작스러웠어요. 뭐랄까, 멋진 한 편의 소설을 쓰려고 했다기보다는 실제 있었던 이야기를 사실 그대로 쓰고 싶었구나 하는 생각이 들 정도로 소설의 구성을 고려하지 않고 갑작스레 끝을 내버렸다는 느낌이 들었어요. 지금 생각하면 그게 작가가 의도한 소설의 결말일 수도 있겠는데, 저는 끝이 다소 허무하고 아쉽다는 생각이 들었어요. 소설 뒤에 「『진실이 말소된 페이지』에 대하여」라는 부록이 붙어있는 것도 그 때문이 아니었을까 싶었고요. 그런데 그 부록에 보면, 작가가 실제로 몇 년간 법정 싸움을 치렀다는 이야기가 있잖아요. 그게 흥미로웠는데, 두 번째 소설이 법정소설이 된 것은 손아람 작가의 개인적인 흐름에서는 자연스럽고 어느 정도 필연적인 결과라는 생각이 들더군요. 그 과정에서 분명 법에 관한 관심이 생겼을 거란 생각도 들고. 물론 이건 내 추측이니 다시 질문을 하죠. 왜 굳이 법에 대해 이야기하는 소설을 쓰고 싶으셨나요?

손아람 제도에 대한 도전심 같은 게 좀 있는 것 같아요. 나를 구속하는 여러 가지 체제에 대해서 많은 생각을 해왔고, 그 부분이 가장 잘 쓸 수 있는 군이라고 생각했어요.

이선우 전에 법을 따로 공부한 적은 있나요?

손아람 아니오. 그렇지는 않고요.

이선우 사실 제가 이 소설을 읽으며 가장 인상 깊었던 것도 이 소설이 소재에 함몰되지 않고 '국가'와 '법' 자체에 대한 질문을 하고 있다는 것이었습니다. 음, 말에 좀 어폐가 있을 수도 있겠군요. 사실 그 문제는 용산참사가 우리 사회에 던진 가장 중요한 질문 가운데 하나죠. 그런 측면에서 어쩌면 이 소설은 용산참사를 가장 잘 소설화한 작품일는지도 모르겠습니다. 여섯 분의 죽음이 있었고, 거기엔 철거를 둘러싼 우리 사회의 온갖 모순들이 중층적으로 얽혀 있어서 '법'에 대한 근본적인 문제제기가 크게 부각되지는 못했습니다만, 이후 전개된 법정 공방은, 그 과정과 결과 모두 국가와 법에 대해 질문하지 않을 수 없도록 만들지요.

그런데『소수의견』을 통해 법에 대해 질문하고 싶다고 하셨는데, 물론 소설의 구성이나 각 장 서두에 인용한 문구들에서 그런 의도가 잘 드러나고 있긴 합니다만, 마지막에 가면 직접적으로 '법이 졌다'고 언급되는 부분도 있고요. 그런데 법정 싸움이 너무 흥미진진하게 진행되다 보니 애초에 목적하셨다는 법에 대한 질문은 살짝 약해진 것 같은 느낌도 듭니다. 화자가 변호사라는 점도 이 소설을 흔한 '법정소설'으로서 오인할 여지를 줄 수 있고요. 결국에는 법 안에서의 싸움을 선택한 것처럼 보이니까요.

손아람 법정소설은 분명 법정소설이죠. 그러나 '법정'이 목적은 아닌 거죠. 대부분의, 법정이 목적인 소설에서는 법정을 눈요깃거리로 보여주는 게 강하고, 그 과정에서 다뤄지는 법의 문제들이 실종되어 있는 경우가 많이 있잖아요. 법정을 게임처럼 다루는 그런 작품들은 대개 '법정 스릴러'라고 표현하는데, 저는 그 이상을 하고 싶었고, 그래서 '법정소설'이라고 한마디로 규정되는 것에 대해 조금 거부감이 있었어요.

용산참사, 철거민이라는 그 틀 안에서만 이 소설을 보는 분들이 꽤 많습니다. 심지어는 소설임에도 불구하고 논픽션처럼 받아들이는 분도 있고요. 마치 이 이야기가 용산참사에 대한 사회적인 응어리를 긁기 위해서 만들어졌고, 용산참사가 없었으면 아무런 가치가 없었을 것처럼 대하는 느낌을 받을 때가 있었어요. 하지만 내 관심은 좀 더 보편적인 부분이었지, (이 작품을) 특정한 사건에 대한 취재의 기록으로는 생각하지 않습니다.

이선우 용산참사라는 사건 자체가 사회적으로 매우 중요한 문제였기 때문에 그건 어쩔 수 없는 지점이 있다는 생각이 드는데요. 사실 그래서 더 묻고 싶었던 것인데, 이 소설이 용산참사를 다뤘기 때문에 화제가 된 측면이 분명히 있고, 그 문제에 관심을 가졌던 사람들이 보다 적극적인 독자가 된 것도 분명할 겁니다. 이 소설을 바탕으로 용산참사에 대한 모의재판을 계획하는 대학생들도 있다고 들었어요. 말하자면 이 소설이 단순히 용산참사에 대한 취재고 기록인 것은 아니지만, 용산참사가 단순히 이 소설의 소재이기만 한 것은 아니라는 생각이 드는데요. 작가로서는 자신의 작품이 그런 취급을 받는다는 것이 부당하다는 생각이 들 것이고, 저 역시 강하게 이 작품을 변호하고 싶은 사람입니다만, 용산참사와 그 이후의 법정 공방을 이 소설의 가장 중요한 서사축으로 삼은 것은 사실이지요.

우리는 아직 철거민을 '난장이'로만 그려야 하는가

이선우 그래서 제기되는 아주 전형적인 비판 중 하나가, 용산참사를 다루면서도 철거 현장과 철거민들의 구체적 삶이 잘 드러나지 않았다는 것이더군요.

그러나 저는 정반대로, 법 내부의 시선으로 이야기를 바라보고 싶었어요. 전형적으로 '밑에서부터 바라보는' 방식이 한국문학에서 이미 굉장히 많이 다뤄졌던 방식인데, 오히려 그런 방식이 더 위험할 수 있고 우리 시대에

손아람 네. 그런 비판이 있었어요. 그러나 저는 정반대로, 법 내부의 시선으로 이야기를 바라보고 싶었어요. 전형적으로『난장이가 쏘아올린 작은 공』(이후『난쏘공』)의 '밑에서부터 바라보는' 방식이 한국문학에서 이미 굉장히 많이 다뤄졌던 방식인데, 오히려 그런 방식이 더 위험할 수 있고 우리 시대에 잘 맞지 않는 것 같아요. 예를 들어『난쏘공』 같은 경우에는 굉장히 동정하는 방식으로 대상을 봐요. 저는 그런 게 오히려 (철거민을) 타자화하는 느낌이 들거든요. 난쟁이로 설정한 것부터가 이미 한쪽은 뭔가가 결여된 사람으로 처리를 했다는 것이고, 다른 한쪽은 무작정 나쁘고 침해하는 존재로 나타나는 거죠. 대부분의 소설가의 경우에는, 이 소재로 이야기를 썼다면 박재호를 주인공으로 두고 그 사람의 시선으로 이야기를 썼겠죠. 제가 그런 종류의 가치관을 가지고 있지 않은, 중립적인 변호사를 주인공으로 선택한 이유는, 법을 도구로 삼고 직업적인 수단으로 사용하는 사람의, 내부고발적인 느낌으로 쓰고 싶었기 때문이에요. 그 지점이, 철거민의 이야기가 아니라 법에 대한 이야기를 하고 싶었다는 제 의도와 맞닿아 있는 겁니다.

대부분의 사람들이 이것을 철거민에 대한 이야기로 보고 있기 때문에, 철거민 이야기에 왜 철거민이 아니라 변호사가 나오느냐는 이야기도 많이 하지만, 나는 이 소설이 법에 대한 이야기라고 생각하고 있어요. 박재호라는 인물이 철거민인데 왜 지식인스러운 말투를 사용하느냐는 이야기도 있었어요. 나는 그런 질문부터가 이미 편견을 가진 시선이라고 생각합니다.

이선우 저도 소설의 주인공으로는 윤 변호사라는 인물이 탁월한

잘 맞지 않는 것 같아요. 예를 들어『난쏘공』같은 경우에는 굉장히 동정하는 방식으로 대상을 봐요. 저는 그런 게 오히려 (철거민을) 타자화하는 느낌이 들거든요. **"**

선택이라고 생각해요. 박재호를 중심으로 소설이 전개되면 나올 수 있는 구도가 사실 매우 한정되어 있죠. 연작소설인 만큼『난쏘공』에는 계층이 다른 여러 주인공들의 다양한 시선이 나타나고 있지만, 어느 정도는 다소 도식적인 선악구도 안에 들어가 있는 것도 사실입니다. 개인적으로 저는『난쏘공』이 지금 읽어도 매우 문제적인 소설이라고 생각하지만, 70년대의『난쏘공』이 2010년에 그대로 반복되어서는 곤란하겠죠. 그런 의미에서도『소수의견』은 매우 소중한 작품입니다. 윤 변호사가 정의롭기만 한 인간이 아니라는 것이 그래서 매우 중요한 설정이고요. 소설이 박재호 사건이 아니라 조구환 사건으로 시작한 것은 그런 의미에서 탁월한 구성입니다.

우리나라에는 본격적인 법정소설 자체가 드물고, 말씀하셨던 것처럼 '법정스릴러'와는 달리 법 자체를 질문하는 법정소설은 더욱 드뭅니다. 그런데 윤 변호사는 이런 질문을 관념이 아니라 자신의 실존적인 물음으로 껴안고 있는 인물입니다. 그리고 중층적으로 경계에 서 있는 인물이고요. 주변적인 삶을 살다가 중심으로 진입하지만 결코 중심이 될 수 없는 인물이고, 그러한 자신의 위치를 정확히 파악할 줄 아는 이성적이면서도 시니컬한 인물이죠. 그런가 하면 매우 감성적이고 낭만적인 충동을 내면에 품고 있어요. 변호사이긴 하지만 소위 잘나가는 변호사들과는 다른 삶의 내력과 자기 드라마를 가지고 있는데다, 그렇게 소수화된 인물이라 지금 자기가 서 있는 곳과의 거리두기가 가능해지는 것 같은데요.『진실이 말소된 페이지』의 주인공 '손아람'도 실제 작가와는 달리 그런 식으로 그려놓으셨죠. 의식적으로 주인공을 그렇게 설정하는 전략들

143

이 있는 것 같은데요?

손아람 네. 제가 굉장히 좋아하는 인물형인 것 같아요. 일단 피해의식이 있고, 경쟁이나 체제에서 조금 밀려나 있는데, 스스로는 속된 욕심이 있어서 괴로워하는 그런 종류의 인물들이 좋은 것 같아요. 개인적으로. (웃음)

이선우 왜일까요? (실은 저도 그런 인물이 좋아요.)

손아람 그게 저라고 말할 수도 있겠죠. 그런데 그렇다기보다는, 모르겠어요. 다른 사람들 이야기를 볼 때도 저는, 고결한 상처가 아니라 세상에 구르고 엎어지며 난 상처들이 항상 매력적으로 느껴지더라고요. 사실 또 이런 것도 있어요. 첫 번째 소설과 두 번째 소설에서 이야기의 대칭 같은 것을 맞춰보고 싶었어요. 첫 번째 소설에서 너무나 나쁜 평가를 많이 받았거든요.

이선우 어떻게 평가하던가요?

손아람 아예 소설로 쳐주지 않는 종류의 평가였어요. 그래서 슬그머니 세계관만 바꿔놓고, 이야기와 인물들의 대칭을 맞춰서 대조군 실험을 해보고자 했던 약간의 장난끼도 있었어요. 그래서 두 작품의 인물이라든가, 비슷한 점이 있을 거예요.

이선우 그랬군요. 나도 읽으면서, 주인공뿐 아니라 주인공 주변의 인물 배치까지 두 작품이 상당히 유사하다는 생각을 했는데. 미리 보내주신 「자서」를 보니 대학을 졸업할 무렵에 다른 길을 가지 않고 일부러 소설 쓰는 길을 선택했다는 이야기가 있더라고요. 그런데 사실 나도, 『진실이 말소된 페이지』를 읽었을 때만 해도, 이 작가가 소설가가 될 마음으로 이 소설을 썼구나, 그렇게 생각하지는 않았거든요. (웃음) 그래서 깜짝 놀랐어요. 역시 장편은 그냥 한 번 써본다는 마음으로 쓰는 건 아니구나! 그런데 왜 소설가가 되려고 했나요?

이 작가를 주목한다

손아람 당시로서는 제가 경험이 폭이 크지 않았고, 저는 작가가 되고 싶은 꿈을 어릴 적부터 가지고 큰 사람이 아니었기에 그렇게 느낄 수 있었을 겁니다. 「자서」에도 썼지만 사실 소설가가 되려면 뭘 해야 하는지, 시험이 있는 건지, 뭘 어떻게 해야 하는지 전혀 몰랐어요. 방법을 몰랐기 때문에 글을 쓴다고 하더라도 출판이 돼서 소설로 나올 수 있다는 확신이 없었죠. 하지만 고등학교 때부터 음악을 시작해서 계속 그런 쪽에서 일을 해왔고, 삶에서 창조적인 일을 하고 싶다는 욕심이 굉장히 컸어요. 졸업을 해서 대충 취직을 하거나 일단 한 번 다른 길로 들어서면 도저히 유턴을 할 가망이 없을 것 같아서 뭔가는 해봐야겠다는 생각에 고민하다가 시작하게 됐던 거죠. 사실 이게 안 되면 다른 길을 찾아야지 하는 생각으로 시작했긴 했죠. 마지막 도전이라는 각오로 써봤는데, 운이 따랐다고 생각합니다. 장편소설인데 일반적인 등단과정을 거치지 않고 출판이 됐고, 영화판권이 팔리면서 계속 소설가로서의 전망을 바라볼 수 있는 여지가 생긴 데는 분명 운이 따랐던 것 같아요.

사실 나는 손아람 소설가가 어떻게 생계를 유지하는지 매우 궁금했었다. 글쓰기로 밥벌이가 되는지, 혹 다른 직업이 있는지, 아르바이트라도 하는지, 아니면 부모님께 손을 벌리는지…… 졸업을 앞둔 작가지망생들과 함께 한 자리여서 더욱 그랬을 것이다. 그런데 등단도 하지 않고, 화려한 수상도 없이 처음으로 출판한 장편소설 『진실이 말소된 페이지』도 만 부가량 팔렸다고 하고, 작년에 출간된 『소수의 견』도 이미 3쇄를 넘어섰다. 더구나 두 작품 다 영화 판권이 팔린 상태. 시나리오 작업도 손아람 소설가가 직접 했다고 한다. 영화판에서 시나리오 작가의 위상은 천차만별인데, 손아람 씨는 원작자이므로 무명 시나리오 작가의 설움은 겪지 않은 듯했다. 부모로부터도 독립했

145

다. 정기적인 수입은 없지만, 글쓰기만으로 밥벌이가 가능한 작가가 된 것이다. 다행이라고 해야 하나, 놀랍다고 해야 하나. 문학판에서 이 건 정말 드문 일이다. 작가의 말처럼 운이 좋았기 때문일까? 서울대학교 출신에 멘사 회원이라는 후광 효과, 쟁쟁한 힙합가수들의 실명이 그대로 등장하는 첫 장편과 용산 참사를 다룬 두 번째 장편. 따지고 들자면 혐의가 전혀 없는 건 아니다. 그러나 독자의 관심을 자극하는 소재만으로는 작품성도 대중성도 획득할 수 없다. 그에게는 서사를 구성하는 힘이 있고, 그 서사에는 이 세계에 대한 분명한 문제의식이 있으며, 무엇보다 그는 그것을 짧고 명쾌한 문장으로 표현할 줄 아는 작가다(물론 모든 문장이 그런 것은 아니다). 미문은 아니지만 그래서 더 아름답다. ……음, 그렇다고 작가 면전에 대고 이런 칭찬을 계속 늘어놓을 수는 없는 일. 잘되고 있다니 배도 좀 아프고(물론 농담이 아니다), 날카로운 비판을 좀 해보려 했는데 그다지 잘 되지는 않은 듯하다. 그 틈을 타, 영화 판권이 팔렸다는 말에 '디지털' 문예창작을 전공하는 학생들이 질문을 던졌다.

강 소설을 영화화하는 어려움이나, 글쓰기의 차이가 있었나요?
손아람 있었죠. 장점은 원작이 있으면 이야기에 대한 고민이 쉽다는 거고, 단점은 원작에서 무엇인가를 훼손해야 한다는 것인데 이번 소설의 경우는 굉장히 언어적인 소설이라 영화로 포기해야 하는 부분이 컸어요. 대사만 다 담아 낸다고 하면 그건 영화가 아닌 드라마가 되는 길이라 축약을 해야 했는데, 저의 경우는 소설을 쓸 때부터 영화와 크게 차이를 두고 쓰진 않아요. 대상을 명료하게 직접 건드리는 것을 좋아하거든요. 그래서 다른 소설들보다는 (시나리오 작업이) 좀 더 편했던 것 같아요.
강 긴 대사는 어떻게 처리하셨어요?

손아람 영화 경험이 없어서 아직은 확신이 없어요. 배우의 가능성을 염두에 두고 최대한 소설에 가깝게 쓰려고 하는 편입니다.

이선우 등장하는 인물들에 실제 모델이 있나요?

손아람 역할로서의 모델은 많은데 실제 캐릭터로서의 모델이 있는 건 아니에요. 한국영화와 소설의 차이가 인물을 다루는 방식인 것 같아요. 한국영화는 인물이 너무 강하고 소설에서는 인물이 너무 부각이 안 돼요. 저는 다른 소설가보다는 인물을 중요하게 생각합니다. 영화보다는 현실적으로, 적절하게 설득력 있되, 적절하게 일상적이지 않은 인상을 주고 싶어요.

이선우 소설을 원작으로 하면, 원작보다 영화가 잘 나오기가 힘든 것 같아요. 시간의 제약도 문제겠지만, 영화는 훨씬 더 대중적인 장르다 보니 그런 것 같아요.

손아람 특히 내 소설 자체가 말이 많아서, 이미지보다 언어에 많이 치중한 소설일수록 영화화됐을 때 잃는 게 많다고 해요.

이선우 다시 아까 하던 이야기로 돌아갈게요. 기분 나쁘게 들렸을 수도 있겠지만, 제가 『진실이 말소된 페이지』가 '소설가가 되기 위해 쓴 것은 아니겠다'고 생각했던 이유는, 작품이 별로라서 그랬다는 것이 아니라 어깨에 힘을 주고 쓴 것 같지는 않아서였어요. 뭐랄까, '내 혼신의 힘을 다해 이 소설 한 편에 내 인생을 걸어보겠다'는 엄청난 각오로 쓴 작품이 아니라, 정말 재미있게 즐기면서 썼다는 느낌을 받았어요. 사실 그렇게 쓰는 게 훨씬 더 힘들 수 있는데. 그래서 저도 어깨에 힘 안 주고 읽었고 그래서인지 읽는 동안 아주 재미있었어요. 힙합 음악에 대한 지식이 전무한 상태였는데도 흥미를 가지게 됐고요. 하지만 제 취향상 기억에 아주 오래 남는 작품은 아니었어요. 그런데 『소수의견』을 읽으면서는 조금 다른 느낌을 받게 되더군요.

손아람 사실 소설가로서의 제 첫 작품은 『소수의견』이죠. 『진실이 말소된 페이지』는, 말씀하셨듯이 유희적인 부분이 굉장히 컸고, 뭔가는 해야겠는데 그게 정말 뭘까, 그런 고민들로 소설로 포맷을 정하긴 했지만…… 이 소설의 '손아람'은 현실의 저도 아니지만, 처음부터 (주인공 이름을) 손아람으로 시작한 것은 아니거든요. 음악을 하면서 사실 너무너무 재미있는 일이 많았고, 남들은 보지 못하고 알지 못하는 그런 뒷이야기를 쓰고 싶어서 쓰기 시작했는데, 그러다 보니 거의 제가 겪은 경험과 크게 다르지 않은 거예요. 제가 '진실이 말소된 페이지'라는 음악팀에 있었는데 그 이야기를 그대로 쓰고 있는 거예요. 그런데 인물들 이름만 조금씩 바꾸는 게 무슨 의미가 있겠나 싶어서.

그런데 주인공을 손아람이라고 한 것, 그게 옳은 선택이었는지는 아직도 모르겠어요. 왜 거기다 내 이름을 써서 수많은 오해의 소지를 만들었는지…… 그랬기 때문에 『진실이 말소된 페이지』가 소설로서 받아들여지지 않은 부분도 굉장히 컸던 것 같거든요. 대부분 제 회고록처럼 여기시고. 그런데 사실 회고록도 아니에요. 대부분 사실이 아닌 부분이 훨씬 많고.

이선우 그러게요. 자기가 젊은 한때 열정을 바쳤던 것들을 기록으로 남기고 싶다는 열망, 마지막에 덧붙인 후기 때문에 특히 그렇게 비칠 여지가 컸죠. 그런데 『소수의견』은, 이거 소설을 쓰려고 썼구나 하는 의지가 바로 느껴졌어요. 어깨의 힘도 좀 들어간 것 같고, (웃음) 공력도 상당히 들어간 것 같고. 서사는 무엇보다 플롯인데, 구성적인 면에서 봐도 정말 하나의 잘 짜인 소설 미학을 구축하고 있었기 때문에, 어떻게 공부를 하셨는지는 모르겠지만, 소설을 쓰겠다는 분명한 목적을 가지고 썼다는 생각이 강하게 들더라고요. 뭐랄까, 장편소설의 고전적인 미덕들을 많이 가지고 있는 작품이에요.

각 장마다 인용되고 있는, 법과 관련된 여러 문구들은 이 소설을 단순한 법정소설로 전락시키지 않기 위한 작가의 또 다른 노력으로 읽힙니다. 인용문들이 제기하는, 법과 국가에 대한 근본적인 질문들은 이 소설이 제기하는 문제를 보다 깊고 명료하게 만드는 데 기여합니다. 하지만 이러한 인용문에 전혀 기대지 않고 이 소설만을 바라볼 경우, 아마도 제 기대가 과도해서 그런 것 같습니다만, 법에 대한 질문이 근본적으로 이루어지진 않았다는 아쉬움이 있어요. 소설의 구성 측면에서 봐도, 저는 어쩌면 법원의 판결 이후가 더 중요할 수도 있다고 생각하는데, 판결 이후의 이야기는 에필로그처럼 짧게 정리되고 있는 것 같아요. '기산일로부터 7개월 전'과 '기산일'은 각각 12장으로 구성되어 있는데, '기산일로부터 6개월 후'는 2장에 불과합니다. 물론, 6개월 후 이야기까지 12장으로 구성해 독자들의 진을 빼라는 말씀은 아닙니다만, 개인적인 바람으로는 그 이후의 내용이 좀 더 다뤄졌으면 했어요.

손아람 그 이후가 어떤 것을 말하는 건가요? 저는 재판 판결이 나오는 순간이 바로 이 책의 결론이자 주제이자 이 책의 동기였다고 생각합니다. 실제로 배심원들의 판결과 판사의 판결이 불일치할 수 있다고 생각해요. 용산참사도 국민재판이 안 되었어요. 기각의 가장 큰 이유로 추측이 되는 게 있죠. 여론에 너무나 많이 알려졌기 때문에 배심원들조차도 여론을 접하고 들어오면 판사가 배심원들의 판결을 통과할 수 없을 겁니다. 그런데 이런 첨예한 사건에서 배심원의 판결과 판사의 판결이 다르면 정치적 책임 문제가 발생하게 될 것이고 그래서 싹을 잘랐던 거죠. 그 과정이 무척 타당성이 없이 이루어졌어요. 하지만 실제로 용산참사가 국민재판으로 갔다면 저는 이렇게 결론 났을 것 같아요. 그걸 두려워해서 판사가 차단한 거죠. 소수의견이라는 게 그런 것 아닌가요. 9명의 배심원과 1

명의 재판관이 맞붙었을 때 1명의 재판관의 의견이 우세할 수도 있는……. 저는 거기서 이미 결론이 났다고 생각합니다. 제가 관심 있는 것은 법이었기 때문에 시작과 끝이 거기서 마무리 된 겁니다.

이선우 어떤 사람들은 이 이야기를 해피엔드로 보기도 하더군요.

손아람 승리라고 보는 사람이 있더라고요. 하지만 자기가 박재호라면 나는 승리했고 내 이야기는 해피엔드였다고 말할 수 있는 사람이 있을까요. 해피엔드로 봤다면 너무 거리를 두고 읽은 게 아닌가 싶어요.

이선우 재판과정에서 형량이 계속 줄어들고 있는데도 검찰이 상고하지 않으니 대법원에서는 무죄판결이 날 거라는 사무국장의 확신. 아마 그것을 판단의 기준으로 삼은 것이 아닐까 싶더군요. 박재호씨를 위한 기금, 윤변과 이준형 기자의 화해와 만남, '봄이 온다'는 마지막 문구들이 구조적으로 그런 확신을 뒷받침해주는 것 같고요. 저는 "마지막으로, 그런 일은 거의 일어나지 않는다"(422쪽)나 봄이 온다, 이후의 문장에 더 주목했는데 읽는 사람들마다 강조점이 다른 것 같아요. 이 소설에서는 대법원의 판결은 다루지 않는데, 어쩌면 그것도 그런 낙관적인 가능성을 열어두기 위한, 열린 결말이라고 생각하는 것 같아요. 실제로 용산참사 사건에서는 철거민들에게 유죄 판결을 내린 원심이 대법원에서 확정되었고 실형이 언도됐지만, 소설에서라도 다른 결말을 꿈꾸게 하기 위해서 말이죠. 그렇다고 무죄 판결이 나는 장면을 넣어버리면 너무 현실과 배치되니까 열린 결말로……. 하지만 그렇게 읽어 버리면 이 소설의 문제의식은 상당부분 희석돼 버리는 것 아닐까요. 해피엔드도 좋지만, 그것은 현실에 대한 정확한 이해가 아니죠. 이 소설에 대한 정확한 이해도 아니고요. 하지만 그런 점에서 이 소설의 결말이 다소 모호했던 것은 사실인 것 같아요. 현실의 비극을 좀 더 강조할 수도 있었을 텐데요.

손아람 실제 용산 참사도 과정(고등법원, 대법원)을 거치면서 형량이 줄어들었지만 사람들이 그걸 보면서 해피엔드로 치닫고 있다고 생각하진 않았어요.

이선우 저는 '소수의견'이란 제목이 이 소설의 의미와 한계를 다 보여주는 것 같다고 생각했어요. 여기서는 재판관의 의견이 소수의견임에도 불구하고 재판관의 절대적 권력으로 배심원들의 평결을 뒤집어버립니다. 그런데 이 소설의 용어설명에도 나와 있듯이 일반적으로 '소수의견'이라는 법률용어는 "대법원 등의 합의체 재판부에서 판결을 도출하는 다수 법관의 의견에 반하는 법관의 의견"이라는 뜻입니다. '2의 5. 소수의견'이라는 장에서는 이런 용법으로 소수의견에 대한 논의를 하고 있고요.

손아람 다양한 의미가 다 있죠.

이선우 시간이 흐르고 시대가 변하면 소수의견들의 대부분은 주류적 입장이 된다는 이주민의 말이나 "소수의견이 자기 자리를 찾을 때. 달이 해가 되는 때. 늙은 나무의 그늘로부터 새싹이 돋아나는 때"(105쪽) 같은 감동적인 문구들도 보이고요. 마지막에도 "대세를 거부하는 판결들은 모조리 대법원에서 뒤집히게 된다. 새 패러다임. 새 시대"(422쪽) 같은 문장들이 있어서, 이 소설이 그런 새 시대의 새 패러다임에 대한 전망을 내놓는 것으로 읽힐 수가 있습니다. 그러니까 이 소설에서 재판관의 의견은 소수의견이지만, 배심원들의 평결이 보여주듯이 그것은 지난 시대의 의견이기도 한 것이죠. 그럼에도 불구하고 법정 안에서는 여전히 다수의견으로 작동합니다. 그것은 법이 그만큼 보수적이라는 반증이겠죠. 하지만 배심원들의 평결과 완전히 배치된다는 점에서 조만간 법정의 이런 소수의견(즉 배심원들의 다수의견)도 결국 다수 법관의 의견이 될 날이 올

것이라는 예견을 가능하게 해 줍니다. 물론 언젠가 그런 날이 오겠죠. 그런 의미에서 어느 정도 낙관적인 것은 분명한 것 같아요.

하지만 이런 전망 역시 결국은 법 안에서의 전망이라는 생각이 들어요. 법의 진보에서 희망을 찾으려고 하는 것 같고요. 그래서 법 자체에 대한 문제제기, 국가제도 자체에 대한 의문으로 이어지지 않는 것 같아요. 지금까지 나온 소설들 중에서는 꽤 많이 나아간 소설인데도 불구하고, 여전히 법 안에 있다는 생각이 듭니다. 박재호에게 기금을 마련해준 시민단체의 연대라든가, 법을 믿지 않은 언론의 활약, "사람들이 이겼다. 법이 졌다"는 문장들이 분명히 나와 있지만, 그것들은 사소하게, 뒷이야기처럼 나와서 크게 강조되지 못했다는 생각이 들고요. 물론 이 정도만으로도 매우 반갑고 감동적이었지만요.

소수의견과 관련해서 한 가지만 더 말씀드리면, 소수의견이 다수의견이 될 수 있었던 것은 단지 시간이 흘렀기 때문이 아니라, 혹은 법이 그 자체로 진보해서가 아니라, 이 책에 인용되어 있듯이("세상의 모든 법은 쟁취되었다. 중요한 법규는 이에 대항했던 사람들과 싸워 얻어낸 것이다." 루돌프 예링, 「권리를 위한 투쟁」, 245쪽에서 재인용) 투쟁의 결과잖아요. 말하자면 법은 현실과 분리되어 있는 것이 아닌데 현실의 구체적인 싸움들은 다소 약화되어 있어요.

정의의 적은 불의가 아니라 무지와 무능이다

이선우 주인공도 변호사고, 법을 다루는 소설이다 보니 법조계 인사나 법학 교수들도 많이 나오고, 그러다 보니 어쩔 수 없이 생겨난 결과일 수도 있겠지만, 엘리티즘이라 할까요, 소설 전면에 노출된 것은 아니지만 알게 모르게 엘리트 의식이 엿보이더군요. 혹시 그런 이야기 안 들으셨나요?

손아람 들어본 적 있어요. 나한테 실제로 있어요. 엘리티즘을 정확히 어떤 의미로 말하는 것인지는 모르겠지만, 나는 근본적으로 지적인 이야기를 좋아합니다. 그리고 지적인 호기심이 있는 이야기가 읽을 때도 끌리고, 쓸 때도 가장 재미있어요. 만약 내 소설에서 가장 중요한 부분을 남긴다면 그런 것일 것 같아요. 세계관과 맞닿은 부분이라, 아마 그런 느낌은 분명이 있을 거라 생각해요.

이선우 그게 인물에도 남아 있고, 구성과 결말에도 보이는데……

손아람 결말이라면 어떤 걸 말하는지?

이선우 윤 변호사가 마지막에 공부하러 가잖아요. 박사과정 하러. (웃음) 윤 변호사를 돕는, 그 빛나는 진보적 지식인 그룹도 그렇고. 물론, 자신들의 지식을 권력의 유지와 보호를 위해 활용하는 인물들도 많이 등장하지만, 전반적으로 지식인의 역할을 상당히 강조하고 있는 것 같아요. 법정을 중심으로 이야기가 전개되다 보니 검사와 변호사, 교수 등 상대적으로 고학력자들이 대거 등장할 수밖에 없었겠지만, 매우 오만하고 악동 같은 이미지를 가지고 있는 '염만수'도 알고 보면 상당히 정의롭고 원칙적인 인물이죠. 그 교수야말로 엘리트 중의 엘리트인데, 그 사람의 재수 없는 잘난 척까지도 이 소설에서는 용서가 되죠. 물론 그가 단지 엘리트여서가 아니라 그가 현실을 정확히 직시하고 있는 인물이고 동시에 현실과 타협하지 않는 인물이기 때문입니다만, 그런 그의 태도도 그의 지적인 능력과 관련됩니다. '눈이 부신' 이주민은 말할 것도 없고요. 『진실이 말소된 페이지』에서도 '혁근' 같이 완전히 박살난 악기를 하룻밤 만에 조립해놓는 괴력의, (웃음) 매력적인 엘리트가 나옵니다.

손아람 그건 진짜 있었던 일이에요.

이선우 주위에 똑똑한 친구들이 진짜 많으시군요. (웃음) 그런 인물들과 관련해서 좀 더 이야기를 하자면, 주인공은 윤 변호사지만, 박재호에 대한 변론은 그만의 힘으로 이루어지는 것이 아니에요. 그는 사실 아주 뛰어난 사람도 아니고 아주 정의로운 사람도 아닌데, 주인공 주위에 아주 똑똑하고 정의로운 사람들이 모여들어서 주인공을 으샤으샤 끌어올리는 듯한 구성인 것 같아요. 『진실이 말소된 페이지』도 성장소설의 형식을 취하고 있지만, 『소수의견』도 결국 성장소설이라는 생각이 들어요. 상처받은 한 인간이 한 명의 변호사가 되어가는 과정인 거죠. 그래서 이 소설에서는 성장하고 배워가는 과정이 상당히 중요합니다. 가만히 살펴보면 윤 변호사는 주위의 모든 사람에게서 배우면서 성장해나가죠. 그와 함께 독자도 성장하게 되고. 이 작품이 대중적인 호소력을 가질 수 있는 것도 그런 '배우는 주인공'과 관련되어 있을 거예요.

손아람 어떤 방식으로든 인물을 성장시키는 것이 이야기의 본질이 아닐까요?

이선우 그렇죠. 하지만 그 이면에는 그런 지적인 사람들에 대한 편파적인 애정이 느껴지기도 합니다.

손아람 나는 엘리티즘을 그런 의미로 쓴 말은 아닌데.

이선우 음, 그렇다면 제가 용어를 잘못 사용했네요. 그런데 지적인 것에 대한 추구에도 두 측면이 다 있는 것 아닐까요. 4번 배심원을 보고 윤 변호사가 한 말, "정의의 적은 불의가 아니라 무지와 무능"이라는 말에서 사실 저는 많이 찔렸는데, 어쩌면 제가 그런 감정적인 인간형이 아닐까 하는 생각이 들어서……. 그건 상당히 날카로운 지적이었다고 생각해요. 상당 부분 사실이고요. 하지만 무지하고 무능한 사람들이 정의를 구현하는 경우는 없을까요? 음, 다소 억지스럽나요?

이야기를 하다 보니, 오히려 내 질문이 순수하지 못하다는 생각이 들었다. 무지와 무능에 대한 윤변의 혐오는 특정 계급에 대한 혐오, 혹은 단순히 지식의 많고 적음에 대한 호오가 아니라는 것은 소설을 읽으면 누구나 알 수 있다. 그가 무지와 무능을 문제 삼는 것은 그것이 판단력, 그리고 실천력과 긴밀한 관련을 갖는 것이기 때문이다. 그렇다면, '앎'이 선호되어야 하는 것은 당연하지 않은가. 그의 소설이 엘리트들을 미화하고 있다는 나의 독법은 어쩌면 오래된 편견에서 비롯된 것은 아닐까. 엘리트들을 비판하는 것은 언제나 정당하고 그들을 미화하는 것은 언제나 부당한가. 개인을 집단정체성으로 나누고 재단하려고 하는 우리의 오래된 습관. 혹은, 아직까지도 박사 과정에 적을 두고 있는 스스로에 대한 자격지심이 낳은 자기 방어적인 비판……. 사실 윤변을 둘러싼 이 조력자들에는 지식인만 있었던 것도 아니다. 때로는 조구환 같은 깡패 두목까지도 그의 조력자가 된다. 나는 다시 말하려고 노력한다. 모든 텍스트에는 두 측면이 존재한다고, 서로는 서로에게 틈을 내면서 서로를 완성하는 '더블'이라고. 그러나 나는 아직 그것을 제대로 이해하지 못하고 있다.

이선우 이런 인물들의 관계맺음을 긍정적으로 해석하면, 연대의 중요성을 이야기하는 것 같기도 합니다. 윤변은 법을 믿었고 이를 통해 정의를 실현하려 했으나 실제로 박재호가 살 길을 모색할 수 있었던 것은, 그가 비판했던 언론과 시민단체의 도움 때문이었죠. 정의의 편에 선 것 역시 똑똑한 소수의 재판관들이 아니라 일반인들로 구성된 다수의 배심원들이었고요. 그러니까 이 소설은, 한 명의 영웅이 아니라 여러 사람들의 협력과 연대가 만들어낸 선한 의지의 드라마라고 볼 수도 있겠군요. 물론 거기에는 지식인 집단의 노력이 매우 중요하게 작동하지만, 소수의 지식인들만으로 모든 것이 이루어지는 것은 아니니까요.

손아람 제 생각에는 실제 사건에서 변호사 하나의 힘으로 해결되는 사건은 오히려 많지는 않은 것 같아요. 누군가의 도움이 사건을 좌우하는 힘인 것 같아요. 뛰어나고 유능한 변호사가 일을 해결하는 것과는 달리 굉장히 많은 사건에서 결정적인 증언이나 조력자가 등장해서 도움을 줍니다. 아까 이야기했던[1] 조구환 사건의 경우, 제이유ʲᵘ 사건에서 실제로 있었던 일인데, 그 윗선이 청와대와 연결되어 있었고 검찰이 그걸 무마하려고 위증을 요구했는데, 그것을 녹음해서 다른 사건의 변호사에게 공개했었죠. 그것도 대단히 드라마틱한 도움입니다. 그것이 없었으면 사건 양상이 달라졌을 거예요. 우리가 기억하는 굵직한 사건들이 변호사가 유능해서만은 아니라고 생각합니다. 하지만 이게 이야기로서 설득을 갖는가는 잘 모르겠군요. 작가가 잘 선택하고 잘 취합했는지는 잘 모르겠어요. 과연 현실적이냐는 질문을 많이 들었어요. 하지만 나는 현실적이라고 생각을 해 왔어요.

---

[1] 대담을 글로 옮기면서 중복된 이야기를 삭제하고 비슷한 이야기를 모아 다시 배치하다 보니 이야기의 선후가 바뀌기도 했다. 앞서 이야기한 내용은 다음과 같다. 조구환이라는 인물과 관련해 동경이라는 학생이 제기한 문제와 그 답변.

　동경 문제 해결 과정에 조구환이 갑자기 등장합니다. 결국 해결의 실마리를 마법처럼 전하는데 이것이 이 소설의 가장 핵심적인 장치가 된 것 같아요. 하지만 현실에서는 거의 있을 수 없는 일인데 왜 이렇게 풀었나요?

　손아람 일단은 이야기 장치로 좋은 선택이었냐는 별개로 하고, 실제 있었던 일이예요. 『소수의견』에 나온 대부분의 사건들은 어떤 경우에선가 케이스가 있는 것들을 조립해 하나의 이야기를 만든 것이거든요.

　이선우 현실이 때로는 더 극적이죠. 하지만, 너무 극적이어서 학생들은 그 부분을 읽다가, 이게 현실이 아니라 소설이라는 자각을 하게 되었다고 하더군요.

　손아람 모르겠군요. 제 현실을 바라보는 시각이 다른지는 모르겠는데, 자료를 모았고, 저는 굉장히 현실적이라고 생각했어요. 제가 사건을 다루는 방식에서 과장하거나 있을 수 없는 일을 만들어낸 것은 아니었어요. 제가 바라보는 제 세계와 제 소설을 비교해봤을 때, 저는 못 느끼겠어요.

이선우 현실적이냐, 그건 일종의 개연성에 관한 질문인데, 요즘엔 현실이 언제나 우리가 상상한 것 이상이어서, 그러니까 '우리의 이성이 생각하는 현실'의 범위 밖에서 일어난 '현실의 사건'이어서 그런 것 같아요. 그렇다면 '현실적'이라는 용어 자체가 재고되어야 할 수도 있겠죠. 이 소설이 가지고 있는 소재 자체가 워낙 드라마틱한 것으로 이루어져 있어서 그런 극적 구성을 취할 수밖에 없었던 측면도 있었을 것 같고요.

경민 초반부에 윤변이 김수만의 변호사를 만나고 나서 "사람을 죽였다는 폭력배를 변호하는 건 어떤 기분일까" 생각하잖아요. 그런데 후에 주인공은 조구환의 변호를 맡고 승소를 이끌어 냅니다. 이 조구환이 이후 박재호 재판에 커다란 영향을 미치니까 조구환 사건은 구조적으로는 꼭 필요한 사건이지만, 주인공이 현실에 좌절한 이후에 맡은 사건이고, 사람을 죽인 폭력배를 변호한 사건이니까 그의 정신에 커다란 영향을 미쳤을 것 같은데 그런 변화가 잘 보이지 않아요. 조구환 사건 이전과 이후, 인물의 변화가 별로 느껴지지 않는다는 말씀입니다. 이것은 주인공이 본질적으로 순수한 인물이기 때문인가요? 그가 사회 초년생이 아니기에 더욱 궁금합니다.

손아람 본질적으로 순수한 인물이라……. 제가 상상하는 인간 이상을 묻는 질문인 것 같군요. 저는 그 정도 인물이 순수하다고 생각하지는 않아요. 윤 변호사는 평균적인 인물인 것 같아요. 우리가 변호사에 대한 편견을 가지고 있는데, (기계적인, 악한, 전지전능한) 그런 느낌일 수도 있겠다. 그러나 저 같은 경우는…… 모르겠어요. 제가 윤 변호사라면 그 사건(재판)을 겪는다면 차후에 내 업무에 얼마만큼 큰 영향을 받을까, 잘 모르겠어요. 소설에서 잘 드러났는지도 역시 모르겠군요.

이선우 경민이의 질문을 살짝 받으면, 『진실이 말소된 페이지』는 나이가 어린 학생이 주인공입니다. 성장소설에 적합한 나이죠. 반면 윤 변호사의 나이는 30대 중후반입니다. 그렇게 설정한 특별한 이유가 있나요?

손아람 일단 삶에서 한번 내팽개쳐진 사람이면 좋겠다는 생각을 했어요. 변호사가 될 수 있는 나이가 거기에서 거기인데, 너무 이른 나이라면 삶에 굴곡이 없는 인물로 보일 수 있어요. 일단 사회로 한번 나갔다가 나라로부터 패대기쳐진 후, 모종의 복수심을 가지고 변호사가 된 윤 변호사에게는, 국가소송이 피고를 대리하는 것이기도 하지만, 일종의 대리복수일 수 있어요. 그런 사적인 응어리를 가지고 있는 인물이었으면 했습니다. 그보다 나이가 많으면 깎여나간 느낌이 있을 것 같았어요. 그런데 영화로 제작되는 〈소수의 견〉에서 윤 변호사는 서른 살로 설정이 바뀌었어요. 배우를 고려한 것인지는 잘 모르겠지만.

이선우 참, 그런데 윤은 왜 이름이 없어요?

손아람 이름을 주고 싶지 않았어요. 소설에서 이름을 결정할 때마다 피하고 싶은 느낌이 있어요. 많은 인물이 등장하기에 다른 인물들은 기술적으로 이름을 쓸 수밖에 없었는데, 윤변은 쓸 필요가 없었어요. 저는 가능하면 이름을 안 쓰고 싶어요. 다른 인물도 안 써도 되었다면 안 썼을 것 같고요.

이선우 하지만 윤 변호사라고만 하면 그 사람의 정체성을 변호사로 고정시키지 않을까요. 일부러 의도하신 건가요?

손아람 이름이 있었어도 변호사라고만 불렀을 듯해요. 보통 대화할 때 직함을 부르지 이름을 잘 부르지 않잖아요. 저한테는 '윤변'이 더 자연스러운 것 같았어요. 항상 고민이에요. 이름을 주는 것 자체가 인물을 결정하는 것 같은 느낌을 받아서요. 그래서 이름을 마지막에 주는 경우가 많아요. 이름이 별로 중요하진 않은데, 사람 고민하게 하는 것 같아서 빼고 싶은 거죠.

수영 글을 쓰다 보면 캐릭터를 정해야 하는데 이름이 오히려 도움이 되지 않나요?

손아람 인물로서의 캐릭터, 이름으로서의 캐릭터는 전혀 다른 느낌인 것 같아요.

이선우 이름이 인물을 한정짓는다고 생각하는 건가요?

손아람 쓰는 입장에서 이름을 주는 행위 자체가 망설여져요. 그런 종류의 망설임을 겪은 작가들이 좀 있어요. 저는 가능하면 대명사를 많이 쓰는 편이고 이름을 피할 수 있으면 피하려고 해요. 제 생각에는 한국어에서는 이름을 피하려는 경향이 있는 것 같아요. "마이클~"이 아니라 "부장님", "과장님", "대리님"이라고 부르잖아요. 그런 언어습관은 우리에게 자연스럽게 다가오지 않을 것 같아요.

이선우 이 소설의 주제가 어떻게 보면 무겁고 어둡다고 볼 수 있는데, 무거워질 때마다 유머가 잘 활용돼요. 특히 대석이라는 인물. 용산참사 같은 철거민 문제나 중요한 사회적 이슈를 다루는 경우, 작가들이 그 주제가 갖는 무게에 짓눌려 유머를 쓰지 못하는 경우가 많아요. 『소수의견』에서는 그런 현실의 중압으로부터 거리를 유지하려는 노력들이 유머로 등장한 것 같아요.

손아람 반대로 제가 일상에서 너무 진지해서 진지함에 대한 두려움이 있어요. 진지한 것이 사람 피곤하게 하는 게 아닌가라는 걱정이 있거든요. 종이 위에서는 얼마든지 저를 통제할 수 있는 기회가 많으니까 그렇게 했어요. 소설까지 그렇게 하고 싶진 않았어요.

이선우 의식적으로 유머를 활용하신 거네요.

손아람 네.

이선우 전작을 읽고 작가가 아주 재기발랄한 줄 알았는데.

손아람 이상한 게, 소설은 어렵고 무거운데 실제로 만나면 유쾌한 작가들은 많은 것 같아요. 저는 반대로 실제로는 철학자 타입이죠. 모든 것에 진지해요. 그래서 공부하듯이 쓰는 소설을 쓰지 않으려 하고, 그렇게 되질 않길 바라죠.

아버지-들

이선우 유머도 대상과의 거리감을 획득할 때만 가능한 태도죠. 이런 거리감들이, 감정의 직접적인 노출을 막으면서 지적인 소설을 가능하게 하고, 문체도 빛나게 하는 것 같아요. 문체가 굉장히 좋았어요. 그런 얘기 많이 들으셨죠?

손아람 좋아하는 사람들이 있는 반면에 재미없어 하는 사람들도 많아요.

이선우 첫 소설에서도 문장 때문에 걸리는 느낌은 전혀 없었고 재기발랄한 문장들이 굉장히 많았는데, 두 번째 작품에서는 감정을 억누르는 문장들이 보였어요. 문장과 문장 사이에, 말해지지 않은 또 다른 문장들이 가만히 자신을 응시하고 있는 느낌. 단문으로 진행되는데다 접속사도 잘 사용하지 않고 있고요. '단지 아름다운 소설은 싫다'고 어디선가에서 얘기했던 것을 읽었는데, 아름답기까지 한 소설이에요. 문장을 보면서 한국 작가 중에서는 조세희와 김훈을 떠올렸어요. 특히 어떤 문장들은 김훈의 문장들이. 혹시 김훈 소설을 좋아하나요?

손아람 소설을 좋아한다기보다는 문장이 굉장히 좋죠. 문장은 분명히 장인이세요.

이선우 영향을 받았다고 할 수 있을까요?

> 소설에서 정면으로 국가를 적으로 선택했을 때, 사람을 설득할 수 있는 대항마가 무엇일까를 고민했어요. 가족과 국가를 대립항으로 뒀다면 그 사이에서 감정적인 설득의 여지가 있을 수 있다고 생각했어요. 그래서 가족의 이야기를 변주해 나가는 것을 이야기의 다른 축으로 두고 싶었죠.

손아람 김훈 소설의 영향보다는 오히려 영미권 작가들 영향을 많이 받았던 것 같아요. 한국문학만 두고 본다면, 문장 영역이 굉장히 섬 같은 느낌이 있고, 우리가 일반적으로 소설의 문장이라고 하는 것에 깎여야 할 부분이 많은 것 같아요. 문장이 전반적으로 넘치는 느낌이 있어요. 김훈 선생님 같은 경우에는 극단적으로 문장을 깎으신 경우인 것 같은데, 닮았다고 하는 부분은 표현에서 절제를 하려는 느낌 같은 것이 아닌가 싶어요. 개인적으로 김훈 선생님보다는 코맥 매카시 문장을 제일 좋아합니다. 대개 영미권 소설들을 보면 부사와 형용사를 절제하는 경향이 있어요. 사실 어렸을 적에 수학을 전공하려는 게 꿈이었는데, 그래서 어릴 때부터 읽어온 책들이 소설보다는 자연과학 관련 책이 많았기 때문에 그런 종류의 문장이 훨씬 익숙하고 내게는 명쾌하고 설득력 있게 다가옵니다.

이선우 중간 중간에 굉장히 멋 부린 문장도 있던데. (웃음)

손아람 소설이니까 그렇지 않겠어요? 문장을 정말 자연 과학책처럼 쓸 수는 없잖아요. (웃음)

이선우 김훈 소설가를 군이 언급했던 이유는, 수사가 많은 유려한 문체와 감정이 전혀 드러나지 않도록 깎아낸 문장, 둘 다를 가지고 있어서였어요.

손아람 김훈 선생님 문장은 정말 좋지요. 그런데, 문장은 경제적이지만 표현하는 대상의 선택이 경제적이지 않은 느낌이에요. 나는 그런 과는 아니에요.

161

이선우 음, 듣고 보니 과연 그렇군요. 그런 것이 인물의 성격과도 연결될 것 같은데, 그게 무너지는 지점이 있었어요. 아버지 테마가 나올 때 그래요. 실제 용산참사에서는 아버지가 돌아가셨는데 소설에서는 박재호의 아들 박신우가 죽은 걸로 나옵니다. 그리고 그의 정체성은 철거민보다는 박신우의 아버지로 강하게 부각됩니다. 그러니까 이 소설에는 세 명의 아버지—박신우의 아버지, 죽은 진압경찰의 아버지, 윤 변호사의 아버지—가 나와요. 정반대로 아버지를 죽인 스물두 살의 존속살해범도 한 명 등장하죠. 하지만 이것도 결국 아버지에 대한 물음과 연결됩니다. 그들이 아주 중요한 이면서사를 구축하죠. 왜 법에 대한 이야기를 하면서 그 이면에 아버지 서사를 작동시키고 있나, 궁금했어요.

손아람 우리 시대에 국가라는 게 굉장히 강력한 기제라서 거부하기가 굉장히 힘들잖아요. 사람들의 애국주의 이런 것들, 나라-한국이라는 이름을 들이댔을 때 대항 기제를 찾기가 굉장히 힘들고 대부분 굴복하게 됩니다. 소설에서 정면으로 국가를 적으로 선택했을 때, 사람을 설득할 수 있는 대항마가 무엇일까를 고민했어요. 가족과 국가를 대립항으로 뒀다면 그 사이에서 감정적인 설득의 여지가 있을 수 있다고 생각했어요. 그래서 가족의 이야기를 변주해 나가는 것을 이야기의 다른 축으로 두고 싶었죠.

이선우 이것도 의도적인 설정이겠죠?

손아람 물론입니다. 가장 처음 이야기를 시작했을 때 먼저 생각했었던 것이 방금 말한 것이었어요. 내 생각엔 아버지에 대한 보조테마가 빠져 있고, 용산 참사에 대한 이야기가 아니었다면 절반에서 3분의1 정도 되는 사람들이 이 소설을 '나쁜 소설'이라고 생각했을 것 같아요. 그럴 가능성이 분명히 있을 거라고 생각합니다. 소설 속에서 '홍재덕'이 '국가는 내 종교'라고 얘기하는데, 소설 안에서는 이질적이고 나쁜 사람으로 보일 수 있지만, 나는 많은 사람들의 생각이 그렇고 누구도 완전히 그런 생각에서 자유로울 수 없을 것 같아요.

이선우 국가는 자주 부권으로 상징됩니다. 그래서 나는 이 소설이 '큰 아버지'에 대항해서 싸우는 '작은 아버지들' 이야기 같다는 느낌을 받았어요. 사실 한국의 가족주의는 국가주의의 산물이고 그 둘은 분리될 수 없는 것인데, 아이러니하게도 많은 작품들이 가족주의로 국가주의에 맞서 싸우려고 하고 있는 것 같아요. 이 소설 역시 마찬가지고요. 대중적인 전략으로는 충분히 성공적이었겠지만, 저는 한국소설이 거기서 좀 더 나갔으면 좋겠어요.

손아람 어떻게 나갔으면 좋겠는지?

이선우 독자들을 감동시키는 아버지들이 등장하고, 이 아버지들에 대한 이야기가 강력한 이면서사로 작동하면서 이 소설에 나타난 국가에 대한 비판이나 법에 대한 비판이 가족주의로 함몰된다는 생각이 좀 들어요. 양자가 사실 분리되어 있는 것이 아닌데, 국가에 대해서는 적대하되 가족에 대해서는 무한한 연민과 사랑으로 복귀하는 것 같아서, 그 아버지들에 대한 인간적인 감동과 존경에도 불구하고 저는 이런 이야기가 불편합니다. 성장소설의 좋은 점은 주인공들이 성장을 해나가는 과정에서 독자들도 함께 성장해가는 거죠. 하지만 그 성장이 현실에 포섭되는 것이어서는 안 된다고 생각해요. 물론 이 아버지 테마로 인해서 박재호 사건은 윤 변호사의 개인사와 만나고 그의 내면과 공명하게 됩니다. 분리된 듯 보였던 두 사건, 혹은 개인과 사회가 자연스럽게 연결되는 거죠. 하지만 개인적으로 저는 완성도 있는 작품보다는, 보다 근본적인 문제제기를 하는 소설을 읽고 싶었어요. 그래서 이 작가가 국가와 법뿐 아니라 가족에 대해서도 비판적 의식을 보여주길 바랐던 거죠.

손아람 그건 아마 한 편의 다른 소설이 되어야 하지 않았을까 하는 데. (웃음) 국가와 가족은 비슷한 연장선상이라기보다는, 개인에서 가족, 가족에서 민족, 민족에서 국가로 확장되어 왔는데, 점점 더 '가짜'가 되어 간다는 느낌을 받았어요. 국가란 정말 모호해요. 국가라는 게 몇 세기 안에 사라질 수도 있는 개념이고, 발생한 지도 얼마 안 된 개념이에요. 현대적인 국가라는 개념은 기껏해야 16~17세기 정도에 발생됐는데, 반면에 민족은 좀 더 오래된 개념이며 가족은 훨씬 더 오래 됐고, 개인이라는 것은 생명이 탄생하면서부터 있어온 개념입니다. 좀 더 '진짜'에 가까운 실체적인 감정들을 환기하고, 실제 일상에 영향력을 행사하는 관계가 있는 반면에, 국가는 가장 강력한 영향력을 행사하면서도 사실은 실체가 굉장히 모호하고 이념 속에서만 존재하는 부속물 같은 느낌이 있어요. 거기에 하나의 개인이 도전하는 이야기가 가장 바람직하겠지만, 우리가 가진 관념 속에서 가장 큰 것은 가족이라고 생각했고, 그걸 충

돌실험처럼 충돌시킨 것이 이야기 안에서 가장 큰 축으로 작용했으면 했어요.

이선우 글쎄요. 저는 '개인'도 생명이 탄생하면서부터 생긴 개념 같지는 않은데……. 그리고 제가 말씀드린 것은 가족이 아니라 가족주의에 대한 겁니다. 물론 가족주의와 국가주의의 관계에 대해서는 생각이 다를 수 있겠죠. 국가보다 가족이 훨씬 더 실체적인 것도 사실이고요. 하지만 가족이 강조되는 데에는 어떤 사회적 맥락이 있다고 생각해요. 보통 국가가 제 역할을 못할 때 가족이 더 강조되지 않나요? 국가의 책임까지 가족이 다 짊어지는 거죠. 실은 그 때문에 가족이 붕괴되고 해체되고 있는데, 마치 우리 가족만 행복하면 모든 문제가 해결될 것처럼 말예요. 물론 이 작품은, 그런 사회적 맥락을 감추고 가족애만 강조하는 작품은 아닙니다. 국가의 무능과 폭력으로 붕괴되고 있는 가족들을 보여준다는 점에서 오히려 그 반대라고 볼 수도 있겠죠. 하지만 이 소설의 가족들은, 그러한 국가의 폭력을 통해 더욱 강하게 결속되는 것 같단 말이죠. 상실이 욕망을 만들어내는 거죠. 그래서 뭐랄까, 묘하게 가족주의로 회귀하는 지점이 있는 것 같아요.

손아람 나의 실책이 있었던 것 같네요. 일단 나는 가족애를 지향하는 인물이 전혀 아니에요. 실제로 가족들과 돈독한 것도 아니고요.

이선우 네. 윤 변호사도 표면적으로는 가족애를 지향하는 인물이 아니죠. 실제로 그의 가족은 이미 오래전에 해체되었고, 그는 가족으로부터 자유로워지고서야 비로소 자신의 길을 찾습니다. 그때까지 그에게 가족은 전면적으로 부정해야 할 대상은 아니지만, 적어도 지양해야 할 대상이긴 했던 거죠. 그들과 닮고 싶다고 생각하지는 않았으니까요. 그런데, 다른 아버지들을 보면서 그는 자꾸 자신의 아버지를 떠올리고 이해하게 됩니다. 그리고 마침내 아버지를 생각하며 통곡했던 어느 밤에 대한 이야기가 나오죠. 아버지와 닮아가고 있는 자신을 인식하며 아버지의 고독을 온몸으로 깨닫는 아들의 눈물. 이후에 그는 변호사가 되었고, 여전히 아버지를 자주 생각하며 살아가는 아들은 아니지만, 그렇게 하지 못하는 스스로에 대한 죄책감 같은 걸 드러냅니다. 그가 가족주의에 사로잡힌 인물이 아닌 것은 분명합니다. 하지만 이 소설을 읽는 독자들이 가족주의에 대해 비판적 질문을 제기할 수 있을 것 같지는 않군요. 권위적인 가부장 대신, 초라하고 무능력할망정 애끓는 부성을 간직한 아버지들이 등장해 우리 모두를 감동시키니까요.

손아람 이런 느낌은 있어요. 예를 들어 가족을 위해 자신을 희생한다면 그것은 희생이지만, 국가를 위해 자신을 희생한다면 그것은 광기에 가깝다고 생각해요. 예를 들어, 좀 위험한 말일 수도 있지만, 우리 역사에서 국가를 위해 자신을 희생한 인물들은 우리가 남으로서 바라볼 때 고귀하다고 얘기할 수 있지만, 그 개인으로 바라봤을 때 광기로밖에 설명할 수 없는 부분이 있어요. 가족을 위해 희생하는 것은 좀 더 타당성이 있다고 생각해요. 자기를 위해 자기를 희생하는 것은 자명하고. 가족은 맹신할 수 있고 국가는 아니라는 가치관을 가지고 얘기하고 싶었던 것은 아니고, 아까도 말했듯이 국가의 대항마를 둬야지만 이야기가 보편적으로 납득이 될 것 같았어요. 홍재덕과 비슷한 종류의 극단적인 국가관을 가지고 있는 사람이 만약 이 책을 읽는다고 해도, 그 사람을 일정 정도 설득시키기 위해서라면 내가 가진 세계관 이상의, 대부분 사람들이 동의할 수 있는 강력한 도구가 필요할 것 같았거든요.

이선우 그래서 이 소설이 영화화되면 대중적인 호소력은 상당할 것 같아요. 동시에, 이 영화가 자칫 가족주의로 포장되지 않았으면 하는 바람이 있고요. 사실 소설에서는 앞서 지적한 만큼 가족 서사가 그렇게 강하게 작동하고 있는 것은 아닌데, 영화에서는 그 부분이 크게 부각될 수 있을 것 같아요.

손아람 나도 그럴 것 같아요. (웃음) 다들 그걸 바라는 것 같더라고요.

이선우 모성이든 부성이든, 이성적으로는 그런 것들도 사회적 산물이라고 생각하지만, 우리의 근원적 신화를 자극하는 그런 가족이야기들은, 아무리 뻔해도 사실 저항하기 힘든 측면이 있어요. 그래서 신화인 거겠죠. 그런데 그렇게 되면 이 작품도 헐리우드식 가족주의 영화들과 큰 차이점을 가지지 못하지 않을까 싶어서요. 제가 왜, 자꾸 이런 이야기를 하죠? 실은 제가 가족주의를 좀 싫어해서……. (웃음)

손아람 첫 번째 소설을 보면 알겠지만, 완전 가족을 망가트려 놓았어요. 나도 일반적으로 말하는 화목한 느낌의 가정을 가지고 있지 않아요. 이 소설에 그런 점이 있을 거라고는 생각해보지 못했어요.

이선우 장단점이 있어요. 한편으로는 그래서 설득력이 있고 공감이 되는 반면에, 아슬아슬하게 어떤 선을 넘어버려 가족주의가 강화되면 문제가 될 수도 있을 것 같아요. 아니, 문제라기보다는, 이 소설의 빛나는 지점들이 그 빛을 좀 잃겠죠.

손아람 그런데 이렇게 생각할 수도 있어요. 세계관을 설정함에 있어서, 대칭축에 가족애가 아니라 개인을 뒀다고 한다면, 이기적이고 독단적인 윤 변호사가 승소를 하는 이야기가 과연 설득력을 얻을 수 있을까요. 철거민이 법을 통해서 벌어지는 세계를 바라보는 창 같은 것에 주인공과 일관성이 결여된다는 느낌이 있을 수 있을 것 같아요.

이선우 맞아요. 전체 구성에서 볼 때도 그런 인물설정은 상당히 설득력이 있어요. 하지만 윤 변호사라는 인물은 감정적으로 행동할 때도 많지만, 기본적으로 상당히 이성적이고 냉정하게 판단할 줄 아는 인물이에요. 이준형 기자에게 불같이 화를 내고 나서도 자신의 행동이 과했다는 것을 바로 깨닫고 그것 때문에 오히려 더 절망할 정도로 스스로에 대한 반성과 성찰도 돋보이죠. 그렇다면 가족에 대해서도 감정의 동요를 드러내는 동시에 그러한 성찰을 보여줄 수도 있지 않았을까요. 이 사건은 분명히 철거민만의 문제도 아니고 가족만의 문제도 아니고 법 내부의 문제만도 아닙니다. 서로를 넘어서면서 서로 매우 첨예하게 얽혀 있죠. 그래서 국가에 대해 근본적으로 문제 삼을 수 있는 거고요. 그걸 상당히 잘 보여주고 있는 소설이긴 한데, 가족주의의 이면에 대한 성찰은 상대적으로 부족하다는, 독자로서의 아쉬움이죠.

손아람 아마 그게 다음 소설에서 하는 작업이 될 거에요. 철저히 이기적이고, 가족을 파괴하는……

이선우 그렇다고 제가 뭐 가족 파괴주의자는 아닙니다. (웃음) 손아람 작가뿐만 아니라 실은 한국소설에 전체에 바라는 바예요. 우리 문학은 여전히 가족주의가 너무 심해서 이제 그걸 좀 넘어섰으면 하는 바람이 있어요. 사실은 그래서 『소수의견』이 좋았던 건데, 너무 기대가 크다 보니…….

손아람 '한국소설'이라는 말을 듣고 보니까 질문이 이해가 되네요. 사실 한국소설에서 가장 많이 등장하는 것이 국가가 아니라 가족이잖아요. 동어반복적인 느낌이 굉장히 강했고, 『소수의견』 역시 그렇게 읽힐 수 있다는 생각이 드네요. 나를 통사적으로 보는 것이 아니라, 한국소설을 펼쳐놓고 본다면 분명히 그렇게 읽힐 수 있을 것 같아요.

서울에서 벗어나기

이선우 인터뷰가 내내 너무 무거웠죠? 다른 이야기를 좀 해볼까요. 용산참사는 사실 서울이라는 공간이 가진 과도한 욕망과도 관련된 일입니다. 서울에서 나고 자라 서울에서 글을 쓰고 계신데, 평소 서울이라는 공간에 대해서는 어떻게 생각하고 계세요?

손아람 저는 일단 서울을 벗어나는 것이 목표예요. 대부분의 사람들이 못 떠나는 이유는 할 일이 서울에 있어서 못 떠나는 것 같은데 전 아니잖아요. 그런데 인간관계로 묶여 있어요. 여자 친구도 서울에 있고. 저는 다른 곳에 살고 싶어요. 서울, 서울의 위성도시도 아니고 서울의 영향권에서 완전히 벗어나고 싶어요.

이선우 왜요?

손아람 서울에서 왜 살아야 하냐는 질문에 답이 없기 때문이죠. 나한테는 서울에 살아야 할 이유가 없어요. 만약 서울과 비슷한 정도의 보상을 주는 다른 곳이 있다면 굳이 서울에 살 필요가 있나요. 서울에 있다는 것 자체로 어마어마한 경제적 비용을 감당해야 하는데 그러면서 있어야 할 이유를 못 찾겠어요.

이선우 어떤 이들은 작가활동을 하기 위해서 일부러 서울에 올라오기도 하잖아요.

손아람 소설가는 비교적 자유로운 것 같아요. 인프라를 벗어날 수 없는 영화 같은 작업을 하시는 분들은 서울을 떠나기가 힘들겠죠. 저 같은 경우는 완전히 자유로운 것 같고. 저는 1차적으로 부산으로 가서 살아보고 싶고, 다른 작은 곳으로 점차 옮겨가고 싶어요. 곧바로 문명에서 벗어나는 것이 아니라 부산으로 시작해서, 점차 멀어져 적응하고 싶어요. 그게 지금 제 인생의 목표입니다. 그런데 저는 작가라는 삶의 이득을 마음껏 누리지 못하는 것 같아요. 여행가는 게 죄책감이 느껴져요. 주위의 사람들은 항상 반복적으로 일을 하는데 나는 언제든지 여행갈 수 있는 존재라는 걸 여행이라는 행위를 통해 알리는 것이잖아요.

수영 서울에서 도망가고 싶을 때 찾는 장소라도 있나요? 서울 안에서요.

손아람 서울은 서울이에요. 서울에는 없어요. 저에게 서울은 행정구역상 서울이 아니라 서울의 영향력이 미치는 곳까지 거든요. 일산이나 분당 같은 곳도 서울에 살기 위해 거기 사는 것 아닌가요. 그리고 그런 여행은 의미가 없어요. 내가 어디에 살고 내가 어디 땅의 사람인가 생각하는 것 자체가 삶에 변화를 준다고 생각해요. 그리고 돈 생각을 안 할 수 없어요. 잠시 여행 갔다 온다고 해도 내가 서울에 있기 위해서 지출하는 비용이 사라지는 게 아니잖아요.

작가란 무엇인가

이선우 처음부터 장편을 쓰셨고, 계속 장편을 쓰고 계십니다. 그런데 장편만 쓰신 줄 알았더니 단편도 쓰셨더군요.

손아람 차별하는 건 아닌데, 일이 좀 다른 것 같아요. 단편은 좀 여성적인 작업의 느낌이 있어요. 자수 놓은 것처럼 하고 싶은 말을 예쁘게 하는 느낌이에요. 하지만 장편은 좀 더 건축에 가까운 것 같아요. 자기 세계관에 대한 분석적이고 공학적인 작업이 필요한 것 같은데, 저는 그런 작업에 쾌감을 느끼는 편이에요. 작품도 주로 장편을 많이 읽고요. 아직 단편으로 저를 매료시킨 작품이 없어요. 저는 세계에 영향을 주는 작품을 원하는데, 단편의 경우는 항상 거리를 두고 미적 대상으로 보게 되는 것 같더라고요.

이선우 참, 그런데 어떻게 '들녘'에서 출판하게 됐나요?

손아람 아까 말씀드렸다시피, 소설을 쓴다고 출판이 될지 어떨지 몰랐기 때문에, 소설을 3분의2 정도 썼을 때, 제 책장에서 나름 좋은 책을 냈다고 생각하는 출판사를 몇 개 골라서 원고를 보내봤어요.

이선우 아, 그래서 들녘에서 출판하게 되신 거군요. 첫 책도 거기서 내고, 『소수의견』도 거기서 내고. 혹시 다음 책도 '들녘'에서 내나요?

손아람 다음 책은 다른 곳과 계약을 했어요.

이선우 발 빠른 출판사가 벌써 움직였군요. (웃음) 이미 계약을 하셨다니, 지금 쓰고 있는 다음 책 내용을 물어봐도 될까요?

손아람 '중국인의 방'이라는 제목인데, 인간이 만든 첫 번째 인공지능에 대한 이야기예요. 튜링 테스트라고, 인공지능을 감별하는 테스트가 실제로 있지만 아직까지 통과한 인공지능이 하나도 없거든요. 그 테스트를 통과하는 첫 번째 인공지능을 개발하는 연구소의 이야기입니다.

이선우 어느 정도 진행하셨어요?

손아람 아직 많이 나가지는 않았어요. 나는 쌓아두는 기간이 길고, 쓰는 기간은 짧은 편이거든요.

이선우 『소수의견』은 쓰는데 얼마나 걸렸나요?

손아람 첫 문장부터 마지막 문장까진 두 달이 안 걸렸지만 준비기간이 길었어요. 최소 1년 정도. 그 훨씬 전으로 내려가는 자료도 있고요. 첫 번째 소설은 내 얘기니까 썼던 거고, 내가 소설로서 이런 걸 쓰고 싶다고 착안한 것은 『소수의견』이었죠. 개인과 국가의 관계, 법이라는 화두. 이런 것들에 대해 쓰려고 (자료를) 모았어요.

이선우 『중국인의 방』에서는 어떤 이야기가 나올지 정확히 모르겠지만, 흥미로운 소재를 참 잘 잡으시는 것 같군요. 다시 아까 이야기로 돌아가면요, 제가 자꾸 이야기를 헷갈리게 하죠, (웃음) 연초에 문학지망생과 관련해서 김영하 씨와 조영일 씨의 작가논쟁이 있었잖아요. 등단제도에 대한 비판부터 시작해서 온갖 이야기가 다 나왔는데, 마침 우리 잡지 이번 호 특집이 '작가란 무엇인가'입니다. 김영하-조영일 논쟁이 있기 전에 정해놓은 주제였는데, 우리 잡지가 반년간지라 책이 나오는 게 더디다보니 그 논쟁이 터지고 나서 따라가는 모양새가 되어 버리긴 했습니다만. 저로서는 그래서 좀 더 관심 있게 지켜보았어요. 논쟁 과정에서 오히려 더 많은 오해만 생겨났던 것 같지만, 저같이 현장에 있는 사람들에게는 그냥 넘겨 버릴 수 없는 중요한 문제가 많이 부각되긴 했어요. 등단제도, 특히 신춘문예라는 제도는 단편소설이라는 형식과 분리할 수 없는 제도로 우리나라에는 여전히 뿌리 깊게 자리하고 있잖아요. 사실, 저도 신춘문예 출신이고요. 등단제도를 거치지 않고 작가가 되는 경우도 있지만 그렇게 많지는 않고, 그 경우에는 제대로 된 작가로 잘 인정해주지는 않는 분위기가 있지요. 그런데 이런 전형적인 등단제도를 거치지 않고도 작품을 출판하고 계속해서 활발하게 활동하는 작가가 있다는 것은 매우 고무적인 일이에요. 여기 있는 문학 지망생들에게도 귀감이 될 수 있겠고요. 등단제도를 거치지 않고 바로 출판하는 게 별거냐, 그게 더 상업적인 것 아니냐고 비판할 수도 있겠지만, 적어도 상업성을 문학적 권위로 포장하지는 않을 테니까요.

손아람 그런 얘기를 많이 들었어요. 마치 내가 등단제도를 비판하거나 뒤엎기 위해 나타난 잔 다르크로 여겨지는 것 같아요. 그런데 나는 아까도 말했듯 문학 소년으로 자라난 게 아니라서 아예 몰랐던 거죠. 문학제도권이 갖는 권력의 아우라 같은 게 내게 미치는 영향이 전혀 없었어요. 지금도 사실 등단이라는 것이 구체적으로 무엇을 말하는지 모르겠고, 그 단어가 내 삶에 주는 의미가 전혀 없었어요. 나는 다른 것보다 그냥 내 이름이 박힌 책을 가지고 싶었어요. 내 책장의 다른 책들 사이에 내 책을 꽂아보고 싶다는 상상을 하며 시작을 했어요.

이선우 요즘엔 장편문학상도 많아졌고, 상금도 꽤 큰데 그런 데 응모한 적은 없나요?

손아람 사실 첫 번째 소설은 민음사 '오늘의 작가상'에 보냈고, 최종 두 편에 올랐었어요. 등단이라는 타이틀보다는 상금에 많이 욕심이 갔죠. (웃음) 사실 상금 이상의 의미가 있나 하는 생각이 들어요. 나도 만약 어렸을 적부터 너무나 소설가를 꿈꾸고, 등단이라는 단어를 삶의 플랜 중 하나로 정하고 살았으면 다를 수도 있었겠지만.

이선우 책을 내고 주위의 반응은 어떤가요? 이제 정말 소설가의 길을 가는 것인데.

손아람 이번에 결심을 한 게, 주변 사람들에게는 읽히지 말자는 거예요. 안 읽어주더라고요. 책을 내 손으로 줄 수 있는 관계에 있는 사람들은 작가가 주는 책은 급이 떨어진다고 생각하는 건지, 읽지도 않고, 읽고 나서 말도 잘 안 해줘요. '당신은 내 인접권에 있기 때문에, 당신의 이야기를 듣고 싶다'는 의미로 주는 건데, 그런 것들이 잘 안 돌아오더라고요. 주변사람들의 반응은 오히려 더 잘 모르겠어요. 부모님 역시 작가에게 하는 말이 아니라 아들에게 하는 말을 돌려주니까요.

이선우 미학과는 어떻게 가게 됐나요? 음악을 하다가 가게 된 건가요?

손아람 그렇죠. 고등학교 때 친구들과 장난처럼 음악을 시작했는데, 생각보다 꽤 잘 됐어요. 자연과학 쪽을 공부하면서 음악을 하기는 정말 힘든 일이다 보니까 미학과를 택하게 됐죠.

이선우 그렇다면 음악 쪽으로도 갈 수 있었을 텐데.

손아람 나는 랩음악을 했고, 랩음악 때문에 음대를 가는 건 좀 아닌 것 같아요. 대충 맞을 만한 전공을 택해서 들어갔는데, 의외로 미학과에 그런 친구들이 많아요. 음악이나 영화, 미술에 대해 관심이 많은데 실기를 배울 의향은 크게 없는 사람들이 미학과로 와서 전혀 관련 없는 내용을 공부하고 후회하는 경우가 많아요.

이선우 대개 철학 공부죠?

손아람 미학이 철학이라는 것을 모르고 온 친구들이 굉장히 많아요. 사실 나도 그랬고. (웃음)

이선우 「자서」를 보니, 최근 작가의 고독, 글쓰기의 어려움에 대해서도 심각하게 고민하고 계신 것 같던데.

손아람 사실은 「자서」도 별로 쓰고 싶지 않았어요. '자서'란 게 괴로운 것 같아요. 소설 이외의 자리가 신나지 않아요. 지면이든 아니면 이런 자리에서 내 소설이 이렇다는 걸 말로 덧붙이는 것들은 괴로워요. 처음에는 소설가 검색을 해놓고는 대충 끝낼까 하다가 성의가 없어보여서. (웃음)

이선우 제가 요청하긴 했지만, 공감이 됩니다. 그래서 저도 작가에게 산문청탁을 하는 게 미안하고 어려워요. 작가는 작품으로만 자신을 표현하는 거라고 생각하시는 분들이 많으니까. 제가 작가라도 그런 말을 제 입으로 구구절절 설명하고 싶지 않을 것 같기도 하고. 하지만 『작가와비평』은 기본적으로 작품을 싣는 잡지가 아니어서……. 나중에 후학들이 작가 연구할 때 중요한 자료가 될 겁니다. (웃음) 작품은 드러내면서 동시에 감추니까, 작품 분석도 중요하지만 작가들의 육성을 직접 들어보고 싶을 때가 있어요. 작가들도 드러내면서 동시에 감추겠지만……. 작가들에 대해 이상한 욕망이 있는 것 같긴 해요. 작가는 좀 독특한 위치에 있잖아요. 연예인은 아니지만 가끔은 연예인 취급도 당하고, 더 유명해지면 공인 취급도 받고.

손아람 남이 덧붙이는 건 괜찮아요. 그러나 제가 덧붙이게 되면 소설에서 하고 싶었던 이야기 이상의 것을 말하게 돼요. 가끔은 하고 싶지 않았던 이야기까지 하게 되고 꾸미게 되고. 그런 것들로 인해 죄책감이 들어요. 내 영역, 임무 이상을 하는 느낌 같은 거죠.

이선우 비슷한 고민들을 하시는군요. 80년생이시죠. 사실 저하고 나이 차이가 많이 나는 것도 아닌데, 저는 70년대 생이라 80년대 생이라 하면 굉장히 어리다고 착각을 해요. 요즘엔 90년대 생들이 대학생인데. (웃음) 그런데 책날개에 있는 작가소개에 "개인은 내 관심사가 아니다. 종으로서의 인간에 대해 쓴다"라고 쓰셨어요. 이 말을 썼을 때는 아직 20대였을 텐데 포부가 상당히 거창하군요. (웃음) 문제의식의 크기가 남다르다는 생각이 드는 문장이에요. 정확히 어떤 의미인가요?

손아람 저는 책에 항상 저 공간이 있다는 게 마음에 들지 않았어요. 없었으면 아무것도 안 해도 될 텐데. 아무것도 안 쓰려고 했었어요. 그런데 출판사에서 그럴 수가 없다고 하더라고요. 그래서 출판사에서 인쇄하기 직전에 넣은 거예요. 약력을 넣으려고 준비해뒀더라고요. 그런데 그것은 더 싫어서, 그 자리에서 불러준 말이에요. (그게) 제 세계관을 드러내는 것 같아요. 인간을 종으로서 보는 것은 인간적이지 않은 관점일 수 있어요. 탐구의 대상처럼, 실험 소재처럼, 인간이라면 어떤 상황에서 어떤 생각을, 일을 하는가? 이런 것들을 관찰하는 방식들이 말이죠. 저는 제 경험의 바깥 이야기들을 쓰고 싶었거든요. 첫 소설이 내 세계 안에 있었다면 앞으로 쓰고 싶은 소설들은 내가 겪은 것, 감정 바깥의 것들이에요. 다음 소설이 인공지능에 관한 것이라고 했는데 그런 것들도 인간을 종으로서 보는 것이 아닐까요. 인공지능에 관련된 문제 중에 첨예하게 인간에 대한 이해를 필요로 하는 게 많이 있어요. 그런 문제들이 끌리고 재밌고 생각하게 해요. 그런 이야기를 앞으로 계속 쓰게 될 것 같아요.

이선우 저도 그런 작가가 필요하다고 생각하고 있었는데, 마침 그런 작가가 나타난 거로군요. (웃음) 장르소설에 관심이 있었던 건 아닌지요?

손아람 특별히 장르를 가리지 않아요. 저는 거의 편식이 없는 것 같아요. 장르문학이라든가, 순문학이라든가 문학 앞에다 뭔가를 붙여서 생각한 적은 없는 것 같아요. 영상과 문학을 크게 구분하지도 않아요.

이선우 저는 국문학과 출신이라, 학창시절 내내 문학소녀로 살진 않았지만 국문학과 진학을 기정사실로 알고 자랐고, 지금껏 내내 그 물에서만 놀고 있죠. 그래서 전문가가 되었느냐 하면, 그런 것도 아니고 오히려 이 세계에만 갇혀 있었다는 생각이 들어요. 우리나라 작가나 평론가들 중에는 저 같은 사람이 많은 것 같고, 그래서 요즘은 이런 제도권 밖의, 혹은 적어도 다른 전공 출신의 작가들이 들려주는 이야기가 더 신선하게 다가오는 것 같기도 해요. 확실히 상상력이 다른 게 있어요. 순수문학, 장르문학. 이런 구분은 사실 우리 같이 어떤 제도권 안에 있는 사람들이 만들어 놓은 위계일 수도 있겠죠.

손아람 그런 느낌이 있어요. 예를 들면 프라 모델을 만드는 사람은 다양하게 종류를 구별할 거예요. 문학하는 사람들이 장르를 다양하게 구분하는 것처럼. 그런데 바깥에서 보면 그냥 만드는 일일 뿐이죠. 저는 바깥에서 들어와서 그런 데 덜 민감하지 않나 생각해요.

이선우 그게 앞으로 작가 생활하는 데 더 좋은 환경으로 작용할 것 같아요.

수영 자연과학을 전공하고 싶다고 하셨는데, 그쪽 방면 책 한 권 추천해주세요.

손아람 『특이점이 온다』를 추천하고 싶어요. 레이 커즈와일이라는 공학자가 지은 책이에요. '커즈와일'이라는 신디사이저 악기회사의 창립자이기도 한데요, 신디사이저가 인공지능과 관련 있어요. 이 책은 인공지능 바탕으로 미래를 예측한 책이죠. 몇 십 년 후에는 경전이 될 가능성이 있는 책이라고 생각합니다.

이선우 아, 꼭 읽어볼게요. 그럼 마지막으로, 식상한 질문을 하나 해볼까요. (웃음) 이번 호 특집 주제기도 하니까. 작가란 뭐라고 생각하세요?

손아람 작가가 뭔가에 대해서는 저도 잘 모르겠어요.

이선우 앗! (웃음) 어쩌면 그게 제일, 정확한 답변이겠군요. 긴 시간 수고 많으셨습니다. 다음 작품 기다리고 있을게요. 작가가 무엇인가에 대한 답변은, 아니 어쩌면 바로 그 질문을 거기서 발견하게 될지도 모르겠군요.

　스스로도 대답할 수 없는 무책임한 질문들을 던지고 돌아온 뒤 나는 다시 앓았다. 한 달이 훌쩍 지났다. 이 글을 정리하는 동안, 또 한

손아람·이선우·작가는 착각을 누릴 권리가 없다

달이 갔다. 봄은 오지 않고 여름이 되었다. 『소수의견』은 여전히 내 책상 위에 있다. "내 집이 어딘데요" 정처 없는 박재호의 웃음과, "자네는 그런 착각을 누릴 권리가 없어" 국가라는 종교의 사제 노릇을 하고 있는 홍재덕의 소신과, "변호사들은 왜 변호사가 되었는가" 다시 처음의 질문으로 돌아간 윤 변호사의 슬픔. 그런 것들이 처음 읽었을 때의 충격 그대로 오래오래 가슴에 남는다. 그리고 재판이 끝난 뒤에야 마주한 박신우의 사진. 사망의 효과는 알았으나 그 고통을 떠올리지는 못했다는 윤변호사의 뒤늦은 깨달음. 그의 것만이 아닌, 어쩌면 바로 나의 깨달음. 나는 그에게 결말 부분이 다소 약하지 않냐고 투덜거렸는데, 다시 읽으니 먹먹하다. 그는 써야 할 것을 썼다. 읽지 못한 것은 어쩌면 나다. 읽고 싶지 않았던 것일지도 모른다. 그래서 나는 지금 계속 어떤 질문에 시달리고 있다. 그 질문이 무엇인지, 나는 그것을 차마 여기 적지도 못하겠다. 🈂

추억의 詩, 여행에서 만나다

양병호 외 | 15,000원 | 크라운판 | 304쪽 | 도서출판 경진

시를 주제로 한 여행에세이

커피 마니아들이 카페 투어를 하듯 한 손에는 카메라, 한 손에는 시집을 들고 시인의 과거로 떠난다. 시인의 생가와 고향의 정취, 이 시대가 재현해 낸 시인들의 발자취가 녹아들어가진 하나하나에 뜨거운 숨결이 느껴진다. 교사와 연구자라는 지위를 벗어던지고 시와 독자를 행복하게 만나도록 해주는 중매인이라 자칭한 그들의 여행이야기가 시작된다.

펴낸곳 도서출판 경진 | **등록** 제2010-000004호 | **주소** 경기도 광명시 소하동 1272번지 우림필유 101-212
블로그 http://kyungjinmunhwa.tistory.com | **이메일** wekorea@paran.com
공급처 (주)글로벌콘텐츠출판그룹 | **주소** 서울특별시 강동구 길동 349-6 정일빌딩 401호 | **전화** 02-488-3280 | **팩스** 02-488-3281

청춘의 열정을 위한 변론,
소수의견을 위한 법정 콘서트

: 손아람의 소설

노대원

언어와 세계

'모험의 언어'에서 '언어의 모험'으로! 그것이 현대소설의 모토motto 이자 모터motor였다. 이 전환 이래로, 소설은 언어의 미학적 차원에 깊이 천착하게 되었다. 자연스러운 결과였고, 바깥 세계를 향하던 소설이 눈을 돌려 스스로를 되돌아보는 계기를 제공했다. 그러나 문학예술이 '언어미술'(정지용)이라는 명확한 사실만큼, 소설은 세계의 온갖 잡다한 사물과 사태를 (하여, 잡스럽게 뒤섞이고 어우러 진交響化, orchestration 언어로) 다룬다는 정의 또한 분명하다. 최근 우리 소설의 언어적 형식미는, 특히 젊은 작가들의 언어는, 세련성을 더해가고 있다. 그러나 어딘가 부족한 데가 있지 않은가. 바로, 세계를 투시하는 힘이다. 그 힘으로 소설의 서사는 강력하고 심미적인 언어에 도달할 수 있는 것은 아닌지……. 내성의 소설이 거둔 저 빛나는 성취만큼 어딘가 빈자리가 느껴진다는 데 비판의 목소리가 한데 모아지고 있다. 언제나 욕구불만에 시달리는 허기진 비평의 언어로, 나는 바란다. 세계와 언어가 힘 있게 맞붙는 격렬한 싸움터를.

손아람의 소설들[7]을 신뢰할 수 있는 까닭은, 작가가 세계를 포착하고 그것을 지적인 언어로 이해하여 다시 세계 밖으로 던져낼 때 서사적 에너지가 강력하다는 데 있다. 손아람의 소설, 특히 『소수의견』을 향한 옹호와 감탄의 말들은, 흡입력 있는 지적인 서사와 지금 우리의 사회 현실에 대한 비판적 시선에 있었다. 나 역시 동의한다. 그러나, 아니 그러므로, 오히려 이제 손아람의 소설에서 주목해야 할 부분은 그의 말 자체에 있다. 이 견해는, 세계를 향한 투시운운했던 내 말과 모순되지 않는다. 역동적인 서사를 구축하는 손아람 소설의 특장은 작가의 언어적 개성에서 비롯된다. 그러므로, 작가의 언어와 함께 작가의 세계를. 그때야 우리는 작가와 그가 만난 세계를 비로소 알 수 있게 된다. 문학의 정치성을 탐색하는 일 또한 언어의 정치성을 탐색하는 일에서부터 시작해야 한다. 나는 그렇게 생각한다. 소설은 언어와의 싸움이며 세계와의 싸움이다. 소설은 언어로 세계와 맞붙는 싸움터다.

그러면, 이제 문제는 전환된다: '어떤 언어로, 소설가는 세계와 어떻게 싸우는가?' 미하일 바흐찐이 제시한 소설론에 의하면, 소설의 주인공hero은 소설의 언어적 형식적 스타일을 결정짓는다. 더 구체적으로 말하자. 소설 속 화자의 형상은 그 소설의 언어를 이룬다. 그런데 소설 속의 언어가 갖는 의미란 무엇인가? 바흐찐은 이렇게 일러준다. "소설 속의 모든 언어는 하나의 관점이며 실재하는 사회

---

7) 이 평문에서 논의할 손아람의 소설은 『진실이 말소된 페이지』 1~2, 들녘, 2008; 『소수의견』, 들녘, 2010이다. 이하, 인용 시에는 쪽수만 표기함.

집단과 그 집단의 구체화된 전형들이 가지고 있는 사회·이념적 개념체계이다."[2] 소설 속의 언어는 작가의 스타일, 작가의 개성의 산물인가? 오히려 그 개성과 스타일은 사회적 현상이다. 언어는 그 자체로 이데올로기다. 다른 언어=이데올로기와 마찬가지로 작가의 개성적 언어 역시 근본적으로 사회적이다.[3] 우리는 소설의 언어에서 작가의 스타일과 개성을 읽고, 그 안에 스며든 사회적 상황과 관점을 읽는다.

손아람의 첫 번째 장편소설 『진실이 말소된 페이지』는 한 랩퍼의 좌충우돌 청춘기이며, 두 번째 장편소설 『소수의견』은 재개발 지역에서 일어난 살인 사건에 대한 법정소송에 휘말려드는 변호사의 이야기다. 우리가 채택한 관점을 따르자면, 두 소설은 그러므로, 각각 랩퍼와 변호사의 시각으로 대면한 세계를, 그들 고유의 언어로 말하고 있는 것이다. 언뜻 보기에 두 인물이 딛고 선 자리는 너무도 이질적이다. 이십대 청춘과 중년의 정신, 그리고 음악과 법률의 세계는 어떤 접속 지점을 찾아보기엔 너무 거리가 먼 것이다. 그러나 두 소설에 나타난 주인공의 언어와 세계는 손아람 소설의 전개 과정 속에서는 오히려 자연스러운 흐름 속에서 연결된다. 그들의 열띤 리듬과 치밀한 변론이 향하고 있는 세계는 무엇인가? 작가는 어째서 랩퍼의 입에서 변호사의 입으로, 언어를 옮겨 갔는가? 그 질문에 대한 답변이 이 글이 겨냥하는 과녁이 될 것이다.

---

2) 미하일 바흐찐, 전승희·서경희·박유미 공역, 「소설 속의 담론」, 『장편소설과 민중 언어』, 창작과비평사, 1988, 244쪽.

3) V. N. 볼로쉬노프(미하일 바흐찐), 송기한 역, 『언어와 이데올로기』, 푸른사상, 2005, 62~63쪽 등 참조.

청춘, 열정과 위반의 emceeing: 『진실이 말소된 페이지』

『진실이 말소된 페이지』는 자전적인 소설이다. 소설은 작가가 실제로 활동했던 힙합그룹 '진실이 말소된 페이지'의 결성에서부터 해체에 이르는 과정을 흥미롭게 담아냈다. 그러므로 동명의 실존그룹의 흥망성쇠가 그대로 서사적 갈등의 뼈대와 에피소드의 속살을 이룬다.

작가의 논문 「랩의 미학」[4]에서도 지적한 것이지만, 랩 음악은 최하층 흑인의 문화에서 움텄다. 그런 까닭에 랩은 엘리트 상층 문화와는 어울리지 않는 것처럼 생각된다. 랩은 그 자체로서 공식 문화의 억압성을 뒤흔드는(탈중심화하는) 비공식 문화인 것이다. 랩의 정신을 이루는 언어 또한 격렬한 유희이며 전복적인 위반의 언어다. 그런데 자서전 연구자 필립 르죈의 말처럼, 자서전과 자전소설은 작가와 화자, 작중인물 삼자 간의 일치나 유사성을 기반으로 삼는다. 작가 손아람의 이력은 다분히 엘리트 코스에 가깝다. 그의 이력은 공식 문화에 저항과 이질감 없이 섞여드는 것처럼 보인다. 그러니 소설의 화자이자 작중인물 랩퍼 '손아람'이 희화화되고 여러 차원에서 강등된 것은 창작 과정에서 매우 자연스러운 것으로 이해된다. (물론, 작가와 인물 간의 유사성에서 독서가 시작되는 자전소설이라는 점 때문인지, 인물 '손아람'의 문제 학생으로서의 모습이나 부모의 이혼 등 가정 파탄은 그리 핍진한 편이 아니어서, 인물 설정을 위한 단순한 제시 차원으로 읽히는 측면이 없지 않았다.)

오히려 내가 흥미를 느꼈던 점은, 이 소설에서 상층 엘리트 문화와 랩과 언더그라운드 음악 영역에 대한 작중인물 및 작가의

---

4) 손아람, 「랩의 미학」, 『문학과교육』, 문학과교육연구회, 2001년 가을.

양면적인 시선이다. 『소수의견』을 포함한 손아람 소설들에는 랩을 위시한 비주류 문화와 감성을 적극적으로 옹호하면서도, 그리고 소수자와 약자를 배려하는 시선을 유지하면서도, 동시에 탁월한 지능과 재능을 자랑하는 인물들 내지 천재에 대한 찬사와 동경, 우호적인 시선이 공존한다. 하지만, 여기에는 문화와 사회적 권력/성공의 정점에 있는 인물에 대한 작가의 복합적인 시각이 스며들어 있다.

작가는 문화와 권력, 자본을 소유한 상층 인물에 대한 도식화된 일방적인 비판을 거부한다. 작가는 다수와 소수, 상층과 하층, 기성세대와 신세대, 프로페셔널과 아마추어의 이분법적 구도가 쉽게 빠지기 쉬운 단순한 대립의 함정에 빠지지 않고 개별적인 인간에 대한 구체적인 탐구와 병행한다. 『진실이 말소된 페이지』의 랩퍼는 하위문화 또는 저항문화라는 소재를 활용해서 쉽게 구축할 수 있을 법한 어떤 전형적인 감상적 멜로드라마의 주인공처럼 절대적인 빈곤과 비극을 겪는 인물이 아니다.[5] 『소수의견』의 변호사 역시 그 자신 법조인으로서 사회적 상층부에 소속된 인물로 그려질 수 있었음에도 불구하고, 법조인으로서는 주변부적인 인물로 그려진 이유 역시 이처럼 적절한 균형 감각에서 찾아볼 수 있을 것이다.[6]

작가의 논문을 다시 참조하자면, 사실, 랩 또한 단순하게 하층

---

5) 물론 작가는 실제 언더그라운드 음악판에서 떠도는 수많은 신화와 전설을 알고 있다고 인물의 입을 빌려 말한다. 실제로 2권, 28~29쪽 전후에는 부산 출신의 뮤지션 '라디'의 일화가 나온다. 소설에는 이 일화를 비롯한 뮤지션들의 여러 드라마와 에피소드들이 간접적으로 소개되고 있다.

6) 최강민은 『소수의견』이 "소수자를 대변하는 진보적 지식인 집단의 비중이 과도하게 표출"됨에 따라 철거민의 역할이 미흡하게 표현되었다고 아쉬워한다. 최강민, 「철거민의 절규와 계급전쟁, 그리고 문학적 대응」, 『작가와비평』, 2010년 하반기, 228쪽.

의 대중적이고 자발적인 문화의 성격으로만 고정 지을 수 없다. 랩의 운韻, Rhyme에서 확인할 수 있듯이 영시英詩의 문학적 전통을 이어받았다는 것이다. 랩퍼들은 자주 스스로를 시인으로, 그것도 청중의 영혼을 사로잡는 탁월한 시인으로 자처한다고 한다. 랩이 그런 것처럼, 손아람의 인물들 역시 특정한 문화에 속해 있고 그 세계의 언어로 말하지만 다른 언어와 다른 사회적·문화적 집단과의 대화에 열려 있다. 그의 인물들이 속한 언어와 세계는 단순히 특정한 집단의 폐쇄적인 문화가 아니다. 그가 공격하는 것은 상층의 언어와 문화라기보다는 오히려 닫힌 문화, 고정된 문화, 대화를 거부하는, 자체적으로 완결된 독백의 언어와 독백의 문화라고 말해야 할 것이다. 손아람의 인물들은 권력과 자본과 명성의 자리에 앉아 있는 자들을 일방적으로 공격하기보다 그들의 폐쇄적인 자세와 일방향적인 목소리를 공격한다고 해야 할 것이다.

작가와 소설의 주인공이 활약한 힙합그룹 '진실이 말소된 페이지'의 팀 이름은 이상李箱의 단편소설 「날개」의 한 구절에서 차용해서 패러디한 것이다. 그 구절은 이렇다. "머릿속에서 희망과 야심이 말소된 페이지가 딕셔너리 넘어가듯 번뜩였다." 소설의 주인공들은 천재의 전범인 이상의 문학 언어 역시 무반성적으로 그대로 동경해서 수용하지는 않는다.

방황은 삶이 평탄한 사람들의 특권이다. 진짜 고난에 빠진 사람은 생존하기 바쁘다. 이상이 천재였다고 해도, 화려한 경력을 지닌 20대 중반의 작가가 삶의 고뇌를 원죄처럼 걸머지고 살았을 가능성은 희박했다. 그건 두뇌의 명석함과는 별개의 문제로, 천재의 지위를 향유하는 매너리즘적인 방식이다. 오히려 천재는 대개 정서적으로 평생 유년기에 머문다.

"우리는 솔직한 음악을 만들어야 돼. '야심이 말소된 페이지'라고? 그 구절을 적어놓고 자신의 시적 재능에 흡족해서 온몸을 부르르 떨었을 야심찬 젊은이의 모습을 떠올려 봐. 그건 진심 없는 수식어에 불과해. 나는 이상의 글이 '희망과 야심이 말소된 페이지'가 아니라 차라리 '진실이 말소된 페이지'라고 봐." (2권, 15~16쪽)

사태의 이면을 냉정하고 예리하게 꼬집는 언어, 그리고 서늘한 논리와 날렵한 기지가 돋보인다. 이는 재치와 기지 넘치는 비유 및 풍자, 지성적인 논평 등과 함께 손아람 소설의 스타일을 이루는 주요한 개성이다. 또래, 동료들과의 이야기인 만큼, 이 소설에는 특히 매력적이고 지적인 위트가 넘쳐난다. 랩의 리듬과 가사가 지닌 미학적, 정치적 특성을 떠올리게 한다. 랩퍼의 형상은 이 소설이 서 있는 이념적 지향과 언어 스타일을 대변한다.[7] 요컨대, 권위적인 '독백의 수사학'에 맞서는 유연한 '희화적 수사학'이 작가 손아람의 언어다. 그 소설 언어의 특성은 좁은 시야에 갇혀 객관성을 결여하기 쉬운 자전소설의 한계를 벗어나 한국 힙합음악계의 영광과 그 이면에 드리워진 어두움을, 청춘의 열정과 그 한계를 적절한 거리를 갖고 서술할 수 있도록 한다.

인용한 내용은 (이상李箱의 천재성을 비판적으로 논하는 '혁근'의 말에)

---

7) 실제로 소설 속 등장인물들의 대화에서 랩퍼는 이야기꾼으로 비유된다: "그렇게 듣는다면 랩은 그냥 빠르게 말하는 것에 지나지 않아. 백과사전에도 그렇게 나오잖아. '랩: 리듬에 맞춰 가사를 빠르게 읊조리는 것.' 그런데 랩이 정말 그런 거야?"
나는 대답하지 못했다. 음악의 장르를 떠나서 좋은 가사는 언제나 위력을 발휘했다. 혁명은 항상 노래와 함께 일어났다. "하긴. 랩을 그렇게 설명한 백과사전이, 문학을 '마감에 맞춰 글자를 빠르게 쓰는 것'이라고 설명하고 있지는 않겠지."
"하하, 맞아. 랩의 가장 중요한 점은 그것이 이야기를 담고 있다는 거야. 랩퍼가 어떤 이야기를 하는지가 중요해." (1권, 21~22쪽)

주인공 '손아람'이 설득당한 진술과 여기에 연속되는 '혁근'의 주장
이다. 소설에서 혁근은 그 자신도 천재에 가까운 지력을 소유하고
있어 열등생인 주인공에 의해 '전능한 혁근'으로 불리기도 하는 인
물이다. 그룹 '진.말.폐.'의 팀원은 언더그라운드 뮤지션으로 출발해
서 음악적 성공을 꿈꾸는, 야망을 가진 젊은이들이다. 그러나 그들
은 젊은 예술가가 갖기 쉬운 '희망과 야심'이 실은 '진심 없는 수식
어'로 포장된 허위에 불과할 수도 있다는 사실을 간파하고 있다.

　물론 세계를 날카롭게 투시하는 이 말들은 삶에서 겪은 산 체험
에서 우러나오는 것이 아니다. 그것은 자신만만한 지성에 의해 지
탱된다. 그 패기 또한 젊은이의 야심에서 멀지 않다는 뜻이다. 그들
이 자신이 말한 바를 스스로의 삶에서 깨닫게 되기까지의 과정이
이 소설이 달려 나가는 궤적을 이룬다. 이 유쾌하고 발칙한 청춘의
서사는, 그리하여 성장담과 입사식入社式 형성소설의 외양과 내면
을 갖춘다. 열정으로 넘치는 청춘의 질주로부터 좌절을 거쳐 권력
과 자본이 엄존하는 기성의 체제의 높은 벽에 눈뜨기까지, 탁월한
랩퍼가 'emceeing'[8])으로 관중의 마음을 움직이듯 소설은 독자의
눈을 사로잡는다.

　가끔은 스타들이 소속사를 상대로 괘씸한 배은행위를 하기도 한다.
그러나 한 개인이 나쁜 인간이 되려고 아무리 노력해 봤자 한계가 있
다. 누구도 사회일반적 신의관념이 뭔지도 모르는 거대 집단들이 평소
하던 만큼 부도덕해질 수는 없다. 많은 연예기획사들이 자기들은 결백
하다고 믿고 싶겠지만, 그것은 비윤리적이라는 사실을 잊을 만큼 체계

---

8) 또 다시, 작가의 논문에 의하면, 'rap'이 음악적 형식을 지칭한다면 'emceeing'이
　란 단어는 랩이 실제적으로 퍼포먼스되면서 관중을 감화시키는 성격적 측면을
　강조한다고 한다.

노대원 · 청춘의 열정을 위한 변론, 소수의 견을 위한 법정 콘서트

화된 관례들에 중독되어 있기 때문이다. 상식이 지배하는 땅에 사는 사람들은 누구도 그런 불공정 계약을 구경하지 못한다. 계약 위반을 언제나 있을 수 있는 일로 여기지 않는 것은 당연하고. 그래도 회사들은 외친다.

"우린 합법하고 정당해!"

그래, 맞아. 당신들은 피비린내 나는 전쟁터에서 누군가 만들어 놓은 방아쇠를 당겼을 뿐이니까. (2권, 206~207쪽)

'진.말.페.'의 이름으로 기록된 영광과 상처의 드라마는 이른바 '노예 계약'이라고 부르는 일방적인 소속사의 기만에 의해 최종적으로 막을 내리고 만다. 만약 이 소설을 최신 버전의 예술가소설이라고 부를 수 있다면, 극도로 상업화된 대중음악 분야의 이면을 폭로함으로써 소비자본주의사회에서 (대중)예술의 의미를 숙고하도록 요청하기 때문이다. 또한 작가이자 인물인 '손아람'은 단지 실패의 쓴맛만을 본 것이 아니다. 그는 한 개인의 열정과 노력으로도 맞서기 어려운 기성 사회 체제의 일방적인 권위와 폭력성을, 뼈저린 고통을 맛보며 확인한다. 그는 개인을 억압하는 집단의 부도덕한 관성이 오히려 법의 허명으로 유지된다는 것을 직시하게 된다. 그렇게 소설의 마지막 페이지가 닫히자 또 다시 걸어야 할 길이 열린다.

법의 추방령에서 소수의견의 관점으로: 『소수의견』

『진실이 말소된 페이지』의 마지막에 주인공은 그룹 해체와 여자 친구와의 이별을 겪고서, 고등학교 때 국어 선생의 독설을 떠올린다. "그러니까 하늘에 자기별을 가진 사람이 있는가 하면, 너처럼 별 사이 암흑을 채우는 놈들도 있는 거야"라는. 그러나 그는 수긍하는 동시에 항변한다.

　　나는 별자리에만 전설이 얽혀 있는 것이 아니라, 사람들이 광활한 빈 공간이라고 생각하는 모든 지점마다 희미한 이야기가 있다는 것을 안다. 내 젊음이 바로 그 어두운 구석에 박제된 이야기 중 하나이기 때문이다. 나는 사람들이 알지 못하고 별로 알고 싶어하지도 않는, 하지만 내게는 너무 놀라웠던 이야기들을 추억으로 껴안고 살아갈 것이다. (2권, 228~229쪽)

　　우리의 통념과 달리 바흐쩐에 의하면, 자기성찰은 언제나 사회적 상황이다. 자기성찰을 심화시키려면 어떤 경우에도 사회적인 지향의 이해를 깊게 해야만 가능하다는 것이다.[9] 이 자기성찰에서 주인공은 '별'(스타)의 자리에 오르는 음악적 여정에서 좌절을 겪고 스스로 패배를 시인한다. 그러면서 그는 비로소 별이 아닌, 암흑이나 빈 공간이라고만 생각하는 지점들에 존재하는 희미한 이야기를 긍정하게 된다.

　　이 깨달음이 도달한 곳에서 용산 참사를 모티브로 하는 소설 『소수의견』은 출발한다. 청춘을 불사르던 열정에 기성 사회의 찬물 세례를 받고서, 작가는 시스템의 견고한 성격을 진중하게 탐구하기 시작했다. 작가가 사회적 정의의 문제에 천착하게 된 것은 자연스러운 시선 이동이다. 『소수의견』은 한국 문단에서는 보기 드문 법정소설 장르에 속한다. 한국에서는 왜 법정소설이 흥성하지 못했는가? 답은 어렵지 않다. 이 사회에서 법이 어떻게 이해

---

9) V. N. 볼로쉬노프(미하일 바흐쩐), 앞의 책, 68~69쪽.

되고 있는가를 생각해보라. 압도적으로 억압적인 공권력의 폭력성은 법이 수행할 정의의 심판이나 논리적 언어를 무참한 것으로 만들어 왔다. 요컨대, 오히려 법은 권력의 시녀(였)다. 그게 시민들의 일반적인 편견이며, 안타깝게도 그 편견은 타당해 보인다. 소설가들 역시 시민의 한 사람인 까닭에 그 편견은 자연스럽게 법의 언어에 대한 그들의 상상력을 제한해 왔던 것이다. 이 땅에 기록된 현대사의 페이지마다 차고 넘치는 이념의 폭력성, 권력의 폭력성은 법의 합리적 언어에 대한 기대와 관심마저 꺾게 만든다. 어쩌면, 법정소설의 부재야말로 한국 사회에서 법의 낙후된 실상을 잘 드러내는 징후였는지도 모른다. 작가는 이 "암흑"의 지대이자 "광활한 빈 공간"인 문학적 황무지에서 그의 예리하고 지성적인 언어를 다시 일으켜 세웠다.

손아람이 쓴 두 장편소설에 흐르는 공통적인 정신은 무엇인가? 그것은 바로 '도전'이다. 언더그라운드 힙합그룹의 예술적 성공을 위한 도전. 그리고 자본과 결탁한 국가 권력의 폭력을 향한 도전. 두 소설을 이루는 언어적 성격은 주인공이 음악적 성취와 정의의 항거를 위해서 말 그대로 몸을 던지는, 도전에 있다. 콘서트홀의 공연 무대나 공판이 진행될 법정은 전혀 다른 곳처럼 생각된다. 그러나 그들의 랩과 변론이라는 주인공들의 목소리가 울려 퍼질 도전의 무대 공간이라는 점에서, 두 곳은 다르지 않다. 공연과 공판을 앞둔 두 소설의 인물들이 긴장되고 흥분된 감정으로 준비하는 장면들은, 서사적 갈등의 방향과 내용의 차이와 무관하게 어떤 유사한 분위기를 느끼게 한다. 힙합그룹 '진말페.'가 뛰어난 음악적 재능을 지닌 젊은 청년들이 함께 어깨를 겯는 우정의 공동체라면, '박재호'의 변론을 위한 지식인 그룹 '금요모임' 역시 뛰어난 지능과 사회자본, 상징자본을 지닌 자들의 진보적 연대이다.

『소수의견』이 옹호하는 '소수의견'은 무엇인가? 그것은 우선, 소수자와 약자에 대한 변호의 언어를 뜻한다. 소설의 이야기와 인물들의 대화는 모두 소수를 위한 항변으로 정교하게 조직된 언어들이다. 앞에서 말한 것처럼, 다수와 강자의 폭력이 소수와 약자를 어떻게 고통스럽게 하는지, 작가는 체험을 통해 이제 너무도 잘 알게 되었던 것이다. 소설은 두 가지 질문을 도전적으로 던진다: '국가는 무죄인가? 법은 무죄인가?' 이 추문推問과의 싸움 과정이 모든 언어들을 배치하는 소설적 수사학의 중핵이다. 주인공의 법정 수사학을 포함한 법의 언어, 그리고 공판 사건의 서사적 전개 과정 모두는 이 추문을 위한 하위 언어이며 그에 종속된 수사학이다. 소설의 주인공 '윤 변호사'와 그의 동료 지식인들의 형상은 이 질문을 발화하기 위해 언어적으로 융합된다.

  소설의 주인공, 윤 변호사는 중위권 대학 법학과 출신으로, 중견 건설회사의 사원으로 근무하다 정리해고를 당한다. 그가 다니던 회사는 이후 IMF 구제금융위기 당시에 도산하고 만다. 절망 끝에 그는 사법고시를 거쳐 국선변호사가 된다. 그는 소설 속에 나오는 사법연수원의 '염만수' 교수나 서울대 법학과의 '이주민' 교수처럼 엘리트 코스를 밟은 천재와는 달리 완벽한 성공에는 가닿지 못한 범재에 가깝다. 『진실이 말소된 페이지』에서 의도적으로 강등된 주인공의 모습을 떠올릴 수 있다. 윤 변호사는 일상에서는 때때로 순진하고 어눌하기조차 한데, 퇴근 후에 홀로 끓여먹는 '라면'은 그의 서민적인 이미지를 대변해준다. 그는 정의의 화신도 아니다. 그는 박재호의 소송을 담당한 일에 대해서 자조적으로 평가한다.

  내가 어쩌다 이 법정까지 흘러왔는가. 그건 신념이라기보다는, 한발 뒤쳐진 능력과 경력과 학력의 복잡한 상호작용 속에서 탄생한 예상치 못한 우연이었다. 모든 위대한 역사가 그렇게 탄생한다고 해도, 나는 생을 통해 체화시킨 뿌리 깊은 겸손과 열등감을 쉽게 버릴 수가 없었다. (260~261쪽)

그러나, 그의 체념과 열등감은, 그리고 권좌에서 아래를 내려다보지 않는 시선은 적어도 다음과 같이 아름다운 질문을 낳게 하지 않는가.

세상에 주어진 하루마다 많은 생물들이, 많은 사람들이, 많은 사상들이, 많은 문화들이 도태된다. 그것은 멸종이고 멸종은 적자생존의 법이다. 연민은 자연의 법을 거스르는 허위인가. 나는 진화론자에게 묻는다. 그렇다면 연민은 왜 진화했는가. 그렇다면 연민은 왜 도태되지 않았는가. (256쪽)

윤 변호사는 치밀하게 양모良謀의 전략을 수립하여 법정에서 논리와 수사를 퍼포먼스처럼 보여주는 법조인이지만, 법의 언어 이전에 인간적인 언어로 세상과 자신을 바라본다. 어쩌면 이토록 인간적인 모습에서 소설이 버린 법의 언어는 출발하는 것인지도 모른다. 윤 변호사는 사석에서 스스로 "법조계의 소수자임을 주장"(71쪽)한다. 물론 이준형 기자는 "30대 중반의 남자 변호사"는 소수자가 아니라며 반박한다. 하지만 적어도 윤 변호사는, 소수자[10]의 편

10) 소수자란 무엇인가? 들뢰즈와 가타리는 다수파와 소수파를 다음과 같이 재치있게 구분한다.
"상수 또는 표준을 이성애자-유럽인-표준어 사용자-도시 거주자-성인-남성-백인이라고 상정해보자(조이스나 에즈라 파운드의 율리시즈). "성인 남자 인간(l' homme)"은 모기, 아이, 여자, 흑인, 농부, 동성애자 등보다 수적으로 적더라도 다수파임이 분명하다. (…중략…) 다수파는 권력 상태 또는 지배 상태를 전제로

에 서서 소수의견을 옹호한다.

소설에서 소수의견은, 아현동 재개발지구에서 일어난 철거민 소년과 전경의 죽음을 두고 폭력에 대한 시차적 관점을 드러낸다. '박재호'라는 한 철거민이 철거 진압 당일 망루에서 어린 아들이 전경으로 추정되는 이들에게 폭행당해 죽을 위기에 처하자 대항 폭력으로 맞서다 전경을 죽이고 만다. 소설이 고발하고자 하는 폭력성이란, 직접적이며 가시적인 형태의 '주관적subjective' 폭력이 아니다. 그보다는 주관적 폭력의 관점에서 보자면 일반적인 비폭력 상황이라고 할 수 있는 '객관적objective' 폭력에 주목한다. 객관적 폭력에서도 특히, 오히려 일상을 질서 있게 정상적으로 작동시키는 공권력, 그리고 법체계에 내재한 '구조적systemic' 폭력을 문제 삼는다.[11] 철거민 박재호의 법정 소송은 현실의 용산 참사와 다른 수많은 재개발 현장에서 벌어지는 주관적/구조적 폭력에 그 뿌리를 두고 있다.

실제의 용산 참사가 타락한 정권에 대한 사회적 분노와 저항을 불러일으키게 된 것은, 그리고 소설 속 박재호의 법정 소송이 여론의 폭넓은 관심을 불러일으킨 것은, 사실, 이 일이 구조적 폭력을 주관적 폭력으로 가시화한 하나의 사건이었기 때문이다. 우리의 시야 바깥에 있던, 정상적인 관행이자 제도적으로 허용된 절차가 실상은 폭력이었다는 것을 알게 했기 때문이다. 또, 달리 말하자면, 소설에서 박재호가 아들을 구하기 위해 전경을 죽이게 된 것은 구조적인 폭력이 만들어낸, 불행한 결과다. 그것을 소설 속의 변호사들은 '정당방위'라는 법률 용어로 제한적으로 표현해서 변론하지

한다. 결코 그 역이 아니다." 질 들뢰즈·펠릭스 가타리, 김재인 옮김, 『천 개의 고원』, 새물결, 2003(2001), 203쪽.

[11] 주관적 폭력과 객관적 폭력에 대해서는 슬라보예 지젝, 이현우·김희진·정일권 옮김, 『폭력이란 무엇인가』, 난장이, 2011, 23~24쪽 참고.

만, 국가의 대리인들은 '특수공무집행방해치사'라고 못 박는다. 이처럼 현대의 법은 법주체인 개인들로부터 모든 폭력, 심지어 자연적 목적들을 겨냥하고 있는 폭력까지도 박탈하려는 경향을 보인다.[12] 그래서 근본적인 차원의 구조적 폭력에 대해 되묻는 "법정의 시위"이자 "정의의 청구"가 필요하다. 그것이 박재호와 금요모임의 지식인들이 국가를 상대로 손해배상을 청구한 100원 소송의 의미다. 이 소송은 '질문'을 바꿔 폭력에 대한 '관점'을 근본적으로 바꾸려는 시도이다.[13]

박재호는 공권력에 의해 가시적 폭력의 가해자로 낙인찍힌다. 그는 '피고'로 명명되는데, 이러한 법적 언어의 규정은 그가 처한 상황을 여실히 보여준다. 헌법 제27조 4항 '무죄추정의 원칙'은 "유죄판결 확정 전까지 형사피고인의 무죄를 추정하는 형사소송 원칙"(430쪽)을 적시하고 있다. 그러나, "법은 판결이 선고될 때까지 피고인의 무죄를 추정한다고 규정하고 있지만, 인간은 판결이 선고될 때까지 피고인의 유죄를 추정하려는 경향이 있다. 상당수의 사람들은 피고인에 무죄 선고가 내려진 이후에도 유죄를 추정하는 목소리를 속닥댄다."(142쪽) 그는 이미 언어를 통한 '상징적symbolic' 폭력의 감옥에 갇힌 피해자다. 박재호를 피고인으로 규정한 법은 수행적 효과performative efficiency를 발휘한다. 법 언어의 이 명명은 무죄

---

12) 발터 벤야민, 「폭력의 비판을 위하여」, 자크 데리다, 진태원 옮김, 『법의 힘』, 문학과지성사, 2004, 147쪽. 이 글에서 발터 벤야민은 "어떤 법 제도 안에 잠재적으로 현전하고 있는 폭력에 대한 의식이 사라지면, 그 제도는 타락하고 만다"(153쪽)고 경고한다.

13) 지젝이 드는 예화 하나: 제2차 세계대전 중 한 독일 장교가 피카소를 방문해 〈게르니카〉의 모더니즘적 '카오스'에 충격 받고 "당신이 이렇게 한 거요?"라고 질문했다. 피카소는 답했다. "아니오, 당신이 했잖소!" 슬라보예 지젝, 앞의 책, 37~38쪽.

여부에 대한 법적 판단이 아니라, 그의 존재 자체와 사회적 실존을 어느 정도는 이미 폭력적으로 결정해 버린다. 실제로 피고인으로서 그는, 소설이 끝날 때까지 거의 '수감자'의 모습으로 나온다는 것을 알 수 있다.

소설에서 박재호는 법으로부터의 '추방령bando을 받은 자', 법에 의해 '버림받은abbandonato 자'이다. 그는 과연 법질서의 외부에 있는가, 내부에 있는가? 답은 불가능하다. 그는, 그리고 재개발지역의 주민들은, 집을 잃었을 뿐만 아니라 사회적 존재로서의 지위 또한 잃었다. 그들은 법의 외부/내부의 식별이 불가능한 지대에 머문다. 조르조 아감벤이 말하길, 법으로부터 버림받은 자는, 생명과 법, 외부와 내부의 구분이 불가능한 비식별역에 노출되어 위험에 처해진다. 그런데 원래 이탈리아어에서 '추방된', '내버려진'이라는 말은 '배제된, 추방된'이라는 뜻과 '모두에게 열려 있는, 자유로운'이라는 뜻을 동시에 가진다고 한다.[14] 또 다른 가능성이 중요하다. 법의 틈새를 여는 것. 법으로 법에 맞서는 것.

작가는 법의 한계를, 법의 폭력성을 분명히 인식하면서, 법을 향한 법의 도전을 이끌어간다. 주인공이 청부살인을 행한 폭력조직의 두목 조구환에게 거짓말로 살인을 시인하도록 해서 오히려 무죄 판결을 얻어내는 저 아이러니한 극적인 에피소드가 삽입된 것은, 법이란 정의의 등가가 아니라 자체적인 한계와 부조리를 내포한 제도적 절차에 지나지 않는다는 것을 명시하기 위해서일 것이다. 그럼에도 불구하고 작가는, 소설의 인물들은, 싸운다.

"올리버 홈즈 전 미국 연방대법관 이야기를 해볼까요? 그 사람은 재

14) 조르조 아감벤, 박진우 옮김, 『호모 사케르』, 새물결, 2008, 79~80쪽.

직기간 동안 연방대법원 자료실에 파격적인 소수의견들을 산더미처럼 쌓아놨습니다. 한때는 그가 정신병자라고 생각한 사람들도 있었죠. 하지만 시간이 흐르고 시대가 변하자 그가 내놓은 소수의견들의 대부분은 미국 연방대법원의 주류적 입장이 되었습니다."

(…중략…)

우리는 한동안 아무 말도 하지 않았다. 소수의견이 자기 자리를 찾을 때. 달이 해가 되는 때. 늙은 나무의 그늘로부터 새싹이 돋아나는 때. 나는 가슴 한구석을 저리게 찔러대는 그 말을 몇 번이나 되뇌었다. (105쪽)

법률 용어로 '소수의견'은 "대법원 등의 합의체 재판부에서 판결을 도출하는 다수 법관의 의견에 반하는 법관의 의견"(428쪽)이다. 소수의견은 법률적 정의를 넘어 '내적 설득의 담론'으로서 그 의미의 자장磁場을 넓힌다. 그것은 비록 지배적인 권위와 특권에 의해 뒷받침되지 못하지만, 내적인 설득력을 지닌 담론이다. 선험적으로 결정되고 고정된 '권위적 담론'의 법, 즉 다수와 권력, 강자를 위한 사회적 규칙에 맞서는 힘이다.[15] 사회적 진보를 가능하게 하는 새로운 견해이다. 그러므로 소수의견은, 정상의 외피를 두른 구조적 폭력을 투시하게 하는 X-레이이다. 그것은 관점의 이동이며 질문의 전환이다. 세계를 향한 싸움의 말, 언어의 전투이다.

이제 막 작가의 언어적 싸움이 시작됐을 뿐이다. 🔠

15) 미하일 바흐찐, 앞의 글, 161~167쪽 참고.

노대원

1983년생. 서강대 대학원 국어국문과 박사과정 재학 중. 2008년
제6회 대산대학문학상 평론 부문과 2011년 문화일보 신춘문예 평
론 부문에 당선되어 등단. naisdw@empal.com

이별의 별자리는 남쪽으로 흐른다

몽골에서 보낸 네 철

박태일 | 18,000원 | 국판(양장) | 452쪽 | 도서출판 경진

**장소를 노래하는 시인 박태일,
몽골의 일상과 풍경을 한 권의 추억으로 엮어내다**

　시인 박태일이 2006년 2월부터 2007년 1월까지 1년 동안 몽골에 머물면서 겪었던 나들이 기록. 1부에서는 몽골에서의 일상, 2~6부에서는 몽골의 수도 울랑바트르의 근교와 동서남북 지역을 여행한 기록을, 7부에서는 1년간의 생활을 정리하는 글을 실었다.

　몽골에서 생활을 하면서 겪었던 에피소드와 몽골의 각 지역을 여행하면서 보고 느낀 감상을 시인의 눈으로 쓴 글은 마치 한 편의 긴 산문시를 보는 것과 같은 감흥을 선사한다. 특히 몽골의 사람과 자연을 꾸밈없이 드러낸 사진을 보고 있노라면 몽골에 와 있다는 느낌이 든다.

　이제 내 앞으로 동몽골 초원이 놓였다. 가슴 두근거리는 일이다. 수흐바트르 아이막 소재지인 바롱우르트까지 191킬로미터, 거기서 동몽골 초원 맨 밑자리, 숱한 화산 오름과 불을 물처럼 능숙하게 다루는 다리강가 사람의 성산 실린벅뜨까지 200킬로미터를 마냥 달려 볼 생각이다. 바람과 비, 눈과 구름 말고는 그 무엇도 손대지 않은 몽골의 가슴이며 튼튼한 심장인 동몽골 초원, 나는 그 안으로 와락 몸을 던졌다.

- 「처이발승의 처이발승」 가운데서

도서출판 **경진** | **펴낸곳** 도서출판 경진 | **등록** 제2010-000004호 | **주소** 경기도 광명시 소하동 1272번지 우림필유 101-212
　블로그 http://kyungjinmunhwa.tistory.com | **이메일** wekorea@paran.com

공급처 (주)글로벌콘텐츠출판그룹 | **주소** 서울특별시 강동구 길동 349-6 정일빌딩 401호 | **전화** 02-488-3280 | **팩스** 02-488-3281

'세계문학'이라는 문제

: 김영희·유희석 엮음, 『세계문학론』 읽기

고봉준

세계문학의 시대

'세계문학'에 관한 평단의 관심이 뜨겁다. 지난 세기에 유럽에서 시작된 '세계문학'의 바람이 대륙을 가로질러 한국의 비평계에 커다란 흔적을 새기고 있는 것일까. 최근 '세계문학'을 다시 사유하려는 비평적 관심이 파스칼 카사노바, 프랑코 모레티, 데이비드 댐로쉬 같은 영미와 유럽의 이론을 수입한 결과만은 아닐 것이다. 철학과 사회학이 전술지구적 자본주의라는 새로운 현실 앞에서 신자유주의, 세계화, 타자, 이동, 유령 같은 검수목록의 항목을 늘려가고 있을 때, 문학은 국민국가와 근대문학의 혈통적 관계가 해체되는 현상에 주목하여 '세계문학'을 다시 고민하기 시작했다. '세계문학'은 지금—이곳의 문학이 응답해야 할 하나의 문제로 부상했고, 근대 이후의 문학을 조망하는 시선의 일종으로 등장했다. '세계문학'이라는 문제는, 유럽의 영향이 전혀 없었던 것은 아니지만, 변화된 현실 앞에서 한국문학의 현재와 미래를 가늠해보려는 차원에서 제기되고 있다. 구체적으로 그것은 '한국문학의 세계화'라는 현실적 요청과 탈脫식민적 세계문학의 구성이라는 이론적 정당성이 교차되는 지점이고, 과거의 민족문학론이 "시대 변화에 적응하면서 지구화에 전략적으로 대응하는 한 방법론"(심진경)이거나 "민족문학론의 출발부터 함께했던 세계문학적 시야를 달라진 조건에 맞게 확대하고 구체화하려는 노력"(김영희)으로 제기되었다. 한 마디로 그것은 시대적 요청에 대한 응답의 일환인 것이다.

　최근 몇 년, 한국문학계에는 '세계문학'이라는 시각에서 해명되어야 할 현상들이 다수 등장했다. 노벨문학상 수상가능성이 점쳐지고, 국제적인 문학행사가 유례를 찾을 수 없을 정도로 빈번하게 개최되고, 출판사들이 앞을 다투어 '세계문학전집'을 출간하고, 동아시아의 작가들이 같은 지면에 작품을 발표하기도 하고, 신경숙을 필두로 한국작가들이 미국과 유럽의 출판시장에 진출하기 시작했고, 더불어 세계문학장 속에서 한국문학의 위상을 제고해야 한다는, 글로벌 환경 속에서 한국문학이 세계문학으로서의 성격을 가져야 한다는 요청이 등장했다. 덧붙여, 탈식민주의 이론의 영향으로 세계문학을 외국(유럽)문학과 동일시하는 과거의 유럽중심주의에서 벗어나야 한다는 주장이 일반화되었고, 때를 같이 하여 비유럽권의 근대문학을 추동해 왔던 국가 내지 민족 개념에 대한 근본적 비판이 등장함으로써 '세계문학'의 중요성이 환기되기도 했다. 세계의 문학계와 한국의 비평계가 이처럼 '세계문학'을 시대적 화두로 삼고 있는 것은 우리가 살고 있는 세계가 전全지구적 자본주의, 이른바 세계화와 지구화의 시대임을 증명한다. 즉 '세계'가 민족국가들의 산술적 합산이나 국가들 간의 관계Inter-nation로 표상되기보다는 동시적으로 움직이는 명실상부한 '하나의 세계'를 뜻하는 지구화Globalization 시대에 접어들었다는 것이 지배적인 감각이 되었다.

오늘날 지구화의 패러다임을 주도하는 것은 무엇보다 개별 국가들의 국경을 자유롭게 넘나드는 자본의 흐름과, 그 흐름에 편승하는 노동력의 이동이다. 그러나 '이동'이 지구화 시대의 키워드가 됨에 따라 문학의 근본적 성격 또한 빠르게 변하기 시작했다. 그 변화들 가운데 하나는 소설이 민족/국가적 감각의 범위를 벗어나 탈민족적/탈국가적 감성에 기반한 작품을 쏟아내기 시작한 것이다. '비교문학'이라는 근대적 패러다임의 위상이 축소되고, '세계문학'이라는 탈근대적 문제가 집중적인 관심을 받게 되는 것도 이 때문이다. 물론, '세계문학'과 '탈근대'를 연결하는 것에 대한 비판의 목소리들도 없지 않다. '세계문학'이라는 개념이 괴테나 맑스 같은 근대의 사상가들에 의해 제안된, 지극히 근대적인 발상이라는 것이 그 반론의 요체이다. 물론 괴테나 맑스의 '세계문학'은 다분히 근대적인 성격을 띠고 있었다. 그러나 '세계'의 개념과 범위가 항상 역사적으로 일치하는 것은 아니었다. 가령 근대 시기 괴테나 맑스 등의 '세계문학' 개념이 없었던 것은 아니지만, 근대문학 내부에서 국가와 국가의 문학적 영향관계를 해명하는 일은 전적으로 '비교문학'의 몫이었다. 그들의 '세계문학'은 국민문학적 특수성과 인류적 보편성을 이상적으로 결합시킴으로써 보편적인 의미의 '세계문학' 개념을 제시하는 것이었지만, 그들에게 '세계'는 (형식적으로) 국민국가들의 합으로 정의되는 것, 즉 국가-국가의 관계이거나, 국가들의 합이었다. 반면 신자유주의 하에서 '세계'는 더 이상 그런 식으로 표상되지 않는다. 오늘날 누군가가 '세계'라는 개념을 쓴다면 그것은 인터내셔널이라는 맥락에서 국가들의 합이 아니라 지구 전체를 가리키는 개념일 것이다. 그러므로 괴테나 맑스 시대의 '세계문학'

이라는 이념은 오늘날 우리가 새롭게 사유(하고 대응)해야 할 '세계문학'과는 분명히 다른 맥락에 놓여 있다. 이 때문에 '세계문학이란 무엇인가'라는 물음을 근대적인 물음이라고 비판하는 것은 그 물음에 대한 냉소나 회피는 될 수 있을지언정 적절한 응답은 아니다. 단적으로 말해서 근대적인 맥락에서의 '세계문학'은 세계라는 '보편'을 상정하고 있었고, 그것은 다분히 유럽중심적인 가치를 의미하는 것이었지만, 그러한 '보편'의 중심성이 끊임없이 의심·부정되고 있는 지금의 '세계문학'은 인류적 보편성이라는 맥락과는 다른 층위에서 '세계문학'을 사유할 것을 요구하고 있다. 오늘날 '세계문학'이 뜨거운 논쟁의 대상이 되고, 심지어 하나의 난제로까지 여겨지는 이유가 여기에 있다. '세계'를 국제적인 것으로 표상할 수 없는 시대, '비교문학'이라는 근대적 조망의 방식으로는 포착할 수 없는 지점을 다시 사유해야 한다는 것, 이것이 지금 우리가 직면하고 있는 '세계문학'이라는 물음의 정체인 것이다.

세계문학의 맥락들

오늘날 '세계문학'이 논의되는 맥락들과 '세계문학'에 대한 논의들은 다양하다. 지구화 시대라는 맥락에서 '세계문학'은 크게 두 가지 질문으로 대별된다. 하나는 세계문학을 "이념 내지 기획으로서의 세계문학 개념"(김영희)으로 이해하는 비평적 태도이고, 다른 하나는 한국문학이 이미 세계의 문학시장 안에 위치하고 있다는 현실적·상업적인 감각이다. 그렇지만 "이념 내지 기획으로서의 세계문학 개념"을 어떤 수준에서 어떻게 사유하느냐에 따라서 비평적 태도 또한 다양하게 분화되고 있다. 단적으로 그것은 현대를 근대의 연장으로 이해하느냐 탈근대적 상황으로 이해하느냐에 따라서 커다란 편차를 드러내기도 한다. 가령 백낙청은 오늘날 인류가 직면하고 있는 세계화나 전지구화를 근대 세계체제의 한 속성으로 파악하며, 따라서 세계화 내지 전지구화가 특별히 새로운 상황이 아니라고 말한다.[7] 세계화와 지구화를 근대 자본주의에 내재된 필연적 결과로 파악하는 이러한 입장은 "지구화가 근대성을 벗어나는 과정이 아니라 그 속에 더욱 긴밀하게 포획되는 과정이고 오히려 근대의 완성에 가깝다는 관점에서는 좀 더 다른 대응이 요구된다"(18쪽)라는 진술처럼, '세계문학론'을 사유하는 '창비'의 합의된 입장처럼 보인다. 그러나 '세계'를 국가 간inter-nation의 관계로 이해할 수 있었던 시대와 지금의 자본주의 하에서 '세계'가 동일한 것인지, 후자가 그것의 확장과 연장에 불과한 것인지는 여전히 해명되어야 할 문제로 남는다. 어쩌면 '세계문학'에 대한 '창비'의 담론이 괴테-맑스적 세계문학의 범위를 벗어나지 못하는 느낌이 드는 까닭이 이러한 시각 때문은 아닐까.

사실 오늘날의 '세계문학' 담론은 유럽적인 것을 인류적 보편성과 등치하려는 유럽중심주의적 시각을 벗어나야 한다는 당위적 요구, 문학시장이 더 이상 국민국가 단위로 분절될 수 없다는 현실적 상황, 그리고 한국문학의 성격과 변화를 '세계문학'이라는 시각 하에서 재조정해야 한다는 비평적 태도의 갱신이라는 조건 속에서 발화되고 있다. '세계문학'을 말하는 다수의 사람들이 세계문학을 국민문학(특수성)과 인류적인 것(보편성)의 합일이라고 주장한 괴테의 세계문학 개념에 의지하고 있는 이유는 우리가 당면하고 있는

---

[7] 백낙청, 「지구화시대의 민족과 문학」, 김영희·유희석 엮음, 『세계문학론』, 창비, 2010, 35쪽(이후는 쪽수만 표기함). 이러한 입장은 백낙청, 「세계화와 문학」, 영미문학연구회 편, 『안과밖』 29권, 창비, 2010에서도 동일하게 반복되고 있다.

문학적 현실이 더 이상 일국적 현실 속에서 이해될 수 없다고 판단하기 때문은 아닐까. 생산과 소비 양 측면에서 한국문학은 더 이상 '한국'이라는 동일한 영역에 머물러 있지 않다. 이러한 문제의식이 현실에서는 한국문학이 세계 문학시장에서 정당한 평가를 받아야 한다는 경제의 논리로 치우침으로써 '세계문학'에 대한 논의를 희석시키는 면이 없지 않으며, 이것을 경계하지 못하는 한 세계문학에 대한 논의는 한국문학의 국제적 위상을 높여야 한다는 문학적 애국주의로 귀결될 가능성이 짙다. 특히 한국문학이 미국으로 대표되는 세계의 문학시장에 진출한 현상에 고무되거나, 세계문학을 지구적 차원에서 생산되는 베스트셀러의 문제로 축소시켜버릴 때, 세계문학이라는 문제는 자본주의가 전지구화된 삶의 조건—선택지가 아니라 출발지—을 새삼 강조하는 동어반복을 벗어날 방법이 없다. 왜 한국의 문학출판시장에서 '세계문학전집'이 유행하고 있는지, 한국문학시장에서 왜 일본문학이 상업적인 성공을 거두고 있는지…… 이것들은 세계문학을 사유할 때 우리가 참조해야 할 사항이지 그 자체로 해명되어야 할 문제는 아니다.

그렇다면 이제까지 '세계문학'은 어떻게 논의되어 왔는가? 알다시피 세계문학론의 선편은 괴테와 맑스의 몫이었다. 괴테는 세계문학을 국민문학적 특수성(민족적 상황)과 인류적 보편성의 합일로 정의했고, 맑스 또한 자본주의의 일반화라는 맥락에서 그러한 합일을 세계문학이 등장할 수 있는 조건으로 인식했다. 그러나 프레드릭 제임슨이 지적하듯이 세계문학에 대한 괴테의 진술은 "한 나라의 독자가 다른 나라의 텍스트에 대해 어떤 즉각적 관련성을 전개시키거나 만들어낸다는 것에 대한 질문"이 아니라 "문화적 커뮤니케이션 기구들이라고 부를 수 있는 매체들의 탄생에 더욱 초점을 맞추고 있"[2]는 것이었기에 지구화 시대에 새롭게 정의되어야 할 "이념 내지 기획으로서의 세계문학 개념"과는 거리가 있다. 더욱이 현대의 철학과 문학이론들이 보편의 폭력성과 불가능성을 핵심적인 사유의 대상으로 삼고 있지 않은가. 이런 맥락에서 세계문학이 "이미 주어진 만신전도, 정기적으로 걸작들이 추가되는 상상의 박물관"도 아니라는 제임슨의 지적은 세계문학에 대한 사유의 좋은 출발점이 된다. "세계문학은 각 나라와 민족의 차이들이 오늘날 어떻게 서로 연결되어 있는지, 민족성이 어떻게 보편적이 될 수 있는지, 전지구적 다양성이 어떻게 중심지 없이도 상상가능한지에 대한 문제와 수수께끼의 다른 이름입니다."[3] 제임슨의 이러한 주장은 우리가 괴테-맑스적 세계문학 개념에서 경험하는 모종의 불안감, 즉 무갈등이라는 딜레마를 "투쟁, 경쟁, 적대의 공간과 현장"을 통해 대리보충한다.

최근 유럽문학장에서 '세계문학' 논의를 주도하고 있는 프랑코 모레티는 월러스틴의 세계체제론을 원용하고 있는데, 특히 모레티는 '하나'의 세계 내부에 존재하는 중심과 주변의 관계, 즉 "하나이지만 불평등한" 전체라는 가설을 통해서 세계체제론의 문학적 버전을 시도한다. 모레티는 세계문학의 가능조건으로서 반주변부 지역에 주목한다. "문학 체제의 주변부에 속하는 문화들(즉 유럽 안팎의 거의 모든 문화들)에서 근대 소설은 처음에는 자율적으로 발전한 것이 아니라 서구의 형식적 영향(통상 프랑스나 영국에서 영향을 받았다)과 지역적 소재 간의 타협으로서 등장했다."[4] 근대적인 세계문

---

2) 프레드릭 제임슨, 문강형준 옮김, 「세계문학은 외부부를 두고 있는가?」, 『자음과 모음』, 2009년 가을(http://blog.aladdin.co.kr/jamo/4177803)에서 재인용.

3) 위의 글.

4) 프랑코 모레티, 조형준 옮김, 「세계문학에 대한 몇 가지 단상」, 『세계의문학』,

학(작품) 텍스트가 유럽적 보편형식인 '소설'이 반주변부 지역에서 "외부적인 것과 지역적인 것 간의 타협"으로 등장한 것이라는 주장이다. 모레티는 조이스의 『율리시즈』가 아일랜드적이지 않듯이, 마르케스의 『백 년 동안의 고독』은 콜럼비아적이지 않으며, 괴테의 『파우스트』 역시 독일적인 작품이 아니라고 말한다. 이들 소설은 모두 세계문학(작품)이며, 그들의 지리학적 준거틀이 국민국가가 아니라 하나의 대륙이거나 더 넓은 세계체제라는 것이다. 세계문학이 "하나의 대상이 아니라 하나의 문제, 새로운 비평 방법을 요구하는 문제"라고 보는 모레티의 주장은, 그러나 유럽과 비유럽을 중심과 반주변부로 간주한다는 점에서 국내 비평가들의 저항에 직면하고 있다. 특히 그의 세계문학론은 새로운 텍스트의 생산이 아니라 기존의 작품을 해석하는 새로운 틀(문제)이라는 점에서 한국문학과의 접점을 발견하기 어려운데, 그럼에도 세계문학을 세계문학 시장에 자리를 만드는 것, 즉 상품화의 논리를 비켜 서 있다는 점에서 주목할 여지를 남긴다. 그의 주장이 유럽중심주의의 흔적을 갖고 있다는 것은 분명하지만, 지구화 시대의 세계문학이 마치 '세계'라는 사이즈에 필적할 만한 작품을 생산·유통하는 것이라고 간주하는 시선에 비해서는 한층 진보적이다.

문제가 되는 것은 세계적인 규모에서 문학을 분석하는 양상들이 아니라, 문학을 세계'로' 사유할 수 있도록 해주는 개념적 수단들이다. (…중략…) 모든 위치들은 문학적 현재가 결정되는 중심부와의 관계 하에서 결정된다. 나는 이것을 '문학의 그리니치 자오선'이라고 부르고 싶다. (…중략…) '근대적'이라 판결되는 것은 중심부 바깥의 작가들에게 가장 어려운 인정의 형식들 가운데 하나이고 폭력적이고 쓰라린 경쟁의 대상이다. (…중략…) 중심부의 문학적 형식과 장르들을 단순히 종속된 지역 내의 작가들에게 부여된 식민적 유산이라고 말하는 것은 공간 전체의 보편적 가치로서 문학 그 자체가 도구라는 사실, 다시 말해 그것이 재전유되면, 작가들-특히 가장 적은 자원들을 가진 작가들-로 하여금 그 속에서 일종의 자유, 인정, 실존을 획득할 수 있게 해주는 도구라는 사실을 간과하는 것이다.[5]

파스칼 카사노바는 부르디외의 장 이론과 브로델의 세계-경제 이론을 종합하여 '세계문학공간World literary space'이라는 특유의 개념을 제안했다. 그녀는 이 공간을 중심부와 주변부의 관계로 정식화한 후, 주변부 작가들이 자신의 열악한 환경에서 벗어나 문화적 근대성의 장소(유럽)로 이동하는 것을 문학적 근대화라고 명명한다. 이 경우 강력한 중심으로서의 유럽은 '문학의 그리니치 자오선'이다. 그것은 "문학의 공간 내의 주인공들이 중심부로부터 취하는 거리를 측정할 수 있게 해주는 것이다." 이러한 논리에 따르면 문학적 근대화 과정이란 주변부 작가들이 "폭력적이고 쓰라린 경쟁"의 과정을 통해서 선진적인 '문학의 그리니치 자오선'을 따라잡는 것이다. 이러한 발전주의적 관점이 척도로 내세우고 있는 것이 '미학적 근대성'이다. 문학적 현재의 또 다른 이름이라고 말할 수 있는 이것을 성취하기 위해서 주변부 작가들은 "그들을 민족적인 것으로부터 해방"시켜야 한다는 과제를 부여받는다. 카사노바의 세계문학론은 주변부 작가들이 인정투쟁을 통해 중심(유럽)으로 나아갈 수 있으며, 이러한 재전유 과정이 식민주의의 유산이라는 부정적 측면

---

5) 파스칼 카사노바, 차동호 옮김, 「세계로서의 문학」, 『오늘의문예비평』, 2009년 가을, 117~141쪽.

만이 아니라 중심에 진입할 수 있는 계기라는 긍정적 측면도 지닌다고 말한다. 물론 카사노바의 논의 속에는 중심에 의한 주변의 흡수만이 아니라 주변이 어떻게 중심을 향해 이의를 제기하는가라는 내용도 포함되어 있다. 그녀가 주장하는 동화, 반항, 혁명이 바로 그것들이다. 그렇지만 세계문학을 '문학적 시간(현재)'을 둘러싼 국가 간의 갈등으로, 중심에 도달하기 위한 경쟁으로 이해하는 목적론적인 사고에 쉽게 동의하기는 어렵다. 한편 댐로쉬의 '세계문학'은 유동성fluidity과 가변성variability을 강조하고 작품에 한층 밀착된 논의를 전개한다는 점에서 특유의 '거리 두고 읽기'를 행하는 유럽적 세계문학론자들과는 구분되는데, 그럼에도 세계문학을 이념 내지 기획이 아니라 '유통'의 차원에서 이해한다는 한계를 보인다.

'창비'의 세계문학론

한국문학장에서 '세계문학'에 관한 논의를 선도하고 있는 것은 '창비'이다. 『아시아』와 『실천문학』 그리고 한국작가회의를 중심으로 탈식민적 관점의 '세계문학'이 논의되고 있지만, 세계문학이 서구중심적 편향을 극복하고 아시아, 아프리카의 문학을 포괄하는 방향으로 나아가야 한다는 원론적 입장에 머물러 있는 느낌이다. 『창작과비평』은 '세계문학, 동아시아문학, 한국문학'(2011년 봄)이라는 대화의 자리를 마련했다. 이 좌담은 창비가 출간한 『세계문학론』과 연속선상에서 '창비'의 세계문학을 살펴볼 수 있는 흥미로운 기획이다. 여러 출판사들이 앞을 다투어가며 경쟁적으로 '세계문학전집'을 쏟아내고 있으나 그것을 '세계문학론'이라는 담론의 수준에서 검토하고 대응하는 것은 '창비'가 거의 유일하다는 사실 자체가 놀라울 따름이다. 이 좌담에서 먼저 주목해야 할 것은 '세계문학'을 바라보는 시차視差가 여과 없이 드러난다는 점이다. 가령 참석자의 한 사람인 심진경은 창비의 '세계문학'을 "지구화에 전략적으로 대응하는 한 방법론"으로 인식한다. 민족문학론의 자기 갱신이 세계문학이라는 것이다. 반면 좌담의 사회자이자 창비 측의 입장을 밝히고 있는 김영희는 세계문학론이 민족문학론의 공백을 메우는 이론적 장치가 아니라 "민족문학론의 출발부터 함께했던 세계문학적 시야를 달라진 조건에 맞게 확대하고 구체화하려는 노력의 소산"이라고 설명한다. 창비의 민족문학론이 처음부터 세계문학적 시야를 내장하고 있었다는 이러한 주장은 결국 "세계문학을 국민문학/민족문학과 별개라고 여기거나 대립되는 실체로 보는 게 아니라 튼실한 세계문학을 일궈나가기 위해서도 국민문학적 성취들이 핵심적이라는 점을 강조하는 정도랄까요"라는 진술로 구체화된다. 그러므로 이 좌담은 창비의 세계문학이 자기갱신의 전략이라는 심진경의 주장과 세계문학에 대한 시각이 민족문학론에 내장되어 있었다고 말하는 김영희의 주장이 대립되고, 민족문학론의 시의성이 사라졌다는 백지운의 주장과 민족문학론의 시의성이 여전히 건재하다는 김영희의 주장이 대립되는 형식을 띠고 있다.

그런데 창비의 '민족문학'은 우선, 세계문학에 관한 괴테의 발언("오늘날에는 국민문학이란 것이 큰 의미가 없다. 이제 세계문학의 시대가 시작되고 있다. 그러므로 우리 각자는 이런 시대의 도래를 촉진하기 위해 노력을 다하지 않으면 안 된다")을 '민족적인 것'을 초월하려는 것으로 해석하기보다는 민족적인 것과 보편적인 것(국제적인 것)의 조화로 이해한다는 점에서 주목을 요한다. 가령 김영희는 괴테의 발언을 이렇게 해석한다.

괴테의 이런 발언들을 문자 그대로 국민문학 소멸론으로까지 받아들일 필요는 없을 것이다. 그가 제안하는 세계문학은 단순히 세계적 정전의 집합도 아니지만, 국민문학과 별개로 존재하는 어떤 단일한 실체를 가리키는 것도 아니기 때문이다. 그는 오히려 세계문학을 위해서 독일문학이 기여할 몫을 강조하되, 특정한 국민문학이 세계문학의 전범이 되는 것을 경계한다. 괴테가 염두에 둔 세계문학은 각 민족이나 국가의 문학과 작가들이 경계를 넘어서 서로 소통하고 교류하면서 문학을 통해서 인류의 보편적 가치를 지키고 세워나가야 한다는 일종의 국제운동적 성격을 지니고 있었다. (14쪽)

괴테의 세계문학을 민족적인 것의 초월이 아니라 민족적인 것들의 소통과 교류를 통한 보편적 가치의 형성으로 이해하는 것은, 설령 그것이 구체적인 작품이 아니라 매체의 문제를 염두에 두었다는 사실을 적시하지 않았다 할지라도, 어느 정도는 타당하다고 할 수 있다. 그리고 김영희의 이러한 주장은 창비의 다른 필자들에게서 동일하게 목격되는데, 가령 백낙청 역시 "지방적 다양성도 당시 독일어권의 현실에서 괴테가 당연시했던 전제인바, 세계문학 기획의 일환이 되는 '국민/민족문학'은 국민국가나 민족을 고정된 단위로 삼기보다 지방의 특수성이 적절히 반영되는 '국민/민족/지방문학'의 약칭으로 이해하는 게 옳다"[6]라고 말한다. 실제로 괴테가 '세계문학'이라는 개념으로 국민/민족문학의 몫을 어느 정도까지 인정하려고 했던 것인가는 재론의 여지가 있지만, 분명한 것은 괴테가 '민족적인 것'을 초월하는 수준에서 세계문학을 주장했고, 그럼에도 불구하고 결코 '민족적인 것'의 범위를 벗어나지 못했다는 것

고봉준 · '세계문학'이라는 문제

6) 백낙청, 「세계화와 문학」, 20쪽.

이다. "비록 괴테는 〈민족적〉인 것을 초월할 수 있기를 열망했지만 (〈민족적 문학은 오늘날 더 이상 의미가 없다〉) 그가 상상한 대화의 참가자들은 근본적으로 민족적 문학들이다. 세계문학은 〈민족과 민족의 관계〉와 관련되어 있다."[7] 즉 괴테는 민족을 초월하지 않음으로써 국민/민족문학의 몫을 인정한 것이 아니라 민족을 초월하지 못함으로써 그렇게 한 것이다. 왜 그랬을까? 그것은 괴테가 '세계'를 '민족과 민족의 관계', 즉 국제적인 것과 동일시했기 때문이다. "〈세계〉란 여기서 〈지구적〉이라는 의미, 즉 세계의 모든 문학이라는 의미가 아니라 오히려 〈국제적〉, 즉 국가적인 경계를 넘어서 이루어지는 구조를 가리킨다."[8] 이러한 한계는 맑스에게서도 동일하게 확인되는데, 그럼에도 이러한 근대적 사유방식은 그들 개인의 한계는 아니었다.

그렇다면 오늘날 우리가 '세계문학'이라고 말할 때의 '세계'가 이러한 국제적 관계를 의미하는 것일까? 이 질문에 대해 창비의 평론가들은 '그렇다'고 말한다. 백낙청은 "근대 세계체제가 아무리 지구화되고 세계화되더라도 국가간체제가 그것의 필수요소인 한은 민족들과 국민국가들(혹은 그 잔재들)이 엄연한 현실의 일부요 우리의 지속적인 관심사가 되리라는 점 또한 분명하다"(31쪽)고 말하고, 김영희 또한 "지구화가 근대성을 벗어나는 과정이 아니라 그 속에 더욱 긴밀하게 포획되는 과정이고 오히려 근대의 완성에 가깝다"(18쪽)고 주장한다. 이러한 주장들이 의미하는 바는 다음과 같다. "세계화 내지 전지구화는 근대 세계체제의 속성에 해당하며 특별히

---

7) 크리스토퍼 프렌더가스트, 양희정 옮김, 「세계문학 협상하기」, 『세계의문학』, 2001년 가을, 252쪽.

8) 위의 글, 257쪽.

새로운 현상이랄 수 없다."[9] 창비의 '세계문학론'은 정확하게 이 지점에서 멈춘다. 괴테-맑스 시대의 자본주의가 이미 전지구화를 내장하고 있기에 오늘날의 지구화와 근본적으로 다르지 않다는 것, 마찬가지 이유에서 괴테-맑스 시대의 자본주의와 오늘의 자본주의가 동일한 성격이라는 것, 그리하여 '세계문학'을 지구적 관점이 아니라 국제적 관점으로 사고해야 한다는 것이다. 백낙청이 문학운동으로서의 '괴테적·맑스적 기획'을 반복해서 주장하는 이유가 여기에 있다. 그리고 이것은 현대 자본주의를 탈근대적인 시각이 아니라 근대적인 시각, 또는 근대의 완성으로 이해하는 입장이다. 어떤 면에서는 세계문학을 '차이의 조화'로 이해하는 무갈등 모델보다 그것을 중심과 주변의 타협으로 이해하는 모레티, 자신의 문학을 '민족적인 것'에서 해방시킴으로써 세계문학이 될 수 있다고 주장하는 카사노바의 이론이 현실적으로 느껴진다는 것을 숨기기 어렵다. 또한, 문학과 문학 아닌 것을 비매개적으로 이야기하는 것은 논의를 지나치게 확장시킬 위험이 있지만, 현대의 자본주의를 근대의 완성으로 이해하는 시각은 자본의 전지구화라는 현실 앞에서 지구적인 위계화와 민족/국가단위의 삶이 날카롭게 대립되고 있음을, 점차 후자에서 전자로 이동하고 있음을 해명하지 못한다.

이러한 지적들에도 불구하고, 창비의 '세계문학론'이 근대적인 시각을 포기하지 않는 이유는 지구화를 탈근대적인 현상으로 이해하고 세계문학을 국가들의 관계가 아니라 글로벌의 수준에서 논의하게 되면 민족/국가적인 것의 몫이 사라진다고 판단했기 때문일 것이다. 다시 말해서 지구화라는 현실이 민족/국가의 경계를 무너뜨린다는 일반화된 관념에 동의할 수 없기 때문일 것이다. 세계문

9) 백낙청, 「세계화와 문학」, 14쪽.

학을 "각 민족어/지역어로 이룩한 창조적 성과들을 국가의 경계를 넘어서 공유함으로써 공동으로 근대성의 폐해에 맞서고자 한 괴테의 기획이 새삼스러운 의미를 획득하는 까닭도 여기에 있다"(김영희)라는 진술의 이면에는 이러한 무의식이 깔려 있다. 그런 점에서 창비의 '세계문학론'이 "지구화 전략에 대응하는 한 방법론"이라고 지적한 심진경과 "우리 삶의 현실을 (…중략…) 어떤 틀로 이론화할 것인가라는 문제 (…중략…) 를 돌파하려고 모색하던 중"에 나온 것이라고 지적한 백지운의 주장은 매우 날카로운 것이다. 지구화는 우리의 현실이 보여주듯이 민족/국가의 경계를 허물어뜨리는 방향으로 전개되는 것이 아니라 그것들을 지구적 차원에서 재편하는 방향으로 진행된다. 다시 말해서 근대적인 수준에서 민족/국가에 주어진 의미가 바뀌는 것이지 그것들이 사라지는 것은 아니다. 지구화된 세계의 수준에서도 국가의 착취나 억압은 상존하지만, 그것들은 근대적인 맥락과는 다른 의미를 띠게 된다.

이러한 비판이 흔히 말하듯 지구적인 차원에서 생산되는 상품으로서의 세계문학을 옹호하려는 의도를 갖고 있지는 않다. 다만 탈근대적 현상으로서의 지구화가 더 이상 방기할 수 없는 우리의, 세계의 현실이라면 오늘날의 '세계문학'은 괴테-맑스적인 근대적 기획과는 다른 관점에서 사유되어야 한다는 것, 그리하여 한국문학을 세계화하기 위해 '번역'에 힘쓰거나, 세계문학전집에 한국문학을 포함시킴으로써 '세계문학'이 구성될 수 있다는 식의 상식론으로 귀결되지 말아야 한다는 것을 지적하고 싶을 따름이다. 지금 지구화라는 현상은 우리에게 던져진 하나의 조건이며, 현대의 '세계문학'은 적어도 세계로서의 세계, 세계로서의 지구 전체를 포괄하는 새로운 기획으로서의 세계문학이라는 개념을 요구하고 있다. 이러한 지적을 서구적 탈근대론에 대한 과잉 충성이라고 비판하는 것은 매우 쉬운 일이겠지만, 그 비판 속에는 새로운 문제에 대해 여전히 낡은 해답을 고수하려는 보수주의의 태도가 내재되어 있음을 깨달아야 한다. 이 새로운 의제에 대한 적절한 대답이 무엇일까? 그것을 단언하는 것은 사실상 불가할 뿐만 아니라 필자의 능력을 넘어서는 일이다. 어쩌면 지금 우리가 할 수 있는 유일한 대답은 좌담의 한 참석자가 이야기한 것처럼 "세계문학의 개념을 둘러싸고 일어나는 충돌 자체를 주목하면서 거기서 생산되는 담론으로 풀어가"(심진경)는 것뿐일지도 모른다. 그러나 이것이 현대적 맥락에서 '세계문학'을 사유하는 첫걸음이라면 외면하지 말아야 할 것이다. 🗝

고봉준
2000년 《서울신문》 신춘문예로 등단. 평론집 『반대자의 윤리』, 『다른 목소리들』, 『유령들』이 있음. 본지 편집동인.
bj0611@hanmail.net

국가의 욕망과 존재의 재앙

: 존재의 같음을 열기 위한 시론(試論)

서용순

지진해일, 원전 그리고 교과서

지난 3월 11일에 일어난 그 일을 사람들은 아직 기억하고 있을 것이다. 이 날이 던진 충격은 모든 사람들의 이목을 집중시키기에 충분했다. 일찍이 보지 못한 강력한 지진해일이 일본 동북부를 휩쓸어 수많은 사망·실종자를 냈고, 그 충격으로 지축의 각도가 변하기까지 했던 것이다. 수만 명의 피해자를 낸 이 지진해일의 참상은 전 세계에 생생한 이미지로 전해졌다. 재난 영화로만 볼 수 있었던 참상이 실제 상황으로 우리 앞에 전해졌을 때, 그 두려움과 비참함을 말로 표현한다는 것은 애초에 불가능했다. 그만큼 충격은 컸다. 세계는 경악했고, 전 세계가 일본을 향해 도움의 손길을 내밀었다. 각국의 구조단이 일본으로 떠났고, 우리나라에서는 일본을 위한 성금이 답지했다. 특히 양국의 오랜 갈등과 악감정을 고려할 때, 이러한 한국인들의 반응은 지극히 이례적인 것이었다. 전대미문의 재앙을 마주한 일본인들을 앞에 두고 오래된 피해자인 한국인들은 그 특유의 정서를 유감없이 발휘하여 양국 사이에 놓인 먼 거리를 줄여버린 것이다. 일본인들의 고통을 지켜보는 한국인들은 모든 것을 떠나 일본인들의 아픔을 조금이나마 어루만져 주는 것이 인지상정이라고 여겼다. 일본인들도 이러한 한국인들의 태도에 조금은 놀란 것 같았다. 트위터와 페이스북을 통해 감사를 표시하는 일본인들도 많았고, 이전에 한국을 미워했던 자신의 모습을 반성하는 일본인들도 있었다. 두 나라 사이의 거리는 그렇게 조금은 줄어드는 것처럼 보였다. 정치권의 위로와 감사는 흔히 있는 외교적인 수사로 치부해버릴 수 있다(그것은 실제로도 그랬다). 그러나 이처럼 평범한 사람들 사이에서 훈훈한 마음이 오고가는 것은 어떤 정치적 수사보다도 실제적이었다고 말할 수 있다.

여기까지는 아무 문제가 없다. 세계가 모든 존재에 필연적으로 부과하는 차이가 지워지고, 우리는 그저 같은 인간일 뿐이라는 것을 확인했다는 점에서 이러한 온정의 오고감은 무척 흐뭇한 일이다. 그러나 불행히도 일본은 또 다른 재앙을 겪게 된다. 후쿠시마의 원전이 말썽을 부린 것이다. 발전소의 원자로가 하나하나 이상을 일으키더니 마침내 대량의 방사능이 누출되기 시작한다. 일본의 원전 관리자들은 원자로를 냉각시키기 위해 몸을 던졌다. 그러나 대규모의 극단적 참사만 모면했을 뿐, 그 위험은 지금 이 순간까지 계속되고 있다. 유일하게 핵무기의 피해를 입었던 국가인 일본이 다시 핵의 공포에 사로잡힌 것이다. 그 심각성에 비추어 볼 때, 이 사태에 직면한 일본 정부의 태도는 이해하기 힘든 것이었다. 그들은 위험수위를 넘어선 원자로를 결코 포기하려 하지 않았다. 미국은 이미 2008년 당시 일본 자민당 정권에게 이 낡은 원전의 위험성에 대해 경고했지만, 일본 정부는 아랑곳하지 않았다. 그리고 전 세계에 파급될 지도 모르는 재난을 마주한 지경에 처해, 그들은 어떤 대가를 치르고서라도 원자로를 살리고자 했다. 뒤늦게 사태를 수습할 수 없음을 깨달은 일본 정부는 국제 사회의 도움을 호소하며 원전을 폐쇄할 것을 결정했지만 이 원자로 사태는 오늘 이 시간까지도 수습되지 않고 있다. 방사능 유출은 계속되고 있으며, 토양과 바다의 오염도는 높아만 간다. 원전을 폐쇄하기 위해 필요한 원자로의 안정은 고사하고 원자로의 냉각 기능조차 회복되지 않고 있다.

비용도 엄청나고 부작용도 만만치 않은 핵발전소를 유지하는 것이 다른 이유 때문이라는 것을 모르는 사람은 거의 없다. 군사강국으로 재도약하기 위한 기회를 호시탐탐 엿보고 있는 일본에게 핵무기의 중요성은 아주 크다. 핵무기에 대한 일본 정부의 욕망은 북한의 핵무장에 대한 강박과 그다지 다를 것이 없다는 사실이 이를 통해 확인되었다고 말해도 좋을 것이다. 그러나 그러한 잘못된 욕망이 가져온 결과는 실로 끔찍했다. 그 욕망의 주인은 평범한 일본인들이 아닌 일본 정부와 관료 세력들이라는 점을 분명히 해야한다. 일본의 현실을 힘겹게 살고 있는 사람들은 기껏해야 그 욕망이 만들어낸 피해자일 뿐이다. 지진해일의 공포가 가시기도 전에, 그들은 도망칠 수도 없는 방사능의 재앙을 온몸으로 맞이하게된 것이다. 이 문제에 관한 한 일본의 재앙은 자연의 과정이 아닌 일본 국가의 욕망이 빚어낸 재앙이 된다. 그리고 그 재앙에 직접적으로 타격을 입은 것은 다름 아닌 평범한 일본인들이다. 그들의 국가는 그들을 사실상 사지로 몰아넣은 것이나 다름없다. 그리고 그 피해는 대기와 바다의 흐름을 타고 전 세계로 확산될 것이 틀림없다. 그렇게 그들은 다가오는 재앙에 잔뜩 몸을 움츠린다.

그리고 얼마 지나지 않아, 일본에서는 또 다른 상황이 발생한다. 일본 정부가 독도의 일본 영유권을 기정사실화하는 내용을 담은 교과서를 검정에서 통과시킨 것이다. 독도뿐만이 아니었다. 그나마 종군 위안부의 존재가 기록되어 있던 교과서는 아예 검정에서 불합격 처리됨으로써 종군 위안부 문제는 일본의 교과서에서 사라지게 되었다. 일본 국가는 과거 2차 세계대전에서의 범죄를 은폐하고, 제국주의 시절 자신들이 침탈한 영토의 영유권을 주장함으로써, 자신들의 그릇된 과거를 깨끗이 지워버리고자 하는 것이다. 이러한 식의 부정에서 우리는 과거로 회귀하려는 일본 국가의 음험한 의지를 본다. 그로 인해 상황은 급변했다. 고통 받는 일본인에 대한 온정은 일본에 대한 분노로 변하고 만다. 한국 정부는 성명을 통해 일본을 비난했고, 여러 사회단체의 논평이 이어졌다. 일본인들을 돕기 위한 성금도 줄어들었다. 그렇게 교과서 문제는 고통에 대한 온정으로 가까워지던 두 나라 사람들을 다시 멀리 떨어뜨려 놓고 말았다.

이것은 아주 역설적인 상황이다. 불과 한 달이 채 되지 않는 기간 동안 벌어진 많은 일들을 둘러싸고 사람들의 감정과 판단은 급격히 변화했다. 일본인들의 아픔에 대한 동정과 공감은 원전 사태를 통해 두려움으로 바뀌었고, 교과서 사태는 일본 전체에 대한 실망과 분노를 자아내기에 이르렀다. 이러한 변화를 어떻게 설명할 것인가? 언뜻 보기에 이런 변화에는 아무런 문제가 없는 것 같다. 원전 문제는 일본 국가의 핵무장에 대한 욕망이 불러일으킨 재앙이며, 교과서 문제는 일본이 반복적으로 저지르고 있는 역사에 대한 왜곡과 자기 합리화의 문제이기 때문이다. 우연한 계기로 이러한 일본 국가의 구태의연한 행태와 자연이 가져온 재앙이 겹쳐 드러난 것뿐이라고 치부할 수도 있다. 그 결과 자연 재해를 겪은 일본인들에 대한 동정심은 원전과 교과서라는 새로운 상황을 통해 자연스럽게 가라앉아버렸다고 간단히 정리하는 것이 가능하다. 실제로 인터넷과 매스컴을 포함한 여론들은 이러한 일련의 변화에 그다지 주목하고 있지 않다. 그러나 이러한 일련의 사태는 우리에게 많은 것을 보여주고 그보다 더 많은 것을 생각하게 한다. 그 과정은 우리에게 국가의 문제와 존재의 문제를 겹쳐 보여주고 있고, 그것이야말로 우리가 겪고 있는 모든 현실의 과정을 압축적으로 드러내며, 우리에게 현재의 문제를 생각하게 한다.

역사와 국가

원전과 교과서 사태가 본질적으로 새로운 일은 아니다. 일본의 교과서 문제는 사실 지속적으로 반복되는 일이었다. 일본의 교육을 설계하는 정치가와 관료, 학자집단은 극우파의 영향으로 조금씩 오른쪽으로 움직여 왔다. 그들은 일본의 과거를 후손들에게 가르치려 하지 않는다. 일본이 과거에 저지른 모든 범죄들을 후손들의 머릿속에서 지워버리려는 것이 그들의 의도이다. 그리고 그들은 재무장을 도모한다. 자위대를 자위군으로 개편하여 옛 일본 제국의 영광을 다시 찾으려는 일본 극우파의 논리는 이미 일본의 국가 기구 곳곳에 스며들어 있다. 핵무장 역시 배제하지 않는다. 일본이 엄청난 양의 플루토늄을 가진 잠재적인 핵보유국이라는 사실은 이미 잘 알려져 있다. 어두운 곳으로 돌아가고자 하면 언제든 돌아갈 수 있다. 단지 문제는 그것을 어떻게 정당화하느냐이다. 그래서 필요한 것이 과거의 부끄러운 그림자를 지워버리는 일이다. 그것이 우리가 지속적으로 목격하는 일본의 모습이다. 그 '일본'은 많은 사람들에게 아주 익숙한 일본, 지나간 과거에 대한 반성에 인색하고, 자신의 추악한 과거를 후세들의 기억에서 완전히 지워버리고자 하는 일본, 그 과거를 이루지 못한 영광(?)의 미래로 돌려세우려는 일본의 모습이었다. '원전'과 '교과서'는 그것을 아주 잘 보여주는 두 개의 시니피앙이다. '원전'은 그 일본의 영광을 재연해내기 위한 물질적인 근거이다. 일본은 다시 무장함으로써 자신의 국제적인 지위를 회복하려 하고, '교과서'를 통해 과거의 추악한 역사에 대한 망각을 조직하려 한다. 그렇게 일본 정부는 '과거의 영광'을 재현하기 위해 필요한 것을 하나하나 준비하는 것처럼 보인다.

이것은 모두 역사의 문제와 결부되어 있다. 교과서는 완전히 그리고 직접적으로 역사 서술의 문제이고, 원전은 과거의 무장한 일본으로 돌아가기 위한 수단이라는 점에서 역시 역사와 결부된 문제인 것이다. 우리는 여기서 어떤 구체적인 인간의 삶도 발견할 수 없다. 그 역사의 중심에는 오로지 국가가 있을 뿐이다. 역사의 문제는 항상 국가의 문제와 결부되어 있다. 국가 없는 역사란 없다. 국가의 흥망과 변전 그리고 더 넓게 국가의 포괄적인 주체성은 지배적 정치와 결부되어 역사를 구성한다. 이때 중요한 것은 그 역사가 국가를 통해 객관화되고 대상화된 역사란 사실이다. 결국 역사란 언제나 국가의 문제이며, 그 안에서 국가는 특정한 이데올로기에 따라 움직이고, 객관적인 것을 관리하며 상황을 통제한다. 그리고 그러한 관리의 체계는 특정한 주체성, 국가가 갖는 이데올로기적 주체성에 의해 구성된다. 예컨대 오늘날의 국가는 자본주의적 이데올로기를 자신의 지배적 주체성으로 가지면서 시장 경제를 중심으로 하는 자본주의 체제를 관리하는 기제로 나타난다. 일본의 경우, 여기에 다른 것이 덧붙여진다. 고도로 발전된 자본주의 시스템에 걸맞은 적절한 무장은 그 체제를 더욱 강화시키고, 교과서를 통해 합리화되는 과거는 군국주의와 팽창주의의 합리화로 연결되는 것이다. 그렇게 국가에게 역사의 문제는 항상 중요하다. 대부분의 국가는 자신의 역사를 이데올로기의 수준에서 합리화하는 교과서의 채택에 많은 노력을 기울인다. 우리 역시 역사 근현대사를 둘러싸고 수많은 대립과 충돌을 겪는다. 이른바 '좌파 교과서'의 채택을 저지하려는 (극)우파 이데올로기는 식민지근대화론과 같은 '객관적(sic!)' 근거를 동원하여 끊임없이 역사를 왜곡하려 한다. 그렇게 국가에게 역사란 지배 이데올로기의 객관적 보증 이외에 다름 아니다.

문제는 역사를 통해 자기 근거를 확보하는 국가가 구체적인 인간의 삶을 전혀 고려하지 않는다는 데 있다. 국가란 무엇인가? 일반적인 수준에서 생각할 때, 국가는 사회 전체를 관리하고 통제하는 시스템이다. 그렇기 때문에 국가는 사회와 항상 연결되어 있지만 동시에 사회와 분리된다. 사회 없는 국가란 있을 수 없다. 사회는 국가의 근거이기 때문이다. 그러나 국가는 사회와 결코 등치되지 않는다. 엥겔스가 주목했던 것처럼 국가는 항상 사회 위에서 사회를 통제하는 기제이다. 국가는 항상 지배의 논리에 따라 사회를 통제하면서, 그 사회를 대표한다. 그래서 원칙적으로 국가는 사회 속에서 대립하는 이해관계를 조정하고, 자의적인 권리의 행사를 통제한다. 그렇게 국가는 사회의 통일성을 보증하는 기제, 사회를 대표하여 이질적인 것들의 충돌을, 강제력을 통해 해결하는 기제이다. 그렇기 때문에 국가는 개인을 그 자체로 상대하지 않는다. 국가는 개개인의 이해관계가 아니라, 집단의 이해관계를 계산할 뿐이다. 프랑스의 철학자 알랭 바디우Alain Badiou가 정확하게 말하고 있는 것처럼, 국가는 특정 계급이나 집단만을 염두에 두는 것이다. 설령 개인을 상대한다 해도, 국가가 상대하는 개인은 어떤 집단으로 간주된 개인이다. 결국 국가의 장에서 의미를 갖는 집단은 어떤 대표성을 갖는 집단, 즉 대의제 정치 속에서 자신의 대표를 갖는 집단이다. 그리고 국가는 그 집단의 이익(또는 집단을 지배하는 특정 개인들의 이익)을 대변한다. 이렇게 볼 때, 국가는 하나의 강력한 재현대표, representation 시스템이라고 할 수 있다.

이러한 재현 시스템으로서의 국가는 항상 전체를 위하여 그 자체로 다수인 개인들을 외면할 준비가 되어 있다. 국가에게 있는 그대로의 다수란 의미가 없다. 국가는 지배적인 셈의 법칙에 따라 모든 존재를 명명하고 규정한다. 그것이 바로 국가가 다수 존재를 상대하는 방법이다. 그러나 존재는 그러한 규정을 통해 한정될 수 없다. 존재란 무한한 것이다. 우리는 항상 무엇으로, 누군가로 재현되고 명명되지만, 그것이 우리 존재의 전부는 아니다. 질적으로 구분되는 '무엇'으로 지칭되는 것은 세계 속의 존재가 피할 수 없는 것이다. 예컨대 상황 속에서 드러나는 모든 존재는 어떤 규정성을 통과한 존재이다. 그렇기 때문에 우리는 그 다수로서의 존재를 통일적인 규정을 통해 지칭할 수 있다. 그 규정이 바로 철학자들이 '일자—者'라고 부르는 것이다. 모든 존재는 다수지만 그것이 '무엇'으로 지칭되는 순간 그 존재는 일자가 된다. 세계 속에 존재하는 모든 것은 이러한 존재의 법칙을 따른다. 그리고 그것을 통해 우리는 사물과 사람을 지칭하고, 그것에 대한 앎을 구축한다. 우리가 무엇을 안다는 것, 그것은 그 무엇이 갖는 어떤 측면을 적절한 방식으로 규정한 것이다. 그렇기에 우리는 존재에 대해 그것이 무엇이라 말할 수 있는 것이다.

존재 그 자체는 특정한 규정으로 환원될 수 없다. 모든 존재는 다수로서, 일관적으로 간주된 규정성을 항상 벗어난다. 그러나 세계는 그러한 존재를 있는 그대로 두지 않는다. 다수 존재를 특정한 무엇으로 지칭하는 작용(일자화—著化의 작용)은 항상 그러한 존재의 다수성을 억압하고 지워버린다. 이렇게 다수적인 존재는 자신의 모습을 잃는다. 국가에 의해 불법적인 범죄자, 잠재적인 범죄자로 낙인찍히는 모든 사람들—촛불을 든 불순분자들(또는 백수들), 용산 참사의 희생자들, 파업을 하는 비정규직 노동자들, 체류의 권리를 요구하는 미등록 외국인들—이 과연 단순히 불법적이고 불온한 존재들인가? 그들은 집으로 돌아가면 따뜻한 가정의 일원이고, 그 마을에서는 많은 이웃 중 하나이기도 하다. 그렇게 다수로서의 존재는 국가의 규정 속에서 사라지고 만다. 아니, 좀 더 정확하게 다수성은 사라진다기보다는 억압되고 지워진다. 그것은 존재가 감수해야 할 운명이기는 하다. 그러나 그렇다고 해서 다수로서의 존재가 아예 사라지는 것은 아니다.

그렇게 우리가 살고 있는 역사적 사회에서 다수 존재를 일자로 규정하는 것은 다름 아닌 국가이다. 국가는 모든 다수 존재들을 규정함으로써 그 존재의 일부만을 받아들인다. 존재의 모든 가능성은 제한되고, 오로지 그 제한 속에서만 국가는 개인들을 상대하는 것이다. 이러한 규정은 실제 국가의 분배물이라고 부를만한 것이다. 투표권을 갖는 유권자, 존중받아야 할 자본가, 그다지 고려의 대상이 되지 않는 비정규직 노동자, 노조에 가입한 불온한 교사, 범죄자, 투표권이 없는 미성년자, 연금을 받는 퇴직자. 이러한 규정은 확실히 질적인 규정이다. 바로 이러한 질적인 규정이야말로 국가가 온갖 지식체계와 법(칙)을 동원하여 행하는 분류와 식별이다. 그러나 이러한 명명이 그 존재의 모든 것을 말하고 있는가? 당연히 그렇지 않다. 우리는 무엇으로 규정되기 이전에, 전체적이고 포괄적인 수준에서 그저 사람일 뿐이다. 그러나 그 모든 사람들은 국가에 의해, 한정된 지위와 계층, 계급으로 규정된다. 그리고 그것을 통해 국가의 태도가 결정된다. 이것이 국가의 역할이다. 국가는 통일성을 관리하고 존재를 분류하는 거대한 일자로서 모든 존재를 특정한 술어를 통해 묶어낸다. 국가는 집단을 관리하기 위해 이러한 술어들을 관리하는 거대한 체계인 것이다. 국가와 존재는 대립할 수밖에 없다.

국가와 존재의 대립

그렇게 우리는 국가와 존재의 이질성을 발견한다. 국가는 결코 무한한 존재, 순수 존재와 타협할 수 없다. 그래서 국가는 존재들의 재앙에 대해 무기력하다. 다수 존재의 틈이 벌어지는 순간 국가는 실제 무력해질 수밖에 없다. 흔히 국가적인 사업이 벌어질 때, 국가는 그저 집단적인 수준에서 존재의 문제를 다룬다. 예를 들어 뉴타운을 건설하기 위해서는 그 자리에 살고 있는 사람들에 대한 적절한 보상이 이루어져야 한다. 국가도 그것을 알고 있다. 그러나 그에 대한 적합한 보상은 부동산의 '소유주들'에게만 이루어진다. 그때 그들이 신경 써야 하는 집단은 '선량한(?)' 재산가들이지, 비루한 삶을 이어나가는 보잘것없는 서민들이 아니다. 그 서민들은 정착금을 거의 지원받지 못하며, 황폐한 슬럼가로 다시 이주해야 한다. 국가는 사람들의 실질적인 삶에는 관심이 없다. 그들의 관심은 이해관계를 지켜주어야 하는 특정한 사람들에게만 쏠려있는 것이다. 그렇게 국가는 철저히 '힘의 크기'만을 고려한다. 비교 가능한 크기와 수치, 질적인 차이에서 압도적인 크기를 가진 것으로 판단되는 존재만이 국가의 가시권 안에 있는 것이다.

일본에서 일어난 재앙에 마주한 국가 역시 마찬가지였다. 지진해

227

일이 지나간 자리에서 일본 국가는 지극히 무력한 모습을 보인다. 그도 그럴 것이 이번 지진해일과 같은 대규모의 재앙 앞에서 국가가 기민하게 대처하기란 그리 쉬운 일이 아니다. 단시간 내에 사태를 수습하는 것은 애초에 불가능한 일이었다. 일본 국가는 외국의 도움을 받으며 기본적으로 국가가 해야 할 일들을 하고 있었고, 거기까지는 문제가 없어 보였다. 그러나 원전 사태가 불거지면서 사태는 달라졌다. 일본 정부는 방사능의 피해 가능성을 축소시켰고, 원자로의 위험 정도도 축소시켜 사태의 심각성을 감추려 했다. 점점 더 일본 정부의 관심은 사람들을 구하는 것보다 원자로를 살리는 데로 집중되었다. 그들에게는 원자로와 그 원자로가 상징하는 핵의 운명이 살아있는 삶의 운명보다 더 소중했던 것이다. 그들에게 큰 것은 핵이었지, 사람들의 삶이 아니었다. 방사능의 피폭 위험반경을 최소한으로 잡아 많은 사람들의 삶을 위협한 일본 정부는 끝까지 원자로를 살리려 했고, 그 결과 수많은 사람들의 삶이 방사능의 위험에 노출됐다. 이렇게 이어진 재앙을 통하여 일본 국가는 국가와 존재가 갖는 대립을 여실히 보여주었다고 할 수 있다.

교과서 문제를 통해서도 우리는 국가와 존재의 대립을 발견할 수 있다. 대다수의 일본인들은 궁극적으로 교과서 문제의 피해자일 수밖에 없다. 교과서 사태는 일본 국가의 극우파 논리가 공식적인 교육 내용으로 채택되었다는 점에서, 잠재적인 일본 군국주의가 부활하는 기회를 제공했다고 볼 수 있다. 이제 더 이상 일본의 범죄를 제대로 가르치는 교과서는 없다. 자신들의 조상이 저지른 과거에 대해 철저히 무지한 채 과거를 반복할 수 있다는 점에서, 그들은 패권주의적인 일본 극우파 논리의 희생자들이다. 대다수의 일본인들은 국가의 논리를 통해 패권주의적인 국가관 속으로 함몰되는 상황에 처한 것이다. 어떻게 보면 작은 일이라고도 볼 수 있는 독도 영유권 주장이나 위안부 문제의 삭제는 일본의 군국주의적 패권주의를 다시 한 번 불러일으킬 수도 있는 중요한 계기이다.

여기서 한 가지의 사실에 주목해보자. 분명 일본의 지진 해일은 우리에게 무엇인가를 보여주었다. 그것은 살아있는 삶에 가해진 재앙으로서 비참한 모습으로 모든 사람에게 다가왔고, 그것을 목격한 많은 사람들은 모든 것을 떠나 같은 인간 존재가 겪을 수 있는 아픔에 공감하였다는 것이다. 지진해일을 통해 우리에게 아주 잠시 드러난 것은 우리 모두가 '존재로서의 존재', 모든 질적인 특성을 떠나 존재하는 순수한 존재일 뿐이라는 사실이었다. 거기서는 그 사람들이 '일본인들'이라는 사실이 중요하지 않았다. 우리와 같은 어떤 사람들, 이름조차 모르는 어떤 많은 사람들이 그들의 삶을 위협받고 있다는 사실만이 중요했을 뿐이다. 그렇게 언뜻 나타난, 존재로서의 인간, 익명의 인간으로서의 동질감은 일본 국가가 만들어낸 원전사고를 통해 보편적인 공포, 내가 희생자가 될 수 있다는 보편적인 공포로 바뀌었다. 그리고 그 후 불거진 교과서 사태는 '사람'을 지워버리고 국가로서의 '일본'을 비로소 전면에 등장시켰다. 가장 넓은 모습으로 다가온 '사람'이 가장 좁은 의미로 규정된 '일본인'으로 바뀐 것이다. 이러한 과정이 보여준 것은 '국가'가 '사람의 삶'을 완전히 밀어내고 말았다는 점이다. 그것은 인간 존재와 국가의 대립이 그대로 드러나는 과정이었다고 말해도 좋을 것이다.

원전 사태와 관련하여 모든 국가의 태도는 그 대립을 명백하게 뒷받침한다. 일본 국가는 원전을 살리기 위해 사람들을 희생시키기로 결심했고, 서구의 열강들은 그러한 일본 국가의 태도에 짜증스런 반응을 보였지만, 어느 국가도 핵의 야욕에 눈먼 일본을 응징하거나 강제하지 않았다. 정말 이해가 가지 않는 일이었다. 북한과 이란의 핵에 대해서는 눈을 까뒤집고 거품을 물었던 그들이 아닌가? 그들은 그저 가볍게 투덜거리며 빠른 조치를 취하도록 일본 정부를 압박했을 뿐이다. 한국 국가의 태도는 가장 어이없다. 인간 존재를 가장 무시한 것은 단연 한국이었다. 한국 정부의 수장은 편서풍을 운운하면서 일본의 방사능이 현해탄을 건너올 가능성은 제로라고 못 박았다. 그리고 며칠 뒤 한국에는 방사능이 검출되었고, 정부는 이것을 뒤늦게야 인정하였다. 대책을 세운 것은 전혀 아니었다. 그들은 말 잘 듣는 의사들을 동원해 약간의 방사능은 건강에 지장이 없다는 말만 되풀이했다. 그들에게는 건강이란 당장 쓰러져 죽지 않는 것을 의미하는 것 같았다. 국가들은 하나같이 한심했다. 오로지 즉각적으로 원전 증설계획을 전면 백지화한 독일만이 돋보였을 따름이다. 일본은 사태가 영 진정되지 않고, 원전의 폐쇄마저 쉽지 않은 극단적인 상황으로 몰리자 마지못해 원전 증설을 포기했다. 어쩌면 가장 한심한 것은 한국 정부다. 원전 증설을 포기하기는커녕 수명이 다한 원전마저 유지하기를 고집하는 이 정부는 그저 아무런 근거 없이 '안전하다'는 말만 외치고 있다. 그들은 사회의 집단에 통일성을 부여하고, 그 집단들을 유지하는 국가의 기본적인 역할도 수행하지 않는다. 존재와 국가의 대립이 날 것 그대로 드러나는 곳은 바로 한국이다.

존재의 같음과 사라지는 차이

우리는 여기서 존재가 가지고 있는 근원적인 난점에 대해 이야기해야 한다. 지진해일이 드러낸 존재의 틈, 다시 말해 전체 속에 통합되고, 질적으로 규정된 존재로 환원되지 않는 존재 그 자체로서의 존재의 간격은 어떻게 일거에 무효화되고 말았는가? 문제는 이때 드러난 존재가 희생자적 관점에서 파악된 존재였다는 데 있다. 물론 프랑스의 유대인 철학자 레비나스Emmanuel Lévinas가 잘 보여준 것처럼, 희생자로서의 타자의 얼굴은 우리에게 존재의 틈을 드러낸다. 비참한 얼굴로 나의 책임을 일깨우는 타자가 어떤 대상성으로도 규정할 수 없는 절대타자의 모습으로 다가온다는 그의 말이 그다지 틀린 것만은 아니다. 그러나 문제는 절대타자의 표상으로서의 이러한 존재의 원초적인 모습이 존재를 희생자로 간주하게 만든다는 데 있다. 이는 확실히 인간에 대한 부정적인 관념이다. 이러한 부정성은 적지 않은 힘을 발휘할 수 있다. 그러나 이러한 힘이 지속적으로 유지될지는 의문이다.

　희생자로서의 인간이라는 관념은 인간을 보호받아야 할 존재, 외부의 위협으로부터 보존되어야 하는 존재로 만든다. 타자의 얼굴에 의해 호출된 책임의 주체는 타자를 환대함으로써 타자의 불행을 책임지는 주체가 된다. 그런데 인간이라는 존재가 희생자로 정의된다면, 그것은 모든 인간이 잠재적으로 희생자라는 말에 다름 아니다. 희생자에 대한 책임을 받아들여 희생자를 환대하게 되는 존재가 역시 희생자가 될 수 있는 상황이 벌어지게 된다면, 그것은 희생자가 희생자를 환대해야 하는 역설적인 상황이 되는 것이다. 삶을 지루하게 만드는 신의 왕국을 전제하지 않는다면, 이러한 상황에서 누가 그들을 환대해야 하는가? 그것은 국가인가? 그러나 우리는 이미 국가가 인간 존재와 대립하는 성격을 지닌 재현 시스템이라는 점을 살펴보았다. 원칙적으로 국가는 희생자를 최소화하는 기제일 수는 있어도, 희생자를 환대하는 책임의 주체일 수 없다. 그것은 오늘날의 신자유주의 국가는 물론, 과거 사회주의적인 완충장치를 갖추고 있었던 복지국가에서도 마찬가지다.

우리가 예상할 수 있는 결론은 단 하나이다. 모두가 희생자가 될 가능성에 노출되었을 때, 희생자로서의 타자에 대한 책임감과 환대는 거두어질 수밖에 없다. 그렇게 후쿠시마의 원전 사태는 존재의 벌어진 틈을 일거에 닫아버렸다. 모든 구조대는 철수했고, 사람들은 공포에 떨었다. 사재기는 필연적인 현상이었다. 특히 방사능 물질에 오염된 냉각수가 바다로 흘러들었을 때, 해조류와 소금의 가격은 천정부지로 뛰었다. 일본인들이 당한 두 번째 재앙은 잠재적으로 모든 세계의 재앙이었고, 그렇게 모든 세계의 사람들은 잠재적으로 희생자가 된 것이다. 더 정확히 사람들은 자신이 희생자가 되지 않기를 바랄 뿐이었다. 그렇게 다음 상황을 지배한 것은 공포였다. 그 상황에서 다른 인간들에 대한 온정은 유지될 수 없었다. 이렇게 인간에 대한 희생자적 관념은 모든 인간 존재를 각자의 살길을 도모하는 '자기 보존의 존재'로 후퇴시키는 것이다. 그 관념은 그저 신학적으로만 일관성을 획득하는 관념일 뿐이다.

이것은 근원적인 난점이다. 유적인 인류, 다시 말해 모든 질적 규정성을 소거해낸 인간 또는 가장 넓게 파악된 인간 존재의 '같음'은 그다지 쉽게 드러나지 않는다. 모든 인간 존재는 질적인 규정성에 묶여 있고, 사회적이고 국가적인 통일성 속으로 쉽게 함몰되고 만다. 인간 존재의 크기는 확실히 국가의 크기보다 작다. 그래서 종종 인간 존재는 국가 앞에서 희생된다. 단지 국가가 무기력해지는 순간에만 존재는 그 작은 간격을 살며시 열어 보이고, 그 즉시 통일성 속으로 사라진다. 존재의 모든 '같음'은 집단의 차원에서 차이를 관리하는 국가의 체제 앞에서 즉각 소진되는 듯하다. 존재의 같음을 제거하는 국가는 혼탁한 차이들을 만들어낸다. 교과서야말로 그러한 혼탁한 차이를 만들어내는 동시에, 존재들을 연결하는 실질적인 같음을 파괴하는 결정적인 역할을 했다. 일본 국가의 개입은 확실히 같음을 지우고 차이로 나아가는 길만을 남겨두었던 것이다.

그러나 존재의 본성은 같음에 있다. 우리가 온갖 현란한 질적 규정을 모두 빼버린다면 남는 것은 같음 속에서의 최소 차이뿐이다. 이러한 같음은 존재의 연대와 공존을 가능하게 하는 근거일 뿐 아니라, 존재 자체를 변화시킴으로써 국가를 변화시킬 수 있는 동력이다. 그것이 모든 존재를 아우르는 보편성의 기호라는 것은 자명한 사실이다. 그러나 이러한 같음은 희생자로서의 같음이 아니다. 존재의 같음은 우리가 믿고 있는 것의 같음, 다시 말해 주체적인 같음이다. 어떠한 객관성으로도 함몰되지 않고 인간 존재를 지탱하는 주체적인 같음을 추구하는 것은 희생자라는 존재의 부정성이 아닌 평등한 존재라는 존재의 긍정성을 통해서만 가능할 것이다. 인간들 사이의 적극적 평등, 지금 여기서 우리가 평등하고, 어디에서든 우리는 같은 존재라는 점을 긍정하는 주체적 평등이야말로 모든 존재를 특정하게 환원된 집단성으로 간주하는 국가적 재현의 셈을 실질적으로 무력화시킬 수 있는 동력이다. 다시 말해 '존재의 같음'은 존재의 난점이자 본성이면서, 지워지는 존재를 구원할 유일한 길이다.

일본에서 벌어진 일련의 사태를 통해, 우리는 인간존재의 질서와 국가의 질서가 원리적으로 대립하고 있다는 사실을 확인했다. 존재의 여러 혼탁한 차이들이 지워질 때, 국가는 보이지 않으며, 국가가 등장할 때, 존재들의 연대는 사라지고 만다는 것 역시 확인할 수 있었다. 이러한 사태에 마주하여 그 국가, 패권주의로 돌아가려는 일본 국가에 제동을 걸 수 있는 것은 그 누구도 아닌 바로 그 일본인들이다. 실상 많은 사람들이 혐오하는 일본은 평범한 일본 사람들이 아니라 극우 이데올로기로 무장한 패권주의적 일본 국가가 아닌가? 그 일본 국가를 변화시키는 것이 일본인들의 과제이다. 그렇게 일본인들과 마찬가지로 한국인들 역시 시험대에 오른다. 변화해야만 하는 것은 일본 국가만이 아니기 때문이다. 한국 국가의 극우적인 모습은 일본과 거의 차이가 없다. 한국의 국가와 이데올로기는 민중들에 대한 폭압적 지배에 관한 한 일본 국가를 능가한다. 그것이 어느 국가이건 마찬가지다. 국가의 변화는 같음으로 무장한 존재들로부터 강제되어야 한다. 그때, 한국과 일본의 인간존재들 사이의 실제적인 평화와 공존이 가능할 것이다. 현해탄과 동해를 사이에 두고 살고 있는 두 나라의 사람들은 '사람들'로서 같다. '같음'은 '차이'를 항상 넘어서는 것이다. 團

서용순

성균관대학교를 졸업한 후 프랑스로 건너가 많은 철학자들의 문하에서 철학을 배우다 마침내 알랭 바디우의 지도로 2005년 박사학위를 취득하고 귀국하였다. 건국대, 고려대, 성균관대, 한국외대 등에서 강의하다가 세종대 초빙교수로 2년간 재직하였고, 현재는 광운대, 이화여대, 한국외대 등에 출강하며 철학을 가르치고 있다. 바디우의 철학을 한국에 소개하며, 사회철학 분야에서 여러 연구를 내놓았고, 바디우의『철학을 위한 선언』을 번역하였다.

아날로그 인간의
키보드워리어 논쟁 감상기

하승우

1992년, 삐이잉 소리를 내는 모뎀을 통해 나는 '천리안'이라는 마법의 세계와 접속했다. 그 첫 경험은 정말 짜릿했다. 지금의 인터넷 문화와 비교하면 원시시대처럼 느껴지겠지만 그 당시로서는 엄청난 충격이었다. 지금이라면 몇 분안에 다운받을 영화를 열 몇 시간 동안 통화중 상태를 유지하며 밤을 꼴딱 새워 다운받던 기억, 인터넷 동호회라는 낯선 공간에서 다양한 사람들을 만났던 기억은 지금도 잊혀지지 않는다.

그때, 내가 가장 열중했던 일은 무림동호회라는 곳에서 무협지를 다운받아 읽는 것이었다. 몇 달 동안 남들이 아래한글로 쳐서 올리는 무협지를 공짜로 읽으며 그 세계의 매력에 푹 빠졌고, 댓글의 성원에 힘입어 코피를 쏟으며 무협지를 올리는 사람들의 열정에 감탄했다. 저런 열정은 어디서 나왔을까.

한때는 인터넷 상의 토론에 열심히 참여하기도 했다. 누군가의 글이나 이미지에 곧바로 참견해서 답글을 달 수 있다는 게 새로웠다. 그러나 인터넷 논쟁에 끼어들면서 회의적인 생각도 들었다. 벽을 보고 얘기하는 듯한 느낌, 욕하고 까는 건 화끈하게 할 수 있지만 왠지 돌아서면 허전하고 공허한 느낌이 들었다. 스윽 지나가다 발끈하며 개입하는 건 쉽지만 다른 사람의 속내를 파악하기가 매우 어려운 공간이 인터넷이었다.

그 뒤 인터넷은 내게 '할 수 있다'와 '할 수 없다' 사이를 오가는 애매한 공간이 되었다. 인터넷에 이런저런 글을 쓰며 사람들과 소통하지만, 지금도 인터넷은 거북하고 부담스러운 공간이다. 댓글에 때로는 즐거워하고 때론 분노하지만 시간이 흐르면 내가 왜 그랬을까라는 허탈함이 밀려들었다. 그리고 축복받은 체력이나 끈기를 지니지 못했기에 키보드워리어의 삶을 살기도 힘들었다.

요즘도 인터넷을 쓰지만 필요할 때만 사용하고 가급적이면 사용시간을 줄이려 노력한다. 인터넷에 쏟을 시간보다 첫 돌이 다가오는 아이에게 쏟을 시간이 더 절실하기 때문이다. 그래서 이 글을 청탁받을 때 좀 망설였다. 내가 잘 모르는 세상의 이야기인데…… 그리고 두 사람의 이름을 몇 번 들은바 있는데, 논객은 왠지 두렵다. 청탁을 받고 두 사람의 블로그를 보고 나니 두려움이 더 커졌다. 자신들의 이름이 거론되는 곳이면 거의 대부분 댓글을 달고 트랙백을 거는 사람들인데, 나라고 예외일 수는 없지 않을까? 인터넷 논쟁을 별로 좋아하지 않는데 괜한 짓을 하는 건 아닐까?

이런저런 생각을 하다 두 사람의 논쟁글을 읽어보니 몇 마디 보태고 싶은 생각이 들어 청탁을 받아들였다. 부디 인터넷에서 까이더라도 내가 상처받지 않기를 바라며 떨리는 손가락으로 키보드 앞에 앉는다.

두 논객의 진검승부?

한윤형과 박가분은 언론과 사회의 관심을 받는 '이미' 유명한 20대이다. 많은 사람들이 두 사람의 블로그를 방문하고 있고 두 사람의 이름으로 검색을 해보면 지지자(?)들도 꽤 많다. 이런 두 사람이 논쟁을 벌였으니 인터넷 세상이 들썩거릴 만하다. 실제로 이 논쟁을 품평하는 글들도 제법 있다.[1]

논쟁을 접하지 않은 사람들을 위해 두 사람의 논쟁을 간단히 소개하자면, 박가분이 자신의 블로그와 공동생활전선 블로그(공동생활은 참 좋은데, 꼭 전선이라는 말을 붙여야 했을까)에 최장집과 의회민주주의자들을 비판하는 자칭 '최장집 3부작'을 올렸고, 한윤형이 이 글을 비판하면서 논쟁이 시작되었다. 박가분이 한윤형의 글을 반박하고, 다시 한윤형이 반박하고, 박가분이 또 반박하고, 한윤형이 또 반박하면서 이 논쟁은 '대충' 마무리되었다. '대충'이라고 한 건 서로가 더 이상 이 논쟁에 관해 글을 쓰지 않겠다고 밝히며 다소 어정쩡하게 끝이 났기 때문이다.

조금 더 구체적으로 살펴보자면, 박가분은 '최장집 3부작'을 통해 부르주아 의회민주주의에 집착하는 최장집주의자들의 논의를 "정당에 대한 이론적 물신주의"라 규정하고 이것이 정치적 냉소주의와 구별되지 않는다고 평가한다. 문제는 부르주아 의회민주주

---

[1] 두 사람에 관한 자료를 검색하다 흥미로운 그림도 봤다. 사물이나 인물의 특정한 이미지를 미소녀 이미지로 표현하는 모에화라는 장르가 있나본데, 그림그림이라는 블로그(http://rmflarmfla.egloos.com/)를 운영하는 카페모카는 한윤형을 "순진해 빠져서 남자한텐 관심도 없는데 괜히 가슴이 커서 열폭한 여자 선배들한테 폭딜 당하고 우는 아가씨"로(처음에는 이게 무슨 말인지 이해를 못했다), 박가분을 "딱히 부족한 거 없이 컸는데 묘하게 불만이 많은 예쁜이 꼬마아가씨"로 그렸다. 묘한 느낌을 주는 이 그림을 지금도 정확하게 이해하진 못하지만 이미지는 대충 그려진다.

의에 있지 않다며 사회의 주요 모순(적대적 모순)과 비적대적 모순을 구분하고 맑스주의 관점을 회복하자고 주장한다(아마도 이 글은 최장집 교수가 맑스주의를 비현실적이라 비판한 것에서 시작되지 않았나 싶다).

박가분은 "대중 자신들이 스스로 억압해 왔던 급진적 요구들을 '봉기'의 형태로 표출하는 것을 통해서만 근본적으로 전환될 수 있"다고 주장하면서 프롤레타리아독재를 지지한다. 무기력한 냉소주의, "정책적 대안의 진정성과 호소력이 부족해서 그동안 실패"했다는 착각에서 벗어나 진보진영은 '적대적인 모순'을 폭발시키는 도화선이 되어야 한다. 무능력한 좌파라는 딱지를 떼려면 "민주적 절차의 보장에 대한 공허한 약속이 아니라, 사회적 불안에 직면한 민중의 급진적 요구들을 그들 자신들로부터 동원해내는 것이고, 그것에 대한 즉각적이고 양보 없는 실현을 '약속'하는 것", "민주적 절차와 제도 전반을 '민중의' 관점에서 '재정의'하겠다는 가장 급진적인 제안"을 해야 한다.

한마디로 화끈한 글이다. 사실 박가분의 글을 읽으며 어디서 이런 친구가 등장했을까 궁금했다. 맑스, 레닌의 원전을 아직도 신봉하는 사람들을 많이 보긴 하지만 20대들 사이에서 그런 얘기가 불쑥 튀어나올지는 몰랐다. 물론 박가분이 그토록 자신있게 맑스와 레닌을 지지할 수 있는 건 가라타니 고진과 슬라보예 지젝이라는 든든한 후원자가 있어서일 수 있다. 어쨌거나 박가분의 글은 최장집주의를 비판하고 봉기와 비타협적인 투쟁을 지지한다.

한윤형은 이 글에 관해 논평하며 최장집에 대한 평가만이 아니라 "한국의 진보정당운동이라는 '컨텍스트'"에서 평가해 보자며 비판의 문을 연다. 한윤형은 박가분이 최장집의 논의를 제대로 이해하지 못했다고 비판하고 최장집 논의의 현실적인 가치와 논리적 일관성을 지적한다. 그리고 맑스주의 방법론을 무시하진 않지만 그 현실성을 평가하며 "정당론과 운동론의 무성의한 대립"을 넘어서 자고 주장한다. 한윤형은 "진보신당의 가장 큰 문제는 이 정당을 지지해야 할 계층의 사람들을 조직화할 '운동'이 부재하다는 것"이라 지적하며 "진보신당의 현실에 개입하는 실천적 모색"이 필요하다고 주장한다.

한윤형의 글을 읽으며 참 조리 있고 길게 글을 쓴다고 생각했다. 다른 사람의 글에서 빈틈을 찾아내어 적절히 찌르고 들어가는 모습은 인상적이다. 허나 텍스트가 아닌 컨텍스트를 다루거나 자신의 얘기를 담백하게 풀어가는 부분에서는 그 인상적인 날카로움이 좀 떨어지는 듯하다.

아쉬운 점은 이렇게 입장을 드러낸 뒤에 벌어진 논쟁이 논쟁이라고 이름을 붙이기엔 좀 미안한 형태로 진행되었다는 점이다. 한윤형의 비판에 박가분은 다분히 감정적인 자세로 대응한다. 비판에 대한 반박이 울컥 할 수 있다는 점은 감안하더라도 그냥 던져지는 문장들이 너무 많다. 두 번의 반론에서 박가분은 "이론을 맹목적으로 추종하는 저 일군의 우아하고 예의바른 사회학도들에 대해 현장에 있는 저 교양없고(?) 맹목적(?) 좌파들이 터뜨리는 분통"을 받아들여야 한다고, "내가 탓하고 싶은 것은 현장에서 싸우는 사람들이 아니라, 오히려 상대적으로 유복하고 나은 환경에 있는 중간계급의 '교양 있는' 좌파와 진보주의자들이 그러한 전망에 대해 가져왔던 '이론적-지적 태만'"이라고 얘기한다. 그냥 들으면 맞는 얘기이지만 '그런데 누구?'라는 의문을 감출 수 없다. 이렇게 날카로운 비판일수록 그 대상이 분명해야 할 텐데 그렇지 않다. '현장'과 '이론'의 대립각은 필요하지만 좀 분명해야 하지 않을까?

이런 분명하지 않음은 사회를 설명하는 부분에서도 드러난다.

"지난 날 공산권 국가들의 파국적인 몰락과, 시민사회의 새로운 계급구성의 출현은, '자본'의 존재가 사회적 의제를 근본적으로 '제약'하는 가장 중요한 모순이라는 사실에 아무런 변화를 가져다 주지 않는다.", "내가 이 글을 통해 말하고 싶은 것도 실천 이전에 '사태를 밝히는' 것이었다. 문제는 부르주아 민주주의의 의제가 근로대중에 대한 당파성에 기초해 있어야 할 진보(좌파)세력의 의제와 혼동되는 사태에 있었고, 내가 내 글에서 밝히고 싶었던 것도 바로 그러한 문제적인 '사태'였다." "PT독재는 결코 직접민주주의에 대한 환상적 전망이 아니라, 정확히 의회독재 속에서 불가능한 민주주의를, 새로운 민주적 합의의 틀을 구현하기 위한 대중동원적 실천들을 의미한다." "한윤형이 간과하는 것은 '계급적대'가 시민권이라는 일견 저 중립적인 제도적 틀 역시 가로지른다는 사실이다." 이 역시 그냥 끄덕끄덕 하며 읽을 수 있는 부분이지만 여전히 분명하지 않다. 앞서 이론과 현장의 대립처럼 이분법적인 대립을 너무나 당연시하며 받아들이기에 더욱더 애매해지는 부분이다(가끔 대가인양 하는 양반들이 맥락없이 큰 얘기로 툭툭 던졌다가 욕을 바가지로 얻어먹는 부분이기도 하다). 과연 부르주의 민주주의와 진보, 의회독재와 PT독재 같은 이분법이 우리 현실에 그대로 대입될 수 있을지는 의문이다('근로대중'이라는 표현은 참 오랜 만인데, 어떻게 이런 단어를 쓰게 되었을까?). 이런 부분이 더 분명해져야 자신이 주장하는 '현장'에 더 가까운 글쓰기가 되지 않을까?

　한윤형의 반박은 이런 틈을 파고든다. "그의 글은 모든 문장이 꼬리를 물고 빙글빙글 돌고 있으며, 핵심과 주변, 주장과 근거를 구분할 수도 없"다고 지적하며 박가분의 문제제기가 잘못된 현실분석에서 비롯되었다고 주장한다. 촛불시위나 의회민주주의에 대한 평가가 다분히 추상적이고 프롤레타리아독재라는 주장 역시 현실을 설명할 수 있는 대안이 되지 못한다고 평가한다. "운동권이 정신을 차리지 않아 사태가 이렇게 되었다는 식의 서술은 현실을 호도하는 것"이고 프롤레타리아독재는 "뭐라 말하기 애매한" 관념적인 차원에서 논의된다고 지적한다.

그리고 한윤형은 "박가분은 스스로의 글의 정당성을 위해 타인의 내면의 공백을 구성해내는 경향이 강하다"고 꼬집기도 하는데, 사실 이런 점은 두 사람 모두에게서 드러난다. 가령 박가분도 한윤형의 "남의 논지를 꼬는 버릇"을 지적하며 "나는 한윤형에게 저 서툴고 어색하기 짝이 없는 안면의 냉소를 거두길 바란다"고 충고하기도 한다. 음, 서로에게 대략 난감한 충고들이다. 정말 마음가짐을 바꾸길 바래서 충고하는 건지, 아니면 확인사살을 하는 건지.

어쨌거나 이 둘의 길고긴 논쟁을 검색해서 읽으며 생각이 복잡해졌다. 이 영민한 두 사람이 왜 이리 소모적으로 논쟁을 할까? 현실을 논리적으로 분석하는 글도 필요하지만 현실에 대해 감정적으로 분노하는 글도 필요할 텐데, 왜 이리 인색하게 상대방의 글을 평가할까?

어떤 점에서 두 사람의 논쟁은 '매우 소모적이었던' 1980년대의 사상투쟁(사투)을 닮았다. 그리고 그 시대의 논쟁을 관람했거나 이에 참여했던 이들이 이 두 사람의 논쟁을 흥미롭게 지켜보거나 부추기는 것도 같다(사실 두 사람의 글에서 왜 '냉소주의'가 핵심적인 키워드가 되어야 하는지를 나는 아직도 이해하지 못하겠다). 그러다보니 냉소주의라는 쟁점은 한국정치의 '컨텍스트'가 아니라 누가 더 지젝을 잘 이해하고 있는가라는 '텍스트'의 문제로 돌아가 버린다.

이런 의문을 품고 이런저런 블로그를 돌아다녔다. 박가분, 한윤형 두 사람의 논쟁을 검색해서 읽다가 그 글들에 트랙백을 건 다른 사람들의 블로그를 방문하게 되었고, 그 블로그를 통해 이택광과 김우재 사이에 논쟁이 벌어졌다는 점과 그 논쟁이 자연과학과 인문학/사회과학 논쟁으로 비화되었다는 점도, 그리고 노정태와 홍명교, 조영일과 김영하 등 여러 논쟁이 일어났다는 사실도 뒤늦게 알게 되었다. 인터넷 세상과 별로 친하지 않다보니 이렇게 치열한 논쟁이 벌어졌다는 사실도 몰랐다. 안타까운 점은 대부분의 논쟁이 상처로 끝나고 그 전투의 기록들이 허무하게 사라졌다는 점이다(어느 한 편의 블로그의 폐쇄나 이전!).

당연히 공론장公論場은 중요하다. 특히 한국처럼 자기 얘기를 꺼내기 어려운데 인터넷이 발달한 곳에서는 인터넷이 중요한 공론장이다. 하지만 공론장이 활성화되려면 배경지식이 필요하고 서로 간의 이해理解도 중요하다. 그런데 인터넷에서 벌어지는 논쟁을 보면 이해라는 말이 무색해진다. 바로 앞의 사람에게 무관심한 채 열심히 어느 곳에 있는 누군가와 소통하려 아이폰을 뒤적이는 사람을 바라보는 느낌이랄까. 서로의 얘기를 진지하게 들어주기는 하는 걸까? 우리는 왜 논쟁하는가?

인문학 키드와 인문학 오타쿠

두 사람의 논쟁을 조금 더 깊이 이해하기 위해 책 속으로 들어가보자. 박가분의 『부르주아를 위한 인문학은 없다』를 읽으니 또 감탄이 터졌다. 이름만 들어도 어려운 칸트, 고진, 지젝, 아렌트, 바디우, 랑시에르, 버틀러, 라클라우, 라캉, 들뢰즈, 벤야민 등이 한칼에 정리된다. 낯설고 어려운 사상가의 이론을 자기만의 관점에서 해석하고 분석하는 능력이 돋보인다. 그 내용을 자신의 언어로 설명하지 못한다는 점만 빼면 무척 탁월한 능력이다.

그런데 자신의 언어로 해명하지 못하다보니 '정리'는 되지만 '이해'는 잘 되지 않은 듯하다. 번역책에서 바로 튀어나온 듯한 개념은 그렇다손 치더라도 그 뜻을 알기 힘들게 꼬인 문장은 난감하다. 책을 읽고 정리한 인문독서 후기라 하더라도 책으로 나오려면 독자를 고려해 내용을 다듬어야 했을 텐데, 그런 생각이 들지 않는다.

사회를 분석한 글도 독서후기와 다르지 않은 걸 보면 단지 글의 형식의 문제는 아닌 듯하다. 예를 들자면, 인터넷의 정치적 주체성을 다룬 글에서 박가분은 "인터넷상의 대중 이데올로기 안에서만 머문다면 오늘날 '적이 누구인지' 정세를 결정하는 '주요 모순'이 무엇인지에 대한 첨예한 사유의 지평이 닫히고 만다. 자신의 정치적 지향을 다원적인 욕구들이 공존하는 세계와 등치시키는 오늘날 경향은 '정치'가 '정치적인 것'으로 다변화되었다는 사실을 말해주기는커녕 우리 사회의 주요한 탈정치화의 첨경을 구성한다. 그것은 정치적인 것을 관용·불관용이라는 몰역사적인 풍경으로 환원하는 것의 징후에 불과하다"[2]고 얘기한다. "인터넷 상의 대중 이데올로기"는 무엇이고, "자신의 정치적 지향을 다원적인 욕구들이 공존하는 세계와 등치시키는 오늘날 경향"은, "주요한 탈정치화의 첨경"은, "몰역사적인 풍경"은 무슨 말일까? 책을 읽는 사람들이 이 정도는 알고 있으리라 생각하는지 박가분은 설명하지 않는다. 어려운 말을 쓰지 말자는 게 아니라 자신의 생각을 독자들이 이해할 수 있도록 풀어줘야 할 텐데, 남이 풀다 남겨둔 낱말맞추기를 푸는 느낌이다. 말이 안 들어맞다보니 앞서 맞춰놓은 낱말을 다시 맞춰갈 수밖에 없다.

박가분의 글에서 느낀 또 다른 불편함은 좋아하는 인문학자에 대한 열광과 반대자에 대한 냉소가 너무 분명하다는 점이다. 사랑

---

2) 박가분, 『부르주아를 위한 인문학은 없다』, 인간사랑, 2010, 435쪽. 이후 쪽수만 표기함.

과 열정을 말릴 수는 없는 노릇이지만 한쪽으로 치우치다 보니 다른 쪽의 무게를 너무 가볍게 여긴다. 가볍이 여길 만한 상대라면 가볍게 다뤄야 하겠지만 상대를 잘 파악하지 못한 상태에서 상대를 누르려는 경향도 보인다. 다른 사상가들은 어려워서 잘 모르겠고 그나마 알 만한 사상가인 아렌트를 가지고 얘기하자면, 사실 박가분의 아렌트 해석은 지젝의 해석을 모방한 것에 가깝다. 지젝의 해석을 모방했다는 점을 숨기지는 않으니 솔직하지만 지젝의 해석이 가진 문제점 또한 그대로 지니고 있다.

박가분은 한나 아렌트의 이론을 신자유주의와 연관짓는 지젝의 분석에 기대어 비판한다. "정치적 판단이란 '진리'와 무관하지 않으며, 그것은 취미판단으로 환원될 수 없다는 사실을 역설해야만 한다! 이런 점에서 아렌트의 견해는 정확히 쁘띠 부르주아들의 환상을 대변한다"(51쪽)고 주장한다. 아렌트가 쁘띠 부르주아(오랜만에 보는 단어다!)의 환상을 대변한다니 무슨 소리일까? 다음 얘기를 들어보자. "스탈린식 전체주의도 나쁘다. 어쨌든 그것은 말 그대로 전체주의적이기 때문이다. 그러나 한나 아렌트와 같은 자유주의 사상가들과 그녀가 대변하는 참여민주주의적 이상은 '더 나쁘다'. 왜냐하면 신자유주의적 조류와 광기어린 전체주의적 폭력에 맞서 공론공간을 방어하겠다는 바로 그 제스처를 통해 그들이야말로 정확히 공론공간 그 자체의 고유한 정치적 성격을 희생시켜 버렸기 때문이다."(53쪽) 박가분의 비판은 아렌트가 주장한 공론장이 다양성을 빌미로 자신의 정치성을 포기하고 정치행위를 "수동적인 의미체험의 영역으로 격하시키는 효과를 낳는다"(60쪽)고 비판한다. 결국 "이들 참여적 민주주의·자유주의 사상가들의 진짜 요망은 공론공간을 순수한 환상으로 유지하는 것에 불과하며, 오히려 이러한 환상을 진짜로 유지시키는 사람은 자신들이 요구하는 특수한 논리, 정체성, 경제적 판단을 곧바로 전 사회적 보편성과 일치시키려는 '유토피아적' 기획을 추구하는 '신자유주의' 정치세력"(55쪽)이다.

박가분이 비판하는 바는 아렌트가 정치적인 적대의 장을 순수한 의견교환의 장으로 전환시키고 정치와 진리를 분리시켜서 신자유주의 세력이 그 장을 장악하도록 문을 활짝 열어줬다는 혐의이다. 그러나 아렌트는 적대가 없는 정치공간이 가능하다고 보지도 않았고 특정한 세력이 그 공간을 점유하는 것을 걱정했다. 오히려 아렌트는 공감적 참여의 중요성을 지적하고 시민불복종을 결사의 자유의 권리로 해석했다.

사실 박가분은 아렌트가 정치와 진리를 구별지으려 했던 바로 그 지점에서 아렌트를 비판한다. 아렌트는 순수한 정치공간이 아니라 인간의 고유함이 보장되는 다원적인 공간을 정치의 장으로 삼으려 했다. 왜냐하면 공적 영역은 특정한 사람들의 독점물이 아니라 타인과 공존해야 하는 인간 공통의 장이기 때문이다. 하물며 프롤레타리아라 하더라도 그 장을 독점할 수는 없다.

사실 현대의 유럽철학자들이 아렌트를 깎아내리려 안간힘을 쓰는 건 그만큼 아렌트의 무게가 무거웠다는 점을 반증하기도 한다. 그런데 그 무게를 제대로 재지도 않은 채 내팽개치는 건 올바르지 않다. 박가분은 라캉을 비판하는 버틀러를 비판하면서 "만약 라캉에 대해 알려져야 할 다른 부분이 있다면 어쩔 것인가? 라캉은 자신의 성차 공식을 통해 이미 상징적 금지의 작인 자체가 성별화된 입장으로 분열된다는 사실을 지적했다"(104쪽). 이 얘기는 박가분이 비판하는 아렌트에게도 그대로 적용될 수 있다. 만약 아렌트에 대해 알려져야 할 다른 부분이 있다면 어쩔 것인가? 아렌트는 인류 역사에서 되풀이해서 나타났던 평의회를 새로운 형태의 정부로 환영하면서 노동자평의회만이 아니라 다양한 평의회들이 새로운 주

황승우 · 아났토그 인간의 키보드워리어 논쟁 감상기

245

권권력을 구성해야 한다는 사실을 지적했다.

박가분의 책에서 가장 위험한 부분은 목적과 수단을 분리시키는 사고방식이다. 도구적 합리성이 얼마나 끔찍한 결과를 불러왔는지는 이미 인류 역사가 증명했다. 그런데도 박가분은 "물론 전쟁은 전 인류를 수단화하는 반인류적인 범죄이다. 그러나 그러한 폭력성을 통해서만 바로 그것에 대한 국제적 규제가 가능하다. 우리는 필연적으로 전쟁을 겪어나갈 것이다. 그러나 그것이 반복될수록 오히려 우리는 희망에 한걸음씩 다가가게 될 것이다"(42쪽). 이것이 칸트를 올바로 해석한 것인지는 또 다른 문제이고, 이런 칸트라면 도시락 싸들고 다니면서 말리고 싶다. 사실 '평화를 위한 전쟁', '정당한 전쟁'은 조지 오웰의 소설 『1984』에서나 찾아볼 수 있는 말이 아닌가. 19세기 러시아 혁명가의 사고방식이 21세기 한국의 청년에게서 부활했다.

그 자신이 비판한 인문학 오타쿠가 되지 않으려면 자신의 언어를 가져야 할 것 같다. 그의 급진적 사유를 뒷받침할 수 있는 익숙한 언어가 개발되어야 그 말의 힘이 강해질 것 같다. 그리고 외국 이론을 한국의 현실에 대입하는 과정은 매우 신중해야 하고, 그런 과정 자체가 이미 오류일 수 있다. 인문학 오타쿠가 아니라 인문학 키드가 되려면 숙성의 과정을 거쳐야 할 것 같다.

논객의 탄생과 현실주의자

한윤형의 『키보드워리어 전투일지』를 읽으며 감탄에 또 감탄을 거듭했다. 인물비평을 매개로 '자생적으로' 대중문화의 세계에서 정치의 세계로 넘어간 고등학생이라, 참으로 놀랍다. 안티조선운동에 공감하긴 했지만 그 논쟁에 큰 관심을 갖지 않았던 내게 한윤형의 글은 놀라움의 연속이었다. 화려한 경력도 그렇지만 하나의 운동에 저토록 헌신적인 사람을 보기가 쉽지 않은 시대이기 때문이다. 그리고 자기 모습을 이리저리 바꿔내며 인터넷 세계에서 자신의 정체성을 재치있게 창조할 줄 아는 사람 역시 보기 드물기 때문이다.

사실 너무도 일찍 '결단'의 의미를 깨달은 한윤형의 모습은 좀 비장하기도 했다. 안티조선운동 당시 다른 대학생들에게 "어른들이 일을 더 시키려고 할 테니 절대로 말려들지 말라"고 충고할 정도로 현실을 잘 꿰뚫고 있는 그이기에 자조적인 독백과 열정적인 주장이 책 속에 공존한다. 산전수전을 거치며 너무 일찍 늙어버린 한윤형은 이렇게 얘기한다. "당시의 나는 노빠들을 정말로 싫어할 만큼의 순수함을 지니고 있었다. 세상사의 돌아가는 방식에 적당히 체념하고 그 전에 결코 이해할 수 없었던 많은 이들의 행동을 이해할 수 있을 것 같다고 생각하는 지금의 나로선 돌아갈 수 없는 세계인 것이다."[3] 회고록에서나 나올 법한 얘기가 20대의 입에서 흘러나온다. "나는 여기저기서 내가 이미 겪은 것과 같은 문제들이 반복되고 어떤 좋은 흐름들을 좌초시키는 것을 지켜보았다. 세상은 지겨우리만큼 반복적이었고 그 반복을 거부하려는 이들의 몸부림조차도 또한 반복적이었다. 기록에 대한 갈망은 내가 그 '사실'을 그저 '현실'로 받아들일 만큼 어른이 되지 못했기 때문에 생겨나는 것일까? 기억과 자료가 사라지기 전에 기회가 있다면 아직도 그 일을 시도해 보고 싶다. 아직도 종종 그 시절의 꿈을 꾼다."(50~51쪽)

이미 너무 많은 사건을 겪었고 그 중심에 있었기에 그가 보고 듣고 겪은 바는 압축적이다. 한국의 압축성장이 사회에 미친 영향을

---

3) 한윤형, 『키보드워리어 전투일지』, 텍스트, 2009, 90쪽. 이후 쪽수만 표기함.

보면, 압축성장의 경험이 그에게 어떤 영향을 미칠까 걱정된다. 그러니 그에게 필요한 건 '여유'인 듯하다. 세상을 책임지고 바꾸려는 의지를 잠시 내려놓고 세상의 다양한 목소리에 귀를 기울이면 좋겠다. 짐을 잠시 내려놓아도 세상이 갑자기 망하지는 않을 테니.

허나 열정을 포기하고 차갑게 식은 한윤형의 글에서 가장 두드러진 점은 '논리'이다. 타고난 논리적 인간일 수 있지만 그는 인터넷 게시판의 논쟁을 통해 논리적으로 '단련'된 사람 같다. 인터넷 논쟁의 주요한 무기가 '발빠른 대응'이다 보니 상대방의 글을 읽고 즉각적으로 논점을 파악하고 그 허점을 짚는 게 논쟁의 정석이다. 때론 상대방이 정말 얘기하고 싶은 바가 글 속에 정확하게 드러나지 못할 수 있는데, 그 점은 이해의 대상이기보다 비판의 대상이다.

그 자신도 이렇게 얘기한다. "게시판 논쟁 시대에 유용한 방식이기도 했지만, 나는 남들의 주장을 종합해서 나 자신의 주장을 만드는 편이었다. 여러 관점을 가진 이들이 있으면 그들의 글을 유심히 보고, 그들 입장의 장점과 난점을 파악하고, 그것들을 새로운 주장 속에서 끼워 맞추는 것이 내가 좋아하는 일이었다. 논쟁의 과정에 내가 몰랐던 사실들을 발견하면 그것들을 수용하는 글을 새로 쓰기도 했다. 그래서 기묘하게도, 나보다 스무 살이나 많은 진중권이 노빠들을 향해 직격탄을 쏘아 논란이 거세지면, 진중권의 진테제와 노빠들의 안티테제를 종합하여 내가 새로운 주장을 만들어내는 일이 잦았다."(91쪽) 고등학교 때부터 이런 내공을 길러왔으니 그의 공력이 지금은 어느 정도일지 짐작하기 어렵다.

그런데 논리의 내공이 현실을 바꾸는 동력이 되려면 "인간은 꿈의 세계에서 내려온다"는 체 게바라의 얘기에 귀를 기울여야 한다. 한윤형은 "지금의 나는 그렇게 말할 수 있는 정치적인 대안을 지니고 있지 않고, 사실주의적인 분석은 회의와 냉소의 늪에 빠진다.

하지만 나는 이 늪이 위험하기는 해도 섣부른 희망의 아편만큼 나쁘지는 않다고 생각한다. 우리는 꿈에 취해 살아서는 안 되고, 제정신을 가지고 할 수 있는 일들이 무엇인지 직시해야 하는 것"(95~96쪽)이라 얘기한다. 하지만 이런 현실주의는 그가 보는 세계를 너무 단편적으로 만든다. 단지 현실의 조건에서 시작하는 것을 현실주의라 부르지 않는다면, 이상을 가진 사람이야말로 현실주의자이고, 그런 현실주의자들 덕분에 인류 문명은 지금의 현실로 발전해 왔다. 전지적 작가 시점이 아니라 1인칭 시점에서 세상에 말을 걸고 사람들과 대화를 나누는 사람들이, 민중'을 위해서'가 아니라 민중'과 더불어' 사는 사람들이 새로운 세상을 만든다.

허나 안티조선운동의 상처 탓인지, 그가 겪어온 민주노동당 분당, 김선일 사건 등의 영향 때문인지 한윤형은 그런 현실주의를 받아들이진 않는 듯하다. 나는 한윤형이 키보드워리어에서 현실주의자로 변신해서 세상의 열정을 많이 느껴보면 좋겠다.

아름다운 논쟁은 없다!

지금 성공회대에서는 '이상한 풍경'이 연출되고 있다. 학교 내의 행정직원들이 비정규직법안 때문에 해고되었는데, 밖에서 비정규직의 정규직화, 사회적 약자의 대변자를 자처하는 교수나 지식인들은 하나같이 입을 닫고 있다. 심지어 이 일이 자신과 무관하다고 주장하거나 때로는 학교측의 입장을 대변하는 사람들까지 등장했다고 한다. 이를 어떻게 해석해야 할까? 진보와 보수를 떠나 인간의 기본조차 지키지 못하는 사람들이 남을 가르치려 한다니. 나는 앞길 창창한 두 논객의 삶이 소위 진보적이라 '떠드는' 지식인들과는 다르길 기대한다.

그리고 똑똑한 두 사람이 성장하기에 인터넷이라는 세상은 너무 좁다. 넓은 듯 보이지만 실제로는 몇 다리 건너면 하나의 세상이다. 좁은 세상에 똑똑한 사람들이 많으면 서로의 영역을 침범하고 사소한 자극에도 예민한 반응을 보이게 된다. 그러니 영역을 좀 넓히고 시야도 다양한 방면을 향하면 좋겠다.

80년대 사회과학논쟁, 사회구성체논쟁이 현재로 의미 있게 이어지지 못하고 있는 건 여러 이유가 있겠지만 '원전에 대한 집착' 탓도 컸다. 치열한 논쟁, 사상투쟁은 많았지만 교조주의나 개량주의로 끝나는 경우가 많았다. 사회변혁을 둘러싼 논쟁마저도 이 땅의 현실에 뿌리를 내리지 못하고 특정한 원전이 논쟁의 승패를 가늠했다. 그러다보니 현실을 바꾸는데 현실이 주가 되지 못하고 현실을 해석할 하나의 방법에 불과할 원전이 주가 된다. 앞뒤가 뒤바뀐 논쟁은 그만둬야 하지 않을까?

마지막으로 논쟁을 벌이다 보면 왜 논쟁을 하는가라는 목적이 사라지는 것 같다. 내가 예전에 읽은 동화책엔 남의 마음을 들여다보는 안경과 자기 마음을 보여주는 단추 얘기가 나온다. 남의 마음을 보는 게 엄청난 권력이지만 그 권력이 삶을 행복하게 만들지 못한다. 나같은 소심쟁이들은 그냥 자신의 소심함을 보여주는 단추를 붙이고 사는 게 행복하다. 이 글을 쓰며 나는 행복했다. 國

하승우

느티나무도서관재단, 경희대, 풀뿌리자치연구소 이음 등에서 일하고 있다. 『희망의 사회윤리 똘레랑스』, 『세계를 뒤흔든 상호부조론』, 『군대가 없으면 나라가 망할까』, 『아나키즘』, 『도시생활자의 정치백서』 등을 지었다.
anar00@hanmail.net

키워드로 읽는 2000년대 문학

지난 10년의 한국문학을 검토하는 책, 두 번째 권을 묶는다. 2000년대 문학을 고찰하기 위해 설정한 키워드는 '탈국가, 역사, 윤리, 탈서정, 유머, 환상, 칙릿, 키덜트, 디스토피아, 세대, 가족, 빈곤, 논쟁, 문학상'이다. 모든 학문이 그렇듯 지난 시기 문학 지형에 대한 검토는 우리가 살아가고 있는 현재적 영토를 점검하기 위해서이다. 2000년대 문학 지형의 변화는 환경의 변화를 반영하고 있다. 인터넷 연재 소설이라든가, 퓨전 역사물인 팩션이나 한국문학의 세계화, 새로운 빈곤에 대한 성찰 등은 문학 환경의 변화이자 동시에 우리 일상의 변화를 의미한다. 끊이지 않는 '문학 위기설'과 그에 따른 논쟁들, 얽히고설킨 다양한 시각의 진단, 우려와 낙관은 2000년대 문학의 풍요와 빈곤을 구성하고 있는 또 다른 층위들이다. 이렇듯 지난 시간의 문학을 되돌아봄으로써 현재의 문학이 우리에게 주는 의미를 되새겨 볼 수 있는 책이다.

작가와비평 편집동인 | 2011.02.25 | 16,000원 | 신국판 | 352쪽 | 작가와비평

펴낸곳 **작가와비평** | 등록 제2010-000004호 | 주소 경기도 광명시 소하동 1272번지 우림필유 101-212
블로그 http://wekorea.tistory.com | 이메일 wekorea@paran.com
공급처 (주)글로벌콘텐츠출판그룹 | 주소 서울특별시 강동구 길동 349-6 정일빌딩 401호 | 전화 02-488-3280 | 팩스 02-488-3281

저자가 문학사회에 나선 적지 않은 세월 동안 짬짬이 내놓았던 줄글 가운데 시 창작 경험을 다룬 것을 중심으로 한 자리에 묶었다. 시에 두루 걸친 경험을 담은 글, 개별 작품에 대한 자작시 풀이나 시작 노트에 드는 글, 창작 언저리에서 얻은 강연 원고나 이저런 표사·축사와 같은 것, 대담 가운데서 지역문학에 대한 생각을 담은 것들 모두 네 매듭을 지었다.

박태일 | 13,800원 | 국판변형(양장) | 336쪽 | 작가와비평

시는 달린다

시로 말미암아 더욱 지치고 시로 말미암아 더욱 아프리라

시는 예나 이제나 스스로 살길을 잘 찾아 따르며 살아온 떠돌이의 노래다.
힘찬 떠버리 노래다. 말로써 말 많은 아픈 매혹이다.
앞날에 대한 걱정 앞에서도 시는 당당하다. 시는 달린다.

펴낸곳 **작가와비평** | 등록 제2010-000004호 | **주소** 경기도 광명시 소하동 1272번지 우림필유 101-212
블로그 http://wekorea.tistory.com | **이메일** wekorea@paran.com
공급처 (주)글로벌콘텐츠출판그룹 | **주소** 서울특별시 강동구 길동 349-6 정일빌딩 401호 | **전화** 02-488-3280 | **팩스** 02-488-3281

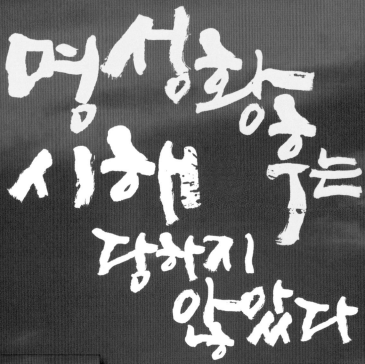
펴낸곳 **작가와비평** | **등록** 제2010-000004호 | **주소** 경기도 광명시 소하동 1272번지 우림필유 101-212
블로그 http://wekorea.tistory.com | **이메일** wekorea@paran.com

공급처 (주)글로벌콘텐츠출판그룹 | **주소** 서울특별시 강동구 길동 349-6 정일빌딩 401호 | **전화** 02-488-3280 | **팩스** 02-488-3281

멜랑콜리아의
윤리

이정석 | 2011.04.30 | 15,000원 | 신국판 | 320쪽 | 작가와비평

요즘의 대중은 계몽이 요구되는 무지한 주체가 아니다. 오히려 "자기가 하고 있는 것을 잘 알지만, 여전히 그렇게 행동한다"고 말하는 냉소적 주체에 가깝다. 문학은 자본의 제국으로부터 소외되어 상처를 안고 살아야 하는 타자의 고통을 섬세하게 묘파하고 농밀하게 서사화해서, 냉소적 주체의 내면 깊숙한 곳으로부터 일어나는 내밀한 소통을 유도해야 한다. 그리하여 어떻게 공동체 성원의 인간다운 삶을 지켜내면서, 내부에 도사린 악을 씻어내고 다양성과 차이를 존중하는 공동체를 세울 것인가를 고민하고 또 고민해야 한다. 궁극적으로는 지극히 주관적인 미적 판단이 보편적 동의를 유발하듯이, 어떤 전제나 목적이 없이 그 누구와도 차이를 존중하면서 연대할 수 있는 공동체를 지향해야만 한다. 그렇게, 문학은 더 나은 미래를 위해 불가능한 공동체를 꿈꿔야 한다.

작가와비평 | http://user.chol.com/~writercritic

작가와비평 | 2011년 상반기 통권 제13호 | 2011년 06월 30일 발행 | 값 12,000원

9 772005 375001

ISSN 2005-3754